Español en marcha 4

Curso de español como lengua extranjera

Libro del alumno

Francisca Castro Viúdez
Ignacio Rodero Díez
Carmen Sardinero Franco

Español Lengua Extranjera

SOCIEDAD GENERAL ESPAÑOLA DE LIBRERÍA, S. A.

SGEL

Primera edición, 2007
Sexta edición, 2014

Produce SGEL – Educación
Avda. Valdelaparra, 29
28108 Alcobendas (MADRID)

Diseño de cubierta: Fragmenta comunicación S. L.
Maquetación: Verónica Sosa y Leticia Delgado
Ilustraciones: Maravillas Delgado
Fotografías: Archivo SGEL, Cordon Press, S. L., Gettyimages (p. 92, Photodisc; p. 40, Jack Hollingsworth).

ISBN: 978-84-9778-295-1
Depósito legal: M-1920-2011
Printed in Spain – Impreso en España.

Impresión: Orymu, S.A.

Presentación

Español en marcha es un método que abarca los contenidos correspondientes a los niveles A1, A2, B1 y B2 del *Marco común europeo de referencia*. Al final de *En marcha 4*, los estudiantes podrán comprender textos en lengua estándar de temas conocidos por todos. También serán capaces de hacer descripciones claras sobre temas de su interés, así como argumentar y defender su punto de vista. En cuanto a la habilidad de escribir, se pretende que al finalizar este curso puedan producir textos claros y detallados sobre temas variados. También podrán escribir textos como redacciones, cartas formales o informes, desarrollando un argumento y empleando los conectores necesarios.

El libro consta de 12 unidades, organizadas en varias secciones.

- Tres apartados (*A, B y C*) de dos páginas cada uno, en los que se presentan, desarrollan y practican los contenidos lingüísticos y comunicativos correspondientes. Cada apartado constituye una unidad didáctica que sigue una clara secuenciación desde una primera actividad de asentamiento del contexto hasta las actividades finales de producción.

  A lo largo de cada unidad el estudiante tiene la oportunidad de practicar intensivamente todas las destrezas (leer, escuchar, escribir y hablar), así como de reflexionar sobre las cuestiones gramaticales más características del español. También se presenta sistemáticamente el vocabulario y la pronunciación del español. En este nivel hemos dedicado una atención especial a la práctica de la acentuación.

- Un apartado (*Escribe*) destinado exclusivamente a trabajar la expresión escrita. Se ofrecen modelos de textos escritos, así como tareas intermedias donde se le proporcionan al aprendiz estrategias necesarias para que pueda producir diferentes tipos de textos: cartas formales, informes, cartas de opinión…

- Un apartado denominado *De acá y de allá*, que contiene información del mundo español e hispanoamericano y tiene como objetivo desarrollar la competencia tanto sociocultural como intercultural del estudiante.

- El apartado de *Autoevaluación* tiene como objetivo recapitular y consolidar los objetivos de la unidad. Al final de este apartado se incluye un breve test de autoevaluación con el que el aprendiz podrá ver su progreso según los descriptores del *Portfolio europeo de las lenguas*.

Al final de las unidades se incluye un modelo de examen del DELE, nivel intermedio, para que los estudiantes puedan practicar dicha prueba.

A continuación aparece una completa *Referencia gramatical* organizada por unidades, una tabla de verbos regulares e irregulares y las transcripciones de las grabaciones del CD.

Español en marcha 4 puede ser utilizado tanto en clases intensivas (de tres o cuatro horas diarias) como en cursos impartidos a lo largo de todo un año.

contenidos

A. ¿Eres feliz?

1. Mira las personas que aparecen en las fotos. ¿Crees que son felices? ¿Por qué? Coméntalo con tus compañeros.

2. Las siguientes preguntas te servirán para conocer mejor a tu compañero. En cada una falta una palabra; escríbela.

1. ¿Por estudias español? *¿Por qué estudias español?*
2. ¿Cuánto tiempo que estudias español?
3. ¿Qué aspecto te resulta fácil estudiar español?
4. ¿Qué resulta más difícil?
5. ¿Qué país gustaría visitar?
6. ¿Qué programas de la tele te más?
7. ¿Comida prefieres?
8. ¿Cuál tu actor/actriz favorito/a?
9. ¿Qué periódico/revista normalmente?
10. ¿Tipo de música escuchas normalmente?
11. ¿Cuántas veces al cine en un mes?
12. ¿Te gusta fútbol?
13. ¿Practicas algún deporte ejercicio físico? ¿Cuál?
14. ¿Cuál tu actividad preferida en tu tiempo libre?

3. Escucha y comprueba. **1** 🔘

HABLAR

4. Hazle las preguntas a tu compañero y toma nota. ¿Qué aspectos tenéis en común?

GRAMÁTICA

INTERROGATIVOS

Los interrogativos *qué, cuál, dónde, cómo, quién-es, cuánto-a-os-as*, llevan siempre tilde.

Qué

• Se utiliza para preguntar por algo en general.

Qué + verbo

¿Qué dices?
¿Qué vas a comer, pan o arroz?

Qué + nombre

¿Qué hora es?
¿Qué programas de la tele te gustan más?

Cuál

• Se usa para preguntar por una persona o cosa entre varias de un grupo.

Cuál + verbo

¿Cuál (de ellos) es Jorge?
¿Cuál prefieres, esta o esa? (de las camisas que hay)
¿Cuál es el animal más rápido? (de entre todos)

Qué / Cuál

¿Qué es mejor: salir o quedarse en casa?
¿Cuál es el mejor, este o aquel?

5. Subraya la opción más adecuada.

1. A. ¿Qué / Cuál quieres de postre?
   B. Una naranja.
   A. Cuál / Qué quieres, esta o esa?
2. ¿Qué / Cuáles pantalones te vas a poner hoy?
3. ¿Cuál / Qué es el actor preferido de tu madre?
4. ¿Qué / Cuál es el problema que tenéis?
5. De aquellas chicas, ¿qué / cuál es la hermana de Pepe?

6. ¿Qué / Cuál problema tiene ahora Óscar?
7. ¿Qué / Cuál es ese ruido?
8. ¿Qué / Cuál es el mejor?
9. ¿Qué / Cuál es mejor: nadar o ir al gimnasio?

LEER Y HABLAR

6. Lee el cuestionario, responde y luego comenta tus respuestas con tus compañeros. También puedes hacerle las preguntas a tu compañero.

¿ERES FELIZ?

¿Sientes que tu vida es satisfactoria? Difícil pregunta. Sentirse satisfecho de la propia vida es lo mismo que sentirse feliz, es decir, conocerse a uno mismo y estar en paz con los demás y con el mundo que nos rodea. Este cuestionario te ayudará a conocer tu nivel de satisfacción.

1. ¿Te aburres mucho?
   a. De vez en cuando.
   b. No, muy pocas, poquísimas veces te aburres.
   c. Sí, bastante.

2. Si pudieras, ¿cambiarías hoy mismo de trabajo?
   a. Puede, tendrías que valorar los pros y los contras.
   b. No, ni hoy ni mañana.
   c. Sí, sin pensarlo dos veces.

3. ¿Tienes unas cuantas personas a las que consideras amigos de verdad?
   a. Puede que sí.
   b. Sí, sabes perfectamente quiénes son tus amigos.
   c. En cuestión de amistades, nunca estás seguro/a.

4. ¿Duermes bien?
   a. Normalmente sí, sólo de vez en cuando tienes problemas con el sueño.
   b. Sí, prácticamente siempre.
   c. No.

5. ¿Te encuentras a gusto con tu propio cuerpo?
   a. Más o menos, hay alguna cosa que no te gusta, pero ¡qué se le va a hacer!
   b. De forma general, sí.
   c. No, te ves un montón de defectos.

6. Si tuvieras la lámpara de Aladino, ¿le pedirías que cambiara tu vida?
   a. Cambiar tu vida de forma radical, no, pero sí que la arreglase un poquito.
   b. Sería estupendo poder cambiar unas cuantas cosas que no te gustan.
   c. Sí, claro, que cambiase tu vida radicalmente.

7. ¿Tienes muchas aficiones?
   a. Alguna que otra.
   b. Unas cuantas, y disfrutas mucho con ellas.
   c. No, no te gusta perder el tiempo.

8. En la actualidad, tienes planes y proyectos que te resultan apetecibles?
   a. Tienes algunos proyectos más o menos apetecibles.
   b. Sí, a corto y largo plazo.
   c. Ahora no tienes planes o son poco apetecibles.

RESULTADOS

PREDOMINIO DE **A**.

Tú estás solo satisfecho/a a medias con tu vida. No te quejas, pero tampoco estás muy feliz. En cualquier caso, la vida es así y hay que aprovechar lo bueno.

PREDOMINIO DE **B**.

¡Enhorabuena! Parece que estás muy satisfecho/a con tu existencia. Estás a gusto contigo mismo/a y con lo que te rodea, por lo menos esa es la situación actual.

PREDOMINIO DE **C**.

Parece que hay algo que no funciona en tu vida. Las cosas no van como tú quisieras, hay desconcierto, desánimo e insatisfacción general. Ponte a funcionar. Siempre se puede cambiar y mejorar

**1
A**

B. Aprender de la experiencia

1. ¿Cuál es tu primer recuerdo de la infancia?

Yo recuerdo el día que mis padres me llevaron a la playa, cuando tenía cuatro años.

LEER

2. Lee el texto y señala *V* o *F*. Corrige la información falsa.

A sus veinte años, Jesús Pastor afirma que en sus primeros recuerdos ya aparece un niño que bailaba y bailaba e insistía en ser bailarín. El tiempo ha demostrado que sus padres no se equivocaron cuando lo matricularon en una escuela de *ballet*. Actualmente tiene una medalla de oro para jóvenes bailarines, ha viajado por todo el mundo y es el único de su barrio que tiene coche propio.

Jesús nació en un barrio de Madrid, su padre era mecánico y su madre ama de casa. Durante dos años su padre se quedó en paro y lo pasaron mal. Él llevaba una vida atípica: por la mañana iba al colegio y por la tarde pasaba cuatro horas al día en la academia de baile. Como su padre no trabajaba, le acompañaba en el trayecto de ida y vuelta. A partir de los once años empezó a ir solo. Y con 17 años era bailarín del Ballet Víctor Ullate.

Jesús todavía no ha asistido a la boda de un amigo, tampoco ha votado nunca y no ha tenido novia. Le gusta bailar, pero pocas veces entra en una discoteca, y casi nunca ve la tele: "Prefiero enterarme de lo que pasa por los periódicos".

(Extracto de *EL PAÍS*)

a. Jesús pasaba todo el tiempo bailando. ☐
b. Los padres de Jesús no querían que fuera bailarín. ☐
c. Su padre no trabajaba nunca. ☐
d. Jesús no ha visto nunca la tele. ☐

3. Lee otra vez el texto y subraya con una línea los verbos en pretérito indefinido, y con dos los verbos en pretérito perfecto.

Responde a las **preguntas.**

1. ¿En qué tiempo verbal se expresan las acciones que ocurrieron en un momento determinado del pasado?
2. ¿En qué tiempo verbal se expresan las acciones sin marco temporal determinado?

GRAMÁTICA

Pretérito indefinido

• Se usa para hablar de acciones realizadas y acabadas en un momento determinado del pasado. Pueden ser puntuales o durativas.

*Jesús se **matriculó** en la academia de baile a los seis años.*

*El padre **estuvo** sin trabajar dos años.*

Pretérito perfecto

• Se utiliza para hablar de actividades acabadas recientemente.

*Hoy no **he comido** nada.*

*Ya **he hecho** los deberes.*

- También se usa para hablar de actividades sin marco temporal concreto.

  *¿Quién **ha abierto** la ventana?*

- Y para hablar de experiencias vitales.

  *Nunca **he estado** en México.*

Pretérito imperfecto

- Se utiliza para hablar de acciones inacabadas en el pasado, vistas en su desarrollo.

- Sirve para describir y para hablar de hábitos en el pasado.

  *La madre de Jesús **era** ama de casa.*

  *Jesús **bailaba** cuatro horas diarias todos los días.*

4. Subraya la opción adecuada.

1. ¿*Habéis hecho / Hicisteis* ya los deberes?
2. ¿Quién *ha llamado / llamó* por teléfono anoche?
3. ¿Por qué *has llegado / llegaste* hoy tarde a clase?
4. A. ¿*Has visto / Viste* ya la última película de Amenábar?
   B. No, la verdad es que últimamente *he ido / fui* poco al cine.
5. A. Hablas muy bien español, ¿dónde lo *has aprendido / aprendiste*?
   B. *Empecé / He empezado* en la escuela y luego *seguí / he seguido* estudiando por mi cuenta.
6. A. ¿*Has salido / Saliste* en la tele alguna vez?
   B. Sí, claro, antes *salía / he salido* mucho porque *trabajaba / he trabajado* en un programa, pero ahora ya no salgo.

5. Completa la entrevista que ha hecho un periodista a un bailarín. Utiliza el pretérito indefinido, el pretérito perfecto o el pretérito imperfecto.

A. ¿Dónde (nacer) *naciste*?
B. En Sevilla.
A. ¿Cuándo (empezar)_____ a bailar?
B. Cuando (tener)_____ seis años.
A. ¿Cuántas horas (practicar)_____ cada día?
B. Cada día (practicar)_____ cuatro horas.
A. ¿(Bailar)_____ alguna vez fuera de España?
B. Sí, dos veces.
A. ¿(Ganar)_____ algún premio?
B. Sí, (ganar)_____ uno el año pasado en Roma.
A. ¿(Pensar)_____ alguna vez en dejar el baile?
B. No, ni hablar, nunca lo (pensar)_____.

6. Escucha y comprueba. **2** 🔘

ESCRIBIR Y HABLAR

7. Escribe una lista de actividades que has realizado a lo largo de tu vida o de experiencias que has tenido, y otra de actividades que todavía no. Luego, coméntalo con tus compañeros.

*Yo **he estado** varias veces en Madrid, pero **no he estado** nunca en Barcelona.*

salir al extranjero – tener novia
trabajar de camarero – tener un accidente
montar en avión – salir en la tele
viajar en barco – bucear – ganar un premio

HAS REALIZADO	NO HAS REALIZADO

ESCUCHAR

8. La *kokología* es un juego psicológico que pretende que te conozcas mejor.
Escucha el problema, elige una solución y luego escucha el diagnóstico*. ¿Estás de acuerdo con él? **3** 🔘

* Extraído del libro de Tadahiko Nagao e Isamu Saito, *Kokología*, Plaza y Janés Editores, S. A., Nuevas ediciones de Bolsillo, S. L.

C. Una época para recordar

1. ¿Crees que la vida de tus abuelos era mejor que la tuya o peor? ¿Por qué?

2. Lee el texto y luego señala *V* o *F*. En caso de ser falsa la información, corrígela.

Cómo vivían las mujeres españolas en 1898

1898 fue un año importante para España porque significó el fin de una época: fue el año en que perdió la isla de Cuba frente a EE UU. Ese año España tenía 18 millones de habitantes, y la población vivía sobre todo en el campo. Vamos a ver cómo era la vida de las españolas a finales del siglo XIX.

Destino: el matrimonio

En esa época, el 70% de las españolas se casaba entre los 16 y 25 años. Pocas mujeres recibían un salario, sólo las que eran muy pobres y lo necesitaban para subsistir. En el campo se trabajaba de sol a sol, y en las fábricas la jornada era de 15 horas diarias.

Estudios

El 71% de las mujeres eran analfabetas, y las que sabían leer y escribir no pasaban de la primaria. En 1898 había 52.000 varones matriculados en el ciclo de enseñanza secundaria, frente a 5.550 mujeres jóvenes.

Las pocas que estudiaban lo hacían en carreras como Magisterio, y algunas realizaban sus estudios en el Real Conservatorio y en Escuelas de Artes e Industrias.

Derechos

El Código Civil de finales del siglo XIX permitía a las mujeres trabajar, pero les prohibía tener puestos de responsabilidad o votar.

La mayoría de edad estaba en los 23 años, pero hasta los 25 no podían abandonar el hogar paterno, excepto para casarse.

La mujer casada no tenía derechos, quedaba bajo la autoridad del esposo. Sin el permiso del esposo la mujer no podía trabajar, percibir un salario, adquirir propiedades, aceptar una herencia ni intervenir en actos jurídicos.

Diferencias sociales

Mientras las clases dirigentes disfrutaban de los últimos adelantos de la época que hacían la vida más agradable: el teléfono, el telégrafo, la electricidad, las clases trabajadoras vivían en casas en malas condiciones, sin luz ni electricidad, comían poco y sufrían toda clase de enfermedades.

En el campo la vida era también muy dura para los que no poseían tierras propias.

Extracto de Clara

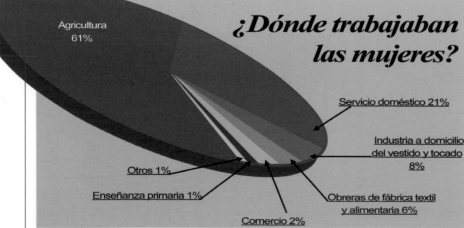

¿Dónde trabajaban las mujeres?

- Agricultura 61%
- Servicio doméstico 21%
- Industria a domicilio del vestido y tocado 8%
- Obreras de fábrica textil y alimentaria 6%
- Comercio 2%
- Otros 1%
- Enseñanza primaria 1%

1 C

1. En 1898, la mayoría de la población era urbana. [F]
2. Muchas mujeres que trabajaban se quedaban solteras. ☐
3. En el campo se trabajaba bajo el sol. ☐
4. La mayoría de las mujeres no sabían leer. ☐
5. Según las leyes, las mujeres no podían trabajar. ☐
6. Si la mujer estaba casada, necesitaba el consentimiento de su marido para comprar bienes, trabajar o participar en la sociedad en general. ☐
7. En esa época, la mayoría de la gente tenía electricidad y agua corriente. ☐

3. Completa cada frase con una de las palabras del recuadro. Sobran dos.

> subsiste – salario – Derechos – la mayoría de edad – jornada – analfabetas – votar – herencia

1. A. ¿Sabes que Lorenzo y María se han comprado un chalé en la playa con la _____ de su tío Carlos?
   B. Sí, ya me he enterado.

2. En muchos países pobres la población _____ con menos de dos dólares al día, es una vergüenza para los países ricos.

3. En el siglo XX, con la proclamación de los _____ Humanos, la vida de mucha gente ha mejorado, aunque aún no se respetan en todas partes.

4. ¿Sabes que todavía en España hay casi un 10% de personas _____? Parece increíble.

5. Cada año, el 8 de marzo, las mujeres piden lo mismo en relación al hombre: "igual trabajo, igual _____".

6. En la mayoría de los países, _____ está en los dieciocho años.

GRAMÁTICA

PRETÉRITO IMPERFECTO

● Se utiliza para hablar de hábitos en el pasado, para describir acciones o estados y para explicar las circunstancias de un hecho.

*Las mujeres que **iban** a la universidad en 1898 **eran** poquísimas.*

HABLAR

4. Piensa cómo era tu vida cuando tenías 10 años. Escribe algunas frases comparando la vida de entonces y la de ahora. Piensa en los siguientes aspectos:

> ● tu casa ● la vida de tu familia ● tus amigos
> ● tus gustos y aficiones (comida, juegos, la tele)
> ● tu escuela (tus profesores, asignatura preferida)
> ● tu carácter

> Cuando yo tenía 10 años vivía en un barrio de Barcelona con mis padres, mis hermanos y mi abuela. Nuestro piso era un ático con un balcón donde mi madre tenía muchas macetas.

5. En grupos de cuatro, habla de tu vida a los 10 años con tus compañeros.

ESCRIBIR

6. En grupos de cuatro. Tenéis que escribir un informe sobre el mundo del trabajo y las condiciones de los trabajadores en 1900, en vuestro país. Antes de empezar a redactar, recoged ideas comparando la situación actual con la de hace cien años.

1 C

D. Escribe

CARTA PERSONAL

1. Clasifica las siguientes expresiones de saludo y despedida en el apartado correspondiente.

> Querida Carmen – atentamente – Un beso
> Un abrazo – Hola, Luis – Muy señor/a mío/a
> Estimado señor/a – Un saludo cordial

CARTA PERSONAL	CARTA FORMAL

2. Paloma ha escrito un correo electrónico a un antiguo compañero de la universidad, Jaime, que ahora está trabajando en Ámsterdam. Lee y ordena los párrafos.

1. *A,* 2. ___, 3. ___, 4. ___,
5. ___, 6. ___, 7. ___.

3. Lee otra vez y contesta.

¿Cuál es el objetivo de la carta de Paloma?

4. Escoge una de las situaciones siguientes y escribe una carta o un correo electrónico de unas 180 palabras.

A. Escribe a un amigo/a al que no has visto desde hace cinco años. Cuéntale qué has hecho en este tiempo y explícale que te gustaría verlo para charlar con él.

B. Imagina que eres Jaime y que estás trabajando en Ámsterdam. Contesta a Paloma. Explícale que sí hay posibilidades de encontrar trabajo, pero que vivir en un país extranjero no es fácil. Explícale las dificultades que encontraste tú al llegar.

Eliminar No deseado Responder Resp. a todos Reenviar Imprimir

A. Hola, Jaime:

B. Empezamos con mucho entusiasmo, pero nos ha ido de mal en peor. Y la relación entre nosotros también ha ido fatal. Así que ahora estoy sin marido y sin trabajo, viviendo otra vez con mis padres.

C. Bueno, espero que me contestes pronto. Y si vienes a ver a tus padres en Navidad, llámame, estaré encantada de tomar un café contigo.

D. ¿Qué tal estás? ¿Cómo te va? No te he visto desde hace cinco años, en el cumpleaños de Marta. ¿Te acuerdas de la cara que puso al ver el perrito que le habíamos comprado? Fue genial. Pues hace unos días me encontré a tu hermana en la cola del cine y me dijo que estabas en Ámsterdam trabajando en una empresa de auditoría. Le pedí tu dirección de correo y por eso te escribo.

E. Y aquí viene mi pregunta, ¿tú crees que me resultaría fácil encontrar un trabajo en Ámsterdam? Como sabes, mi inglés era muy bueno, y también tengo un nivel medio de alemán.

F. A mí no me ha ido muy bien en estos cinco años. Después de acabar la carrera encontré trabajo rápidamente en una compañía de seguros, pero al año siguiente hubo una reestructuración de personal y me quedé en la calle. En la empresa también conocí a Manu, un compañero, y me casé con él. Al quedarnos sin trabajo, decidimos montar un negocio de telefonía por nuestra cuenta.

G. Un abrazo, Paloma.

De acá y de allá

EL SPANGLISH

1. ¿Has oído hablar del *spanglish*? ¿Te parece que es un fenómeno positivo o más bien perjudicial para la lengua española?

> Pepe, cierra *the window* que entra mucho *cold, please.*

Se llama *spanglish* al fenómeno lingüístico que consiste en el uso de palabras inglesas como parte de una frase en español. El término es algo impreciso, ya que incluye tanto el empleo de préstamos lingüísticos, normal en el desarrollo de la lengua, como el *code-switching*, frecuente entre hablantes bilingües o en las jergas profesionales.

Es típico del *spanglish* la confusión de significados entre palabras españolas y otras inglesas que suenan de forma parecida. Un ejemplo de esto sería la frase "Vacunar la carpeta" (del inglés, *vacuum the carpet)* en lugar de "Pasar la aspiradora por la alfombra".

El fenómeno del *spanglish* se da principalmente en Estados Unidos (en Nueva York se dice que es la tercera lengua detrás del inglés y del español), y también en Puerto Rico y algunas zonas de México. Incluso se pueden encontrar ejemplos de *spanglish* en Gibraltar, donde se pueden escuchar frases como "Pepe, cierra *the window* que entra mucho *cold, please*".

Esta mezcla de español e inglés tiene defensores y detractores. En el Armherst College de Nueva York existe una cátedra de *spanglish*, y también hay un diccionario del nuevo idioma. Asimismo podemos encontrar revistas como *Latina*, el "magazine bilingüe" para jóvenes hispanas donde aparecen textos en inglés o en español y, a veces, en *spanglish*. Dentro de la literatura latinoamericana goza de prestigio la escritora Julia Álvarez, que en sus novelas (*How the Garcia Girls Lost Their accent ¡Yo!, A Cafecito Story*), al reflejar el habla de sus personajes, mezcla continuamente ambos idiomas.

Por otro lado, Roberto González-Echeverría, profesor de literaturas hispánica y comparada en la Universidad de Yale, opina que la mezcla de español e inglés perjudica a la lengua española y a sus hablantes. Defiende la necesidad de aprender (y hablar) el inglés y el español, pero no esa mezcla que sólo es inteligible para unos cuantos, pero no para la gran mayoría de hispanos, sea en Latinoamérica o en España.

1 D

2. Después de leer, discute con tus compañeros.

¿Crees que es un fenómeno que debe potenciarse o se debería hacer algo para que desapareciese?

3. Relaciona las palabras procedentes de un glosario spanglish-español. ¿Sabrías decir de qué palabra inglesa provienen?

1. bildin	a. servicio de señoras
2. chatear	b. fontanero
3. chopear	c. disfrutar
4. frisar	d. congelar
5. marqueta	e. entregar
6. plomero	f. ir de tiendas
7. deliberar	g. mercado
8. enjoyar	h. imprimir
9. printear	i. edificio (de building)
10. leidis	j. charlar

friser = freeze

E. Autoevaluación

1. Completa estas preguntas sacadas de una encuesta nacional de hábitos de consumo. Relaciona con las respuestas.

1. ¿Dónde realiza sus compras diarias? **F**
2. ¿_____ es su presupuesto semanal de alimentación? ☐
3. ¿_____ toma como desayuno? ☐
4. ¿_____ paquetes de café compra al mes? ☐
5. ¿_____ marca de café compra? ☐
6. En cuanto a las bebidas basadas en té, ¿_____ de estas prefiere? ☐
7. ¿_____ marca de arroz compra? ☐
8. ¿_____ chocolate consume? ☐
9. ¿_____ veces compra al año por catálogo? ☐
10. ¿_____ compra los productos de belleza? ☐
11. ¿Con _____ frecuencia utiliza uno de estos productos cosméticos? ☐
12. ¿_____ se gasta anualmente en sus vacaciones? ☐

---

a. En la perfumería de mi barrio.
b. Todos los días.
c. Más de 1.000 €.
d. Nada.
e. La Fallera de Valencia.
f. En el supermercado de mi barrio.
g. Monkafé.
h. Café con leche y pan tostado con aceite de oliva.
i. Manzanilla y menta poleo.
j. Tres.
k. Ninguna.
l. Unos 150 €.

2. Completa las frases con el marcador temporal adecuado.

una vez – ya – todavía no – de vez en cuando
últimamente – esta mañana – hace dos meses
muchas veces – siempre

1. A. ¿Conoces el Museo del Prado?
   B. Sí, fui *una vez* cuando estudiaba en el instituto. Fui con mi profesora.
2. A. ¿Vas mucho al cine?
   B. La verdad es que no. Antes, hace unos años, sí que iba pero _____ no mucho.

3. A. ¿Fuiste ayer a la ópera? ¿Te gusta?
   B. Claro que sí, a mí _____ me ha gustado la ópera, desde que era joven.
4. A. ¿Viajas mucho al extranjero?
   B. La verdad es que no, sólo voy _____ a alguna feria de Muestras por mi trabajo.
5. _____ dejé de ir a clases de baile y ahora lo echo de menos.
6. A. ¿Has ido alguna vez a Sevilla?
   B. Sí, claro, he ido _____, es que tengo allí una prima y me gusta ir a verla a menudo.

3. Elige la opción adecuada.

Cuando (1) *volví* al piso al día (2)____ , mi ropa (3)-____ tirada por los suelos, los cajones de los armarios habían sido pisoteados, las (4)____ de la cama estaban desgarradas y había un número indeterminado de libros deshojados y de platos rotos esparcidos (5)____ toda la casa, pero ninguna nota. Empleé un (6)____ de horas en recoger. Hice la cama y me tumbé en ella. Por un momento (7)____ sentí libre y lleno de una especial euforia interior, pero la agradable sensación no duró mucho. Poco a poco fue dejando (8)____ a un sentimiento de inseguridad creciente. Sabía que sólo era resaca, que me desengancharía pronto de Ana, que el vacío pasaría y yo (9)_____ mi vida normal como siempre había hecho.

Sonó el teléfono y (10)_____ cogí, esperanzado, seguro de que era ella pidiéndome perdón.

(*Soy un escritor frustrado*, Miguel Ángel Mañas)

1. a. volví
   b. volvía
   c. he vuelto
2. a. próximo
   b. después
   c. siguiente
3. a. estuvo
   b. estaba
   c. había estado
4. a. ropas
   b. sábanas
   c. cosas
5. a. en
   b. para
   c. por
6. a. par
   b. doble
   c. pareja
7. a. mi
   b. yo
   c. me
8. a. entrada
   b. paso
   c. tiempo
9. a. reanudaría
   b. volvería
   c. empezaría
10. a. yo
   b. me
   c. lo

4. Completa la entrevista con el verbo en la forma adecuada.

A los once años quería ser actor y cantante. Ahora está encantado de ser pintor.

P. ¿Qué proyectos *tiene* (tener)?

R. El futuro para mí (1)_____ (ser) algo incierto, pero (2)_____ (estar) preparando una gran escultura para el Grand Palais de París. El año pasado (3)_____ (exponer) bastante, una retrospectiva de mi obra en la Fundación Botín de Santander, y otra exposición en Marbella. Cuantos más años (4)_____ (cumplir), más (5)_____ (trabajar)

P. ¿Alguna vez (6)_____ (querer) ser otra cosa que pintor?

R. Sí, cuando (7)_____ (tener) once o doce años. (8)_____ (Querer) ser artista de cine y cantante. La espina del cine me la (9)_____ (sacar) un poco, (10)_____ (hacer) un pequeño papel en una película del oeste, con mi amigo Federico Gutiérrez.
A los catorce años (11)_____ (trabajar, él) una temporada como recadero en una empresa minera. Una enfermedad le (12)_____ (obligar) a guardar cama todo un año y fue entonces cuando (13)_____ (decidir) ser pintor. (14)_____ (Realizar) cómics para un periódico y (15)_____ (exponer) sus primeros cuadros en un salón del ayuntamiento de su pueblo. (16)_____ (Obtener) una beca y (17)_____ (irse) a Madrid a estudiar Bellas Artes.

P. ¿Cuánto tiempo (18)_____ (estar) en Madrid?

R. (19)_____ (Estar) allí todo un año, pero el arte con el que yo (20)_____ (soñar) era el de los impresionistas. Así que (21)_____ (irse) a París. (22)_____ (Descubrir) un mundo impresionante. Me (23)_____ (conmocionar) París.
Aunque no (24)_____ (tener) qué comer, yo (25)_____ (sentirse) como un príncipe.

5. Escribe en letra las siguientes cantidades:

a) 1.898   *Mil ochocientos ochenta y ocho.*
b) 71%   _____
c) 5.550   _____
d) 230   _____
e) 10.º   _____
f) 1975   _____
g) 253.850   _____
h) 13.062   _____

6. Lee y reconstruye la biografía de uno de los hombres más ricos de España. Utiliza los verbos del recuadro.

> dirige – estuvo – posee – consiguió – fundó – vendió
> compró – sirvió – dieron – controla – regaló
> transportaba – empezó (x 2) – ha calculado

¿QUIÉN ES.... Abel Matutes?

La fortuna de este ex-ministro se (1) *ha calculado* en más de 200 millones de euros. Su abuelo, Abel Matutes Torres, (2)_____ en el origen del imperio que hoy (3)_____ su nieto. A los doce años (4)_____ una embarcación con legumbres por 600 duros que luego (5)_____ por diez veces más. Con ese capital, más los intereses, (6)_____ una flota de veleros que (7)_____ habas y nylon de Ibiza a Vigo y de Barcelona a Nueva York, que (8)_____ para crear la Banca Abel Matutes, llamada después Banco de Ibiza.

El nieto, Abel Matutes, (9)_____ sus negocios en 1964, cuando (10)_____ su empresa con sólo 21 años de edad. Empezó con un millón de pesetas. La constructora (11)_____ a levantar hoteles en los terrenos de la isla de Mallorca que le (12)_____ su padre. Las agencias de viaje, interesadas en el turismo en Ibiza, le (13)_____ los préstamos necesarios para construir.

Actualmente Abel Matutes (14)_____ decenas de hoteles en España y Latinoamérica. También (15)_____ una flota de aviones y una compañía aeronáutica. (Adaptado de *Muy Interesante*)

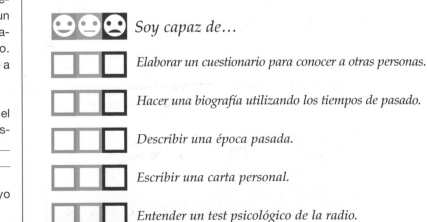

Soy capaz de...

☐ ☐ ☐ *Elaborar un cuestionario para conocer a otras personas.*

☐ ☐ ☐ *Hacer una biografía utilizando los tiempos de pasado.*

☐ ☐ ☐ *Describir una época pasada.*

☐ ☐ ☐ *Escribir una carta personal.*

☐ ☐ ☐ *Entender un test psicológico de la radio.*

1
E

A. Objetos imprescindibles

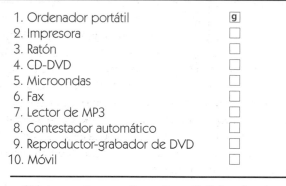

1. Mira las fotos. ¿De qué aparatos no podrías prescindir en tu vida diaria: del ordenador, el teléfono, la televisión, el horno microondas, el lector de MP3, el móvil...? ¿Para qué los necesitas?

2. Relaciona los nombres de los aparatos con sus definiciones.

2
A

1. Ordenador portátil .... **g**
2. Impresora .... ☐
3. Ratón .... ☐
4. CD-DVD .... ☐
5. Microondas .... ☐
6. Fax .... ☐
7. Lector de MP3 .... ☐
8. Contestador automático .... ☐
9. Reproductor-grabador de DVD .... ☐
10. Móvil .... ☐

a. Objeto que te permite activar distintas funciones en tu ordenador.

b. Una máquina que copia documentos y los envía a otro lugar por vía telefónica.

c. Aparato que reproduce o graba imágenes en un disco digitalizado.

d. Máquina que sirve para imprimir documentos o imágenes enviados desde un ordenador.

e. Aparato que calienta o cocina los alimentos por medio de ondas.

f. Aparato que graba los mensajes dejados por vía telefónica.

g. Máquina, fácil de transportar, que sirve para almacenar, consultar o cambiar información rápida y fácilmente.

h. Objeto redondo en el que se pueden grabar información e imágenes.

i. Aparato que sirve para almacenar y reproducir música comprimida.

j. Aparato telefónico de pequeño tamaño que funciona por ondas.

3. ¿Para qué sirven los siguientes objetos? Escribe definiciones como las del ejercicio anterior.

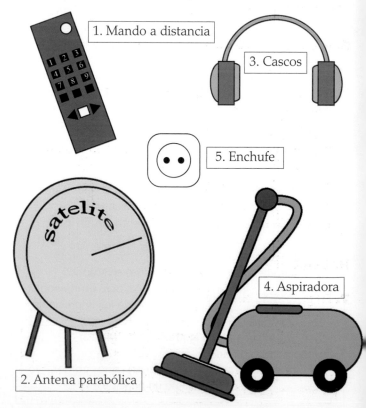

1. Mando a distancia

3. Cascos

5. Enchufe

4. Aspiradora

2. Antena parabólica

4. En parejas, lee las definiciones a tu compañero para que adivine de qué objeto se trata.

COMUNICACIÓN

DESCRIBIR OBJETOS

Es un aparato pequeño / redondo / metálico

que sirve para... / funciona con

ESCUCHAR

5. Lucía, Marcos y Elena están discutiendo sobre los móviles y su uso. ¿Con cuál de las siguientes opiniones relacionas a cada uno de ellos? **4** 💿

1. Es totalmente contraria al uso de los móviles. *Elena*
2. Resulta práctico para estar en contacto con la familia. _____
3. Es imprescindible para relacionarme con los amigos. _____
4. Es muy práctico para hacer fotos, vídeos, mandar mensajes. _____
5. Lo utilizo con poca frecuencia. _____
6. Son muy molestos cuando suenan en lugares inadecuados. _____

6. Vuelve a escuchar la grabación y contesta las siguientes preguntas. **4** 💿

1. ¿Para qué utiliza fundamentalmente Lucía su móvil?
2. ¿Qué edad tienen sus hijos?
3. ¿Qué relación reconoce Marcos que tiene con su móvil?
4. ¿Con qué frecuencia lo utiliza?
5. ¿Qué opinión tiene Elena de los móviles?
6. ¿Qué le resulta insoportable?

HABLAR

7. En grupos de cuatro.

- ¿Qué opinas de los móviles?
- ¿Para qué los utilizas?
- ¿Con qué frecuencia?
- ¿Qué te molesta más del móvil?

8. Lee el texto y contesta las preguntas.

BIBLIOTECAS VIRTUALES

Las bibliotecas virtuales, que están creándose cada vez en mayor número, son similares a las tradicionales bibliotecas públicas, pero los libros no son de papel, sino textos digitalizados.

Entre las ventajas que posee esta nueva forma de presentación de la biblioteca, se pueden mencionar:

- No hay horarios fijos para consultas o retirada de libros. Se visita en el momento que cada uno prefiera.
- Tienen acceso a ella todas las personas, aunque no puedan trasladarse a una biblioteca.
- No hay que retirar, trasladar y devolver los libros.
- Los libros no se estropean ni se desgastan.
- Se puede hablar, escuchar música o trabajar en grupo, mientras se consulta la biblioteca digital.

El libro de papel seguirá siendo el ideal para quienes gustan de leer en la cama, o para llevar a la playa o a lugares de vacaciones o descanso. De ninguna manera la biblioteca digital desplazará a la biblioteca tradicional, pero lo importante es que abre un nuevo camino para nuevos lectores, o para facilitar a los lectores el acceso a otras obras y a bibliotecas de lugares distantes que, antes de la existencia de estas nuevas tecnologías de la información y de la comunicación, el investigador estaba muchas veces imposibilitado de consultar.

La biblioteca virtual permite enlazar con otras direcciones para complementar lecturas y visitar páginas de autores. En ocasiones se pueden encontrar libros electrónicos que no tienen su versión impresa, puesto que es más accesible y a mucho menor coste este tipo de edición. Es un medio ideal para ir conociendo autores noveles

Por todo esto, la finalidad más importante es su utilidad como elemento auxiliar de la enseñanza.

1. ¿En qué se diferencian los libros de las bibliotecas virtuales y de las tradicionales?
2. ¿En qué se diferencian los horarios de ambas?
3. ¿Qué utilidades seguirá teniendo el libro de papel?
4. ¿Por qué hay libros que se encuentran en edición digital y no en edición impresa?
5. ¿Qué escritores utilizan fundamentalmente la edición digital?
6. ¿Para quiénes van a resultar muy prácticas las bibliotecas virtuales?

2 A

B. La casa del futuro

1. Mira las fotos. ¿Conoces el nombre de los muebles, aparatos y objetos que aparecen en el salón y en la cocina?

2. Con ayuda de las listas de los recuadros, busca:

    a. tres cosas en la cocina que puedas fregar.
    b. tres cosas en el salón en las que te puedas sentar.
    c. dos cosas en la cocina que puedas utilizar para hervir agua y una que te sirva para freír.
    d. tres cosas en el salón y en la cocina que puedas enchufar y desenchufar.
    e. una cosa que sirva para cambiar de canal la televisión.
    f. un aparato que te sirva para triturar los alimentos.

cortinas – alfombra – sillón – chimenea – sofá
lámpara de mesa – mando a distancia – jarrón
revistero – marco de fotografía – cojín

3. Estás en la cocina, ¿dónde pondrías estas cosas?

    1. La leche: *en el frigorífico.*
    2. Un filete que quieres freír: _____
    3. Un pollo que quieres asar: _____
    4. Un pescado que quieres congelar: _____
    5. Unos platos que quieres fregar: _____
    6. Unos panes que quieres tostar: _____

horno – placa vitrocerámica – sartén – escurridor
cazo – cazuela – batidora – fregadero – grifo
tostador – congelador – olla – colador

4. Lee el texto y contesta las preguntas.

    1. ¿En qué se basan los ingenieros y diseñadores para imaginar los objetos de nuestros hogares futuros?
    2. ¿Cómo se aprovechará el agua de la ducha?
    3. ¿Cómo se evitará que se quemen las tostadas?
    4. ¿Por qué la gente no trabajará fuera de casa?
    5. ¿Cómo se organizará la limpieza de la casa?

La casa de 2020

¿Cómo serán nuestros hogares dentro de 15 años? Ingenieros y diseñadores de todo el mundo han imaginado los objetos que se usarán en las casas de este futuro inmediato. Han estudiado nuestros hábitos y forma de vida para proponer nuevas soluciones tecnológicas: al llegar a casa, al perro *lo habrá sacado* a pasear un robot de seis patas, una voz humana activará el aparato de música, la compra se hará con la base de datos del centro comercial más próximo y todo funcionará a la perfección en la casa del año 2020.

En la ducha, el sistema de pulverización ahorrará mucha agua y el secado por aire sustituirá a las toallas. Toda el agua del lavabo y de la ducha, una vez filtrada y tratada, irá a parar a la cisterna del retrete, porque será obligatorio reciclar todo lo posible.

En la cocina, un tostador transparente se encargará de que nunca más se vuelvan a quemar las tostadas, y por medio del delantal inteligente que llevaremos puesto podremos hablar por teléfono o transmitir órdenes a los electrodomésticos.

El teletrabajo en casa estará muy difundido y, dependiendo de la profesión de cada uno, se utilizarán videoconferencias, intercambio de datos y trabajo en equipo por ordenador, operaciones bancarias y comerciales a través de la red.

Mientras tanto, la casa se *habrá ocupado* de su autolimpieza. Como el sistema de aire acondicionado reciclará el aire, habrá poco polvo, y sólo en verano la limpieza detallada será necesaria, porque las ventanas se abrirán con más frecuencia. Las tapicerías serán antiadherentes y repelerán en gran medida la suciedad, y de fregar el suelo se encargará el robot doméstico.

En las casas inteligentes la tecnología estará al servicio de las personas. Ofrecerá entretenimiento a la carta, se encargará de ayudarnos en nuestras tareas domésticas, nos facilitará la comunicación... En definitiva, mejorará nuestra calidad de vida.

(El País Semanal)

ESCUCHAR Y HABLAR

5. A dos personas famosas les han hecho tres preguntas sobre la casa. Escucha las respuestas, toma notas y haz un pequeño resumen. Luego comprueba con tu compañero. **5** 🔘

¿Qué es lo que más valora de su casa?
¿Cuál es el rincón de su hogar donde se siente más a gusto?, ¿por qué?
¿Qué le gustaría que tuviera su casa que ahora no tiene?

  a) SUSANA GRISO, periodista y presentadora de
    televisión: _____

  b) IKER CASILLAS, futbolista: _____

6. En grupos de 4, habla con tus compañeros, respondiendo a esas mismas preguntas.

GRAMÁTICA

FUTURO PERFECTO

Futuro perfecto

Habré salido

Habrás salido

Habrá salido

Habremos salido

Habréis salido

Habrán salido

Se utiliza para hablar de una acción acabada en un momento concreto del futuro.

*Cuando lleguéis a casa **habré preparado** la cena.*

Futuro de probabilidad

Las dos formas de futuro (perfecto e imperfecto) nos sirven para expresar probabilidad. Con el futuro imperfecto hacemos suposiciones sobre el presente. Con el futuro perfecto hacemos suposiciones sobre un pasado reciente o indeterminado.

A: Qué raro, estoy llamando a mi madre y no contesta.
*B: No te preocupes. **Estará** en casa de tu hermana.*

A: ¿Has visto qué bien habla sueco el nuevo profesor?
*B: Sí, **habrá vivido** en Suecia algún tiempo.*

7. Elige la opción adecuada. A veces son posibles las dos.

  1. Cuando leas esta nota *llegaré / habré llegado* a París.
  2. Dentro de cincuenta años *habrán desaparecido / desaparecerán* los coches de gasolina.
  3. El próximo verano se *habrá prohibido / prohibirá* rellenar las piscinas.
  4. La semana que viene *haré / habré hecho* la compra por Internet.
  5. Cuando tú seas mayor, la tecnología *avanzará / habrá avanzado* una barbaridad.

8. Relaciona.

> 1. ¿Has visto lo contento que está Pepe?   **c**
> 2. Tengo un dolor de estómago horrible. ☐
> 3. ¿Cuántos años tiene ese cantante? ☐
> 4. ¿Tú conoces al chico que va con Ana? ☐
> 5. Es raro que no haya venido Luisa. ☐
>
> a. No sé, tendrá más de sesenta, creo.
> b. No sé, será su hijo, ¿no?
> c. Sí, le habrán subido el sueldo.
> d. Te habrá sentado mal la comida.
> e. Habrá tenido que ir al médico.

9. Haz suposiciones para los siguientes casos.

  1. El niño no para de llorar.
    (estar) Estará enfermo.
  2. La luz de su casa está apagada.
    (salir / él) habrá salido a dar un paseo.

  3. Tienen la música altísima.
    (tener) tendrán una fiesta.
  4. Les estoy llamando y no están en casa.
    (ir) habrán ido al cine.
  5. ¡Qué bien huele!
    (estar / ellos) habrán estado cocinando.
  6. ¡Qué representación tan buena!
    (ensayar / ellos) habrán ensayado mucho.
  7. ¿Serán puntuales?
    No creo, (salir) saldrán tarde, como siempre.

2 B

C. Me pone nerviosa que Luis no sea puntual

1. Lee la historia de Maitena.

2. ¿Qué cosas le ponen nerviosa a Maitena? Escribe cuatro frases más explicando qué cosas ponen nerviosa y sacan de quicio a Maitena, como en los ejemplos.

1. A Maitena le saca de quicio que se le corte la luz con el congelador lleno.
2. A Maitena le pone nerviosa que se desconecte el canal en mitad de la película.
3. _____
   _____
   _____
   _____

HABLAR

3. En grupos de cuatro.¿Qué cosas te molestan, te ponen nervioso o te sacan de quicio a ti? Coméntalo con tus compañeros.

GRAMÁTICA

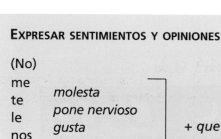

EXPRESAR SENTIMIENTOS Y OPINIONES

(No)
me
te
le   *molesta*
nos   *pone nervioso*
os   *gusta*   + que + presente
les   *da pena*   de subjuntivo
        saca de quicio

Me pone nerviosa que mi marido siempre llegue tarde.

(No)
me
te   *molestaba*
le   *ponía nervioso*
nos   *gustaban*   + que + pretérito
os   *daba pena*   imperfecto
les   *sacaban de quicio*   de subjuntivo

Cuando éramos novios, ya me ponía nerviosa que siempre llegara tarde.

4. Reescribe las frases siguientes, como en el ejemplo.

1. Nunca me avisaba cuando no venía a cenar. (yo / sacar de quicio)
   Me sacaba de quicio que no me avisara cuando no venía a cenar.
2. Yo salía por la noche. (mi padre / no gustar)
3. Pedro dormía pocas horas. (nosotros / dar pena)
4. El ruido de las obras no me dejaba dormir. (yo / poner nervioso)
5. Los vecinos ponían la música muy alta. (ellos / molestar)
6. Cuando vivíamos en el campo los pájaros cantaban junto a la ventana. (nosotros / gustar)
7. Nuestros hijos son muy inquietos. (mi marido / sacar de quicio)
8. Mis compañeros no hacían los deberes. (profesor / molestar)

2
C

ESCUCHAR

5. Sara y Andrés hablan de lo que les molestaba y les gustaba de sus vacaciones en familia. Escucha y contesta las preguntas. **6**

1. ¿De qué están hablando Sara y Andrés?
2. ¿Dónde y cómo le gustaba pasar las vacaciones al padre de Sara?
3. ¿Le preocupaba el tiempo que hiciera?
4. ¿Qué era lo que no soportaba?
5. ¿Qué le sacaba de quicio?
6. ¿Qué le daba pena a la madre de Sara?
7. ¿Dónde pasaba Andrés sus vacaciones?
8. ¿Qué es lo que menos le gustaba?
9. ¿Qué le daba mucha pena?
10. ¿Cómo organiza ahora Sara las vacaciones con sus hijos?

HABLAR

6. En parejas. ¿Qué cosas les gustaban, molestaban o sacaban de quicio a tus padres de ti y tus hermanos cuando erais pequeños?

VOCABULARIO

7. Mira los dibujos. ¿Qué haríamos si no existiese la electricidad?

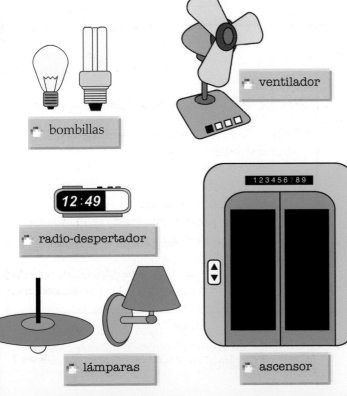

ventilador

bombillas

radio-despertador

lámparas

ascensor

8. Dos amigos están hablando sobre los usos más importantes de la electricidad. Completa la conversación y luego escucha para comprobar. **7**

ALBERTO: ¿Qué aparatos eléctricos consideras que son imprescindibles?

ROSA: Es muy difícil elegir. Pero el primero que utilizo cada día y sin el que no podría empezar a funcionar es mi *despertador*.

ALBERTO: Bueno, en eso estamos de acuerdo. Pero una vez despierta, ¿qué?

ROSA: Como me levanto muy temprano, lo primero que tengo que hacer es encender la (2)_____. Si no hubiera (3)_____ no podría levantarme tan temprano.

ALBERTO: Sí, pero no te olvides de que para que funcionen tu radio y tus bombillas necesitamos un (4)_____.

ROSA: Bueno, claro. Después, caliento la leche en el (5)_____, me hago la tostada en el (6)_____, cojo la mermelada de la nevera y saco la comida del (7)_____, para tenerla descongelada cuando llegue a casa. Como ves, mi vida sin la electricidad sería muy diferente.

ALBERTO: ¿Y para bajar y subir al piso noveno en el que vives?

ROSA: Sí, para vivir en mi casa también necesito el (8)_____.

HABLAR

9. En grupos de cuatro. Habla con tus compañeros sobre los siguientes aspectos del uso de la electricidad.

- ¿Qué aparatos eléctricos echarías más en falta si no hubiera electricidad?
- ¿En qué aspectos ha mejorado la vida diaria desde que usamos electricidad?
- ¿De qué manera desperdiciamos la electricidad?

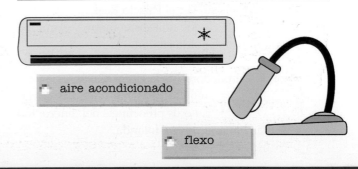

aire acondicionado

flexo

2 C

D. Escribe

ESCRIBIR CORREOS ELECTRÓNICOS

1. Unos amigos holandeses van a venir a Madrid de vacaciones. Te escriben un correo electrónico para que les aconsejes. Escribe las preguntas a tus respuestas.

1. *¿Qué documentación necesitamos?*
   Europeos: carné de identidad

2. ¿_____?
   En Madrid: museos (El Prado, el Reina Sofía...).
   Otros: Palacio Real, el Retiro, Madrid antiguo...

3. ¿_____?
   Metro y autobús. Abonos de diez viajes (metrobús) en estancos y estaciones de metro.

4. ¿_____?
   Cerca de Madrid: Toledo, Segovia, Ávila, El Escorial... No más de 100 km.

5. ¿_____?
   Para tapear: alrededores, plaza Mayor (pequeños bares y restaurantes muy agradables).

6. ¿_____?
   En mi casa: primera semana de julio. Más tiempo: albergue juvenil (Casa de Campo).

7. ¿_____?
   Todo más barato que en vuestro país.

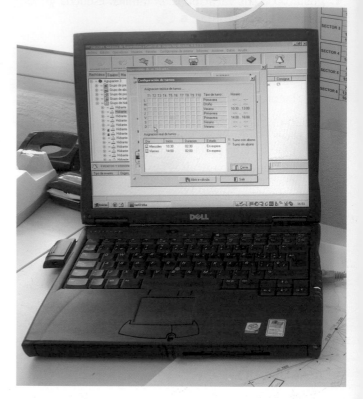

2. A la hora de escribir un correo electrónico es importante ordenar las ideas en párrafos y unirlos con los conectores apropiados. Completa los siguientes párrafos, utilizando los conectores del recuadro. Hay distintas posibilidades.

> En primer lugar – Por último – Sin duda
> Me preguntáis por – Lo mejor es – Pues bien
> Por otro lado – Además

1. *En primer lugar*, por ser europeos sólo necesitaréis el carné de identidad.

2. _____ las cosas que se pueden ver en Madrid. _____, si os interesa la pintura hay importantes museos... _____, no os vayáis sin ver el Palacio Real...

3. _____ que utilicéis el metro y el autobús para moveros por la ciudad.

4. _____ la mejor zona para tapear y comer son los alrededores de la Plaza Mayor.

5. _____, tenéis que visitar Toledo, Segovia...

6. _____, no os preocupéis del dinero: todo es más barato que en Holanda.

3. Haz otras sugerencias utilizando estructuras como las siguientes. Une la primera y la segunda parte de cada frase.

1. Necesitaréis... ☐
2. Podéis... ☐
3. Yo que vosotros... ☐
4. No olvidéis que... ☐
5. Otra posibilidad sería... ☐

a. ... iría al Rastro el domingo por la mañana. Siempre puedes encontrar algo interesante.

b. ... que alquilaseis un coche. Pero el tráfico es bastante complicado.

c. ... hacer una reserva antes de ir al albergue.

d. ... visitar también los jardines de la Granja. Están muy cerca de Segovia.

e. ... en julio hace mucho calor. Traed ropa fresca.

4. Imagina que unos amigos tuyos van a ir a visitar tu país. Escribe un correo electrónico dándoles los consejos necesarios.

De acá y de allá

MENSAJES

1. ¿Cuando escribes mensajes en el móvil, tienes un lenguaje especial? ¿Te parece práctico?

Qndo qdms?

Todo un nuevo lenguaje ha nacido estos últimos años alrededor de los mensajes de texto o SMS a través del teléfono móvil. Dicen los expertos que se trata de un dialecto que intenta ser fundamentalmente práctico, transgresor y basado en el afán de ahorro. Aunque no existen normas fijas, sí se imponen una serie de características, por ejemplo, el uso de acrónimos: **asc**, *al salir de clase*; **pdt**, *paso de ti*; **tvl**, *te veo luego*; o el conocido **tqm**, *te quiero mucho* o, mejor, *te quiero mazo*.

Otra de las características del lenguaje de móviles es la eliminación de la letra 'e', por ejemplo, **tngo**, *tengo*; o **bso**, *beso*. Lo mismo ocurre con la letra 'k', que sustituye a la sílaba 'ca': **kriño**, *cariño*; o **ksa**, *casa*. Pero hay veces en las que desaparecen más vocales de una manera un tanto caprichosa; por ejemplo, **ablms** es *hablamos*, y **abrazs**, *abrazos*. El ahorro llega más lejos: **qdms?** significa *¿quedamos?*; **qndo** es *cuando*, y **bstnt**, *bastante*.

Hay palabras que se componen introduciendo otro tipo de caracteres, **ad+** es, obviamente, *además*; **x fa**, significa *por favor*; y **t@**, *te mando un correo*. Los números también pueden utilizarse en determinadas frases o palabras: **salu2**, *saludos*, o **s3ado**, *estresado*.

El resto de las normas resultan bastante sencillas, al menos de recordar: no hay artículos, no hay tildes, no hay apenas signos de puntuación y la conjunción "que" se convierte en **q**.

Con estos conocimientos podemos enfrentarnos a situaciones y frases completas, algunas bastante sencillas: **qndo qdms?** o **tnias razn**; y a otras un poco más complicadas, como **rec rest**?, que quiere decir: *¿recuerdas el restaurante*?

Para terminar, una de mis favoritas: **QT1BD.** Fíjate bien en ella, sé creativo en su lectura y darás con su significado: "*¡Que tengas un buen día!*". Y es que se puede ser ahorrador, pero también educado, **x q no**?

Jesús Marchamalo
(periodista y escritor),
Muy Interesante

2D

2. A continuación te proponemos algunas abreviaturas para tus SMS. Añade tú alguna más.

DICCIONARIO DE ABREVIATURAS SMS		
ad+: además	**ktl/qtal:** qué tal	**+tard:** más tarde
a2: adiós	**l:** el	**tkm:** te quiero
abrazs: abrazos	**mdr:** madre	mucho
asias: gracias	**mña:** mañana	**toy:** estoy
1bso: un beso	**muxas:** muchas	**tpc:** tampoco
bstnt: bastante	**n:** en	**wpo/a:** guapo/a
cnt: contesta	**ola/hi:** hola	**xfi/xfa:** por favor
dps: después	**psdo/a:** pesado/a	**xra:** para
k a cs: ¿qué haces?	**q:** que	**xq:** por qué
ksa: casa	**spero:** espero	

3. ¿Qué significan los siguientes mensajes?

1. Nos vmos x la tard.
2. Qdms n mi ksa?
3. Az ls rek2 q t pdi, xfa.
4. Slims sta nche?
5. T veo asc.
6. Mandm 1 sms xfa. T spro

4. Intercambia algunos mensajes con tu compañero.

E. Autoevaluación

1. Relaciona los siguientes nombres con la actividad que realizan.

NOMBRES	VERBOS
1. Ordenador	*ordenar*
2. Impresora	
3. Lector	
4. Reproductor	
5. Grabador	
6. Aspiradora	
7. Enchufe	
8. Contestador	
9. Batidora	
10. Tostador	
11. Congelador	

2. ¿Qué palabras corresponden a las siguientes definiciones?

1. Lugar donde guardas los alimentos congelados: *congelador.*
2. Objeto que utilizas para exponer en tu salón las fotografías de tus amigos y familiares: _____
3. Telas que adornan tus ventanas: _____
4. Se utiliza para colocar flores, y suele ser de cerámica o cristal: _____
5. Aparato que se utiliza para mantener una temperatura fresca en los edificios cuando hace calor: _____
6. Sobre ellas te sientas y no tienen brazos: _____
7. Lámpara que se utiliza para estudiar o trabajar: _____
8. Aparato que hace girar el aire para aliviar el calor: _____
9. Se utiliza para cocinar deliciosos asados: _____
10. Globo de cristal que emite luz a partir de la corriente eléctrica: _____
11. Se usa para guardar revistas y periódicos: _____

3. Escribe el verbo en la forma correcta (futuro imperfecto o futuro perfecto).

1. No me llames antes de las cinco, (no terminar / yo) *no habré terminado.*
2. Si llueve, (no jugar / nosotros) no jugaremos el partido del domingo.
3. Según lo acordado, dentro de dos meses los albañiles (terminar) habrán terminado las obras.

4. (cenar / vosotros) ¿ Cenaréis _____ mañana en casa?
5. Me han dicho que (venir / ellos) vendrán a verme la semana que viene.
6. Si cada mes me leo dos libros, para final de curso (leer / yo) habré leído toda la colección.

4. Escribe suposiciones para los siguientes casos.

1. Hace mucho frío.
   En la sierra estará nevando.
2. Ayer tenía mucha fiebre y hoy no ha venido a trabajar.
   (estar / él) estará _____ en la cama.
3. Esa actriz parece mucho más joven que antes.
   Se (hacer / ella) habrá hecho la cirugía estética.
4. Mira qué herida tiene en la pierna.
   (caerse / él) se habrá caído
5. Tengo fiebre y me duele todo el cuerpo.
   (tener / yo) tendré _____ la gripe.
6. Nunca los encuentro cuando les llamo por teléfono.
   (salir / ellos) habrán salido / saldrán todos los días de paseo.
7. ¿Has visto cómo ha engordado Paco?
   (comer / él) habrá comido mucho turrón estas Navidades.

5. Completa las siguientes frases con los verbos del recuadro.

opinar – tener – ayudar – ser – perder – llegar
venir – regalar – reírse – decir

1. Me molesta que mi marido no me *ayude* en la cocina.
2. A Antonio no le gustó que yo _____ tarde a su fiesta.
3. Me pone nerviosa que la gente _____ sobre mis asuntos.
4. Me molestó que tú no me _____ la verdad.
5. Me gustó mucho que mis hijos me _____ un ramo de flores el día de la madre.
6. Me saca de quicio que mis alumnos _____ el tiempo.
7. No me gusta nada que los niños _____ la habitación desordenada.
8. Me dio pena que Juan no _____ con nosotros de vacaciones.
9. Cuando era pequeño, me molestaba que mis hermanos _____ de mí.
10. Me gustaba que mi padre _____ cariñoso con mi madre.

6. Lee y elige la opción adecuada.

El iPod me parece un milagro

Fernando Trueba. Director de cine

P. Dicen que (1) *es* muy aficionado al iPod…
R. Más que aficionado, un habitual. Viajo bastante y siempre llevaba (2)_____ un montón de CD. Ahora con el iPod viajo con mi música a cuestas. Cuando (3)_____ mucho tiempo fuera de casa es imprescindible tener tu música contigo.

P. ¿Lo (4)_____ siempre encima?
R. Lo utilizo mucho, en viajes, en taxis, para ir por la calle… Camino una hora diaria escuchando música. Las esperas de los aeropuertos se hacen mucho más soportables con buena música y un libro.

P. ¿(5)_____ es el accesorio que le parece más alucinante?
R. El iPod en sí me parece un milagro. Puedo guardar en él una gran cantidad de canciones… Y también (6)_____ utilizarlo como disco duro, para guardar los archivos del último disco que estoy produciendo…

P. ¿Tiene (7)_____ manía?
R. Me gusta que todo esté bien ordenado, bien clasificado, que (8)_____ cómodo y fácil de manejar. Es muy útil para el placer y para el trabajo.

P. ¿Qué iPod usa ahora?
R. Uno que lee vídeo y fotos. Es muy útil para llevar (9)_____, sobre todo para mí que no tengo móvil, ni quiero.

P. ¿No le gusta el móvil?
R. El móvil te esclaviza. No quiero estar disponible ni "encontrable". Nunca me ha gustado hablar por teléfono. No me gusta que (10)_____ que está conmigo esté hablando por teléfono. No me gusta que me llamen. Además de la música, adoro el silencio.

1.   **a.** está
    b. estuvo
    c. es
    d. fue
2.   **a.** conmigo
    b. en mí
    c. para mí
    d. yo
3.   **a.** estoy
    b. duras
    c. estamos
    d. pasas
4.   **a.** traslada
    b. mueve
    c. lleva
    d. deja
5.   **a.** Por qué
    b. Cuál
    c. Qué
    d. Cuándo

6.   **a.** puedo
    b. quiero
    c. debo
    d. soy capaz
7.   **a.** cierta
    b. alguna
    c. una
    d. mucha
8.   **a.** sea
    b. está
    c. es
    d. esté
9.   **a.** la agenda
    b. la guía
    c. la cartera
    d. el cuaderno
10. **a.** quien
    b. alguno
    c. uno
    d. alguien

2 E

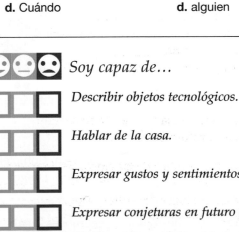

Soy capaz de…

□	□	□	*Describir objetos tecnológicos.*
□	□	□	*Hablar de la casa.*
□	□	□	*Expresar gustos y sentimientos en subjuntivo.*
□	□	□	*Expresar conjeturas en futuro imperfecto y perfecto.*
□	□	□	*Escribir correos electrónicos utilizando algunos conectores discursivos.*

A. A comer

1. ¿Te importa la alimentación que llevas? ¿Sigues una alimentación especial o comes de todo?

VOCABULARIO

2. Observa los nombres de las verduras. Elige qué ingredientes utilizarías para elaborar una buena ensalada. No te olvides del aceite, el vinagre y la sal. Compara tu ensalada con la de tus compañeros.

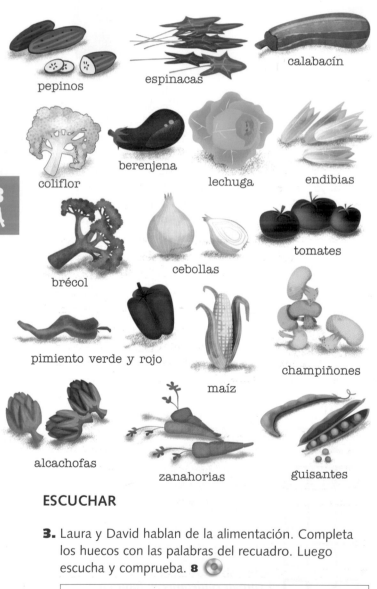

pepinos

espinacas

calabacín

coliflor

berenjena

lechuga

endibias

brécol

cebollas

tomates

pimiento verde y rojo

maíz

champiñones

alcachofas

zanahorias

guisantes

ESCUCHAR

3. Laura y David hablan de la alimentación. Completa los huecos con las palabras del recuadro. Luego escucha y comprueba. **8** 🔘

> embutido – desayuno – legumbres – sal
> menú – paella – sana – carne – bocadillo – dieta
> pescado – especialidades

LAURA, 36 años

Como responsables de la alimentación de nuestra familia, un día a la semana mi marido y yo preparamos el (1)_____ y vamos al mercado a hacer la compra. Los niños están en edad escolar y necesitan una alimentación sana y equilibrada, por eso en nuestra (2)_____ no pueden faltar las (3)_____, el arroz, la pasta... Todos los días comemos un primer plato de estos alimentos y un segundo plato de proteínas: (4)_____ o pescado. Los fines de semana son unos días especiales y aprovechamos para hacer los platos favoritos de la familia, aunque den un poco más de trabajo en la cocina. A mi hija lo que más le gusta es el (5)_____; sobre todo, los calamares en su tinta; sin embargo, al pequeño le encanta la pasta y, si nos lo pide, le hacemos unos canelones rellenos de carne picada. Mi marido y yo somos muy aficionados al arroz y lo preparamos de distintas maneras. Cuando celebramos alguna fiesta en casa, preparamos (6)_____ de mariscos.

DAVID, 26 años

Desde que vivo en Barcelona, llevo una vida muy ajetreada. Trabajo por la mañana y estudio por la tarde, de manera que tengo que comer casi todos los días fuera de casa. Así es muy difícil llevar una dieta (7)_____ y equilibrada. Por las mañanas prácticamente no (8)_____, sólo me bebo un vaso de leche. La comida de mediodía normalmente la resuelvo con una comida rápida: un (9)_____, unos sandwiches, una pizza... Y a la hora de cenar suelo estar tan cansado que abro la nevera y como cualquier cosa sencilla: queso, (10)_____, algún yogur... Así que estoy deseando que llegue el fin de semana para meterme en la cocina y preparar alguna de mis (11)_____. Soy un experto haciendo berenjenas rellenas al horno y, cuando viene mi novia a cenar, también preparo un pescadito a la (12)_____: una lubina o un besugo.

HABLAR

4. En grupos de cuatro. Cada uno debe hablar sobre las siguientes cuestiones.

> • ¿Qué opinas de las dietas especiales?
> • ¿Cómo es tu alimentación en un día normal?
> • ¿Haces algo especial los domingos o festivos?

LEER

5. ¿Has comido alguna vez flores? ¿Las utilizas cuando cocinas? ¿En qué platos?

6. Lee el texto y contesta las preguntas.

1. ¿Qué tipo de flor aparece ya citada en los primeros libros de cocina?
2. ¿Para qué se utilizan en la actualidad sus pétalos?
3. ¿Qué flores son consideradas como hortalizas?
4. ¿Qué flor es la más utilizada en la cocina española?
5. ¿A qué se debe el fuerte olor que desprende la coliflor cuando se cuece?
6. ¿Qué aspecto tiene el brécol?
7. ¿Qué valores nutritivos tiene?
8. ¿Qué parte de la flor del azafrán se consume?
9. ¿Qué aporta a los platos en los que se utiliza?
10. ¿Qué platos típicos de la cocina española se condimentan con azafrán?

Comer flores

Hoy en día muchas flores se están poniendo de moda en la cocina, aunque las rosas ya aparecían con frecuencia en antiguos libros de recetas. Su agradable aroma, su colorido y sabor dulce las convierten sin duda en un apetitoso ingrediente. En la actualidad, los pétalos de rosa se emplean sobre todo en ensaladas, acompañadas de frutas. Cuanto más perfumadas sean las rosas, más sabor y más olor dejarán en el plato. También se usan en almíbares, jaleas y confituras.

Hace miles de años que los seres humanos consumimos flores, aunque lo más frecuente sea utilizar las que consideramos hortalizas, como alcachofas, brócolis y coliflores, o las que usamos en condimentos, como el azafrán. Las flores son frecuentes en la cocina hindú y en la griega. Entre los chinos, el té de flores (madreselvas, azucenas, flor de loto, rosas, amarantos, etc.) es una bebida preferida a la cerveza, los refrescos o los zumos de frutas. La lista de flores comestibles es enorme. Con todo, hay que tener en cuenta que no todas lo son, sobre todo las que provienen de una floristería, ya que pueden contener pesticidas.

Una de las flores más familiares en nuestros platos es la alcachofa, de la que existen distintas variedades y es de amplio uso en nuestra cocina. España es el segundo productor mundial de alcachofas, después de Italia, con unas 270.000 toneladas anuales.

La coliflor, otra flor muy popular, es muy rica en azufre —de ahí el olor que desprende al cocerla—, potasio, hierro y vitaminas. El brécol o brócoli es una variedad de la coliflor, con un color verde oscuro brillante. Es la hortaliza de mayor valor nutritivo, y su aporte de vitaminas C, B2 y A es muy elevado. Además tiene un alto contenido en minerales.

El azafrán, originario de Asia Menor, lo trajeron a España los árabes en el siglo X. También se cultiva en Italia, Grecia, Irán y Sudamérica. Las hebras se extraen de la flor a mano y luego se tuestan para procurar su conservación, ya que tienen un alto grado de humedad. El azafrán está presente en muchos platos de la cocina mediterránea. En España sirve para dar colorido y aroma a joyas gastronómicas como la paella o la fabada. Ha de usarse con moderación y bastan unas pocas hebras trituradas en el almirez para dar a un plato un sabor y aroma inconfundibles.

RAMÓN NÚÑEZ (*Muy Interesante*)

ESCRIBIR

7. Escribe un párrafo sobre la alimentación en tu país.

En mi país las verduras que más se comen son....
En mi país el alimento más caro es...
En la región en la que vivo no se cultiva...

B. Cocinar

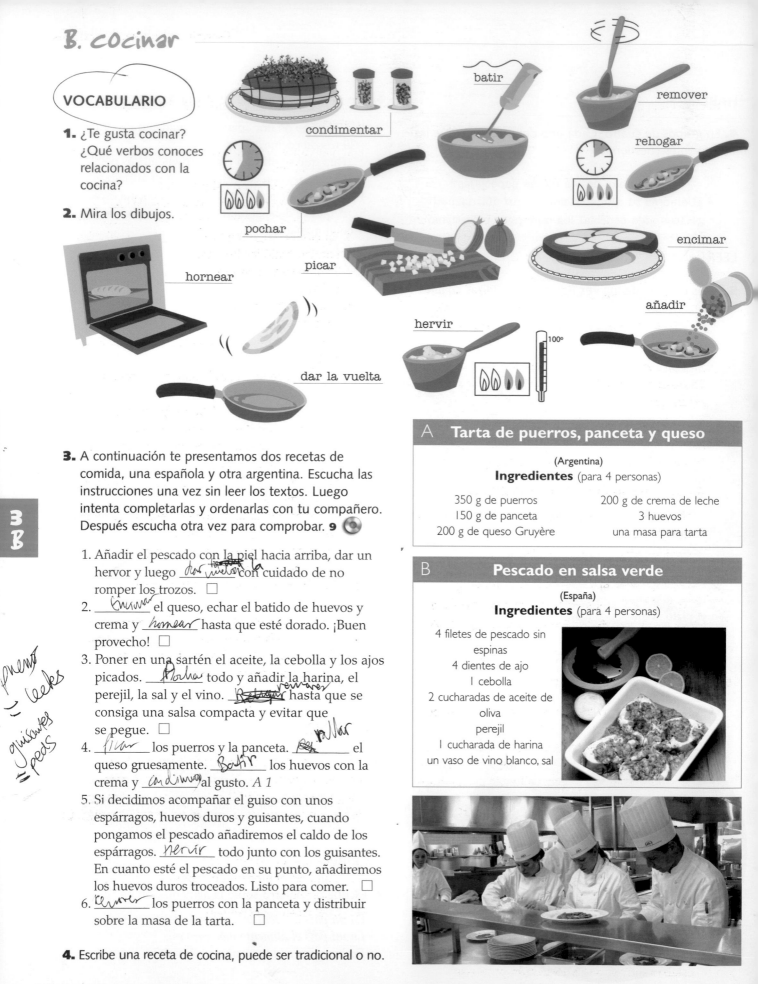

VOCABULARIO

1. ¿Te gusta cocinar? ¿Qué verbos conoces relacionados con la cocina?

2. Mira los dibujos.

condimentar

batir

remover

rehogar

pochar

picar

encimar

hornear

hervir

añadir

dar la vuelta

3. A continuación te presentamos dos recetas de comida, una española y otra argentina. Escucha las instrucciones una vez sin leer los textos. Luego intenta completarlas y ordenarlas con tu compañero. Después escucha otra vez para comprobar. **9**

1. Añadir el pescado con la piel hacia arriba, dar un hervor y luego _dar la vuelta_ con cuidado de no romper los trozos. ☐
2. _Encimar_ el queso, echar el batido de huevos y crema y _hornear_ hasta que esté dorado. ¡Buen provecho! ☐
3. Poner en una sartén el aceite, la cebolla y los ajos picados. _Pochar_ todo y añadir la harina, el perejil, la sal y el vino. _Remover_ hasta que se consiga una salsa compacta y evitar que se pegue. ☐
4. _Picar_ los puerros y la panceta. _Rallar_ el queso gruesamente. _Batir_ los huevos con la crema y _condimentar_ al gusto. A 1
5. Si decidimos acompañar el guiso con unos espárragos, huevos duros y guisantes, cuando pongamos el pescado añadiremos el caldo de los espárragos. _Hervir_ todo junto con los guisantes. En cuanto esté el pescado en su punto, añadiremos los huevos duros troceados. Listo para comer. ☐
6. _Remover_ los puerros con la panceta y distribuir sobre la masa de la tarta. ☐

4. Escribe una receta de cocina, puede ser tradicional o no.

A | **Tarta de puerros, panceta y queso**

(Argentina)
Ingredientes (para 4 personas)

350 g de puerros · 200 g de crema de leche
150 g de panceta · 3 huevos
200 g de queso Gruyère · una masa para tarta

B | **Pescado en salsa verde**

(España)
Ingredientes (para 4 personas)

4 filetes de pescado sin espinas
4 dientes de ajo
1 cebolla
2 cucharadas de aceite de oliva
perejil
1 cucharada de harina
un vaso de vino blanco, sal

GRAMÁTICA

ORACIONES TEMPORALES

• En las oraciones que expresan futuro:

Cuando
En cuanto   + subjuntivo
Tan pronto como...
Hasta que

Cuando el pescado esté listo, echaremos los guisantes.
Remover hasta que hierva.

• En las oraciones que expresan presente o pasado:

Cuando
En cuanto   + indicativo
Tan pronto como...
Hasta que

Cuando cocino soy feliz.

En el restaurante de mi amigo, en cuanto nos sentábamos a la mesa, nos servían la comida.

• **Antes de + infinitivo / (que) subjuntivo**

▸ **Infinitivo.** Cuando el sujeto de las dos oraciones es el mismo:

Carlos, no bebas tanto antes de comer.

▸ **Subjuntivo.** Cuando el sujeto es diferente:

Apaga el fuego antes de que se queme la comida.
Ayer nos fuimos de la oficina antes de que el jefe nos reuniera otra vez.

5. Elige la forma adecuada del verbo.

1. Tan pronto como los niños *verán / vean* la piscina querrán bañarse.
2. Cuando *veamos / vemos* la catedral, iremos al museo.
3. En cuanto *abra / abro* la puerta el gato se escapa.
4. En cuanto *empiece / empieza* a hervir, apagaremos el fuego.
5. Antes de que *vengan / vienen* tus amigos tienes que recoger la cocina.
6. Me alegro de que estés aprendiendo español. Cuando *sepas / sabes* hablarlo te *daré / doy* trabajo.
7. En cuanto *anochecía / anochezca*, regresábamos a casa.
8. Serviremos la cena cuando *llega / llegue* Tomás.
9. Nos fuimos de compras en cuanto *abrieron / abran* las tiendas.
10. Antes de que *pintáramos / pintemos* las paredes, estaban muy sucias, ahora están preciosas.

6. Escribe el verbo entre paréntesis en su forma correcta.

1. Estuvimos esperando a Lucía hasta que (llegar) *llegó* el tren.
2. TURISTA: ¿Podemos subir a la torre? GUÍA: Sí, pero cuando (ustedes, subir) suban, deberán tener cuidado con los escalones.
3. En cuanto (él, terminar) terminó de pelar las patatas, batió los huevos.
4. Te llamaré tan pronto como (yo, llegar) llegue a París.
5. Antes de (yo, casarse) casarme con Pedro, yo vivía en Lugo.
6. Siempre que podía, (él, ir) fuera a visitar a su padre.
7. Haré una cena especial cuando (yo, tener) tenga tiempo.
8. Cuando terminé mis deberes (yo, poder) podía ponerme a ver la televisión.
9. Me lo encuentro todos los días cuando (yo, salir) salgo de trabajar.
10. En cuanto (nosotros, ver) veamos a Rosa la invitaremos a comer.
11. Tenemos que ordenar toda la casa, antes de que (venir) vengan mis padres.
12. No puedes salir hasta que no (terminar) termines lo que estás haciendo.
13. Enrique me dijo que vendría en cuanto (poder) podía.
14. Los ladrones escaparon en helicóptero antes de que la policía (enterarse) se enterara del robo.
15. Elías no salió de su casa hasta que su hija pequeña (dormirse) se durmió.

ESCUCHAR

7. Escucha la entrevista realizada a un prestigioso cocinero vasco, Mikel Santamaría, toma notas y luego reescríbela con la información que has oído. Estas son las preguntas que le ha hecho el periodista. **10**

1. ¿Qué tipo de cocina hace?
2. ¿Cómo es el proceso de creación?
3. ¿Cómo se organiza?
4. ¿Cuál es su especialidad?

3B

c. Dolor de espalda

1. ¿Practicas los siguientes consejos para tener buena salud? Coméntalo con tu compañero.

Yo sí porque…
Normalmente como y bebo alimentos sanos.
Duermo al menos siete horas cada noche.
Hago ejercicio regularmente.
Llevo una vida social activa.

VOCABULARIO

2. Completa las siguientes palabras pertenecientes a las partes del cuerpo y relaciónalas con la fotografía.

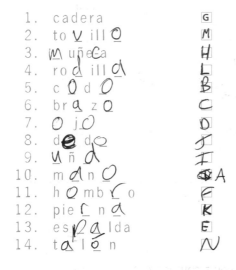

1.	cadera	G
2.	tovillo	M
3.	muñeca	H
4.	rodilla	L
5.	codo	B
6.	brazo	C
7.	ojo	D
8.	dedo	J
9.	uña	I
10.	mano	A
11.	hombro	F
12.	pierna	K
13.	espalda	E
14.	talón	N

3. ¿Con qué partes del cuerpo puedes realizar las siguientes acciones?

1. doblar *Puedo doblar los brazos y las piernas.*
2. estirar _____
3. cruzar _____
4. girar _____
5. levantar _____
6. abrir _____
7. encogerse de _____
8. torcerse _____

4. ¿Qué movimientos realizas en las siguientes situaciones?

1. Cuando te despiertas.
2. Cuando quieres participar en clase.
3. Cuando algo no te importa.
4. Después de sentarte.
5. Cuando te sorprendes.
6. Cuando no quieres ver algo.

Exam

5. Relaciona las siguientes expresiones con su significado.

C 1. Hincar los codos. —
F 2. Ser uña y carne. C
A 3. Tomar el pelo. A
D 4. Empinar el codo. B
G 5. Echar una mano. G
B 6. Meter la pata. ☐
E 7. Dar la cara. E
H 8. No mover un dedo. H

a. Burlarse de alguien.
b. Intervenir en alguna situación de manera inoportuna.
c. Estudiar mucho.
d. Beber mucho alcohol.
e. Afrontar las consecuencias de tus propios actos.
f. Tener una estrecha relación de amistad con otra persona.
g. Ayudar a una persona.
h. No hacer nada.

6. ¿Qué expresiones se utilizan en tu idioma? ¿Hay alguna equivalente?

7. Completa las frases con las expresiones anteriores.

1. Por favor, Paco, *échame una mano*, no puedo subir este paquete yo sola.
2. Lara y Julia son inseparables desde que nacieron, son _____.
3. A mí me parece que tu novio es un sinvergüenza, te ha dejado embarazada y ahora no quiere _____.
4. Pablo, ya es hora de que _____, los exámenes están a la vuelta de la esquina.
5. Alicia es muy discreta, no habla porque tiene miedo de _____.

COMUNICACIÓN

EXPRESIÓN DE LA CONDICIÓN

1. Para expresar condiciones posibles o probables.

Si comemos alimentos naturales, tendremos buena salud

Si sigue el dolor, tómese otra pastilla.

Si te cuidas, puedes vivir muchos años.

Si María ha llegado, te abrirá la puerta.

Cuando yo era joven, si llegaba tarde a casa, mis padres me regañaban.

2. Para expresar condiciones poco probables o imposibles en el presente o en el futuro.

Si hicieras ejercicio, no te dolería la espalda (= no haces ejercicio).

3. Para expresar condiciones que no se realizaron en el pasado.

Si hubieras ido al médico, te habría recetado algo para el dolor.

Si hubieras tomado la medicación, no te dolería la espalda.

8. Escribe el verbo en forma adecuada y relaciona.

1. Si no me (encontrar) _____ mejor… ☐
2. No (estar, yo) _____ tan cansado… ☐
3. Si te (abrigar) _____ … ☐
4. No se te (quitar) _____ esa tos… ☐
5. Si yo (ser) _____ tú… ☐
6. Si él (ir) _____ al médico… ☐

a. … no habrías cogido frío.
b. … no iré a trabajar mañana.
c. … yo también voy.
d. … si no dejas de fumar.
e. … si durmiera todos los días ocho horas.
f. … comería menos grasas.

9. Elige la forma correcta del verbo.

1. Si no se hubiera torcido el tobillo, *podrá / podría / habría podido* jugar con nosotros.
2. Si hiciera ejercicio, no *estará / estaría / habría estado* tan gordo.
3. Si no estuviera lloviendo, *podremos / podríamos / habríamos podido* comer en el jardín.
4. Si no hubiera tenido que ir al médico, *quedaré / quedaría / habría quedado* con vosotros para ir al cine.
5. Si tengo tiempo, te *daré / daría / habría dado* un masaje.

10. Construye las siguientes frases condicionales, como en el ejemplo.

1. No vamos a tu casa muy a menudo porque vives muy lejos.
   Si no vivieras tan lejos iríamos a tu casa más a menudo.
2. La gente no lo entiende porque no habla claro.
3. No voy a comer a ese restaurante porque es muy caro.
4. No ha ido a trabajar porque estaba enfermo.
5. No estoy en forma porque no hago deporte.
6. No viene porque no lo necesito.
7. No hemos ido a montar en bicicleta porque estaba lloviendo.

11. Una madre regaña a su hijo de 17 años que tiene varios problemas. Escribe las frases correspondientes como la del modelo. Comprueba con tu compañero.

1. Me duele mucho la cabeza. (Dormir suficiente)
   Si hubieras dormido suficiente no te dolería.
2. He suspendido dos asignaturas. (Estudiar más)
3. Laura me ha dejado. (Cuidar la relación)
4. Se me ha perdido el móvil. (Tener más cuidado)
5. No tengo dinero para salir esta tarde. (No gastar en tonterías)

3 C

D. Escribe

ANUNCIOS POR PALABRAS

1. Lee los siguientes anuncios y contesta.

AZAFATA (A)

Comercial en Majadahonda para exposición venta apartamentos playa. Interesadas llamar 645820690

OFERTA (B)

Vendo entrada concierto Paco de Lucía. Mismo precio. Interesados llamar Roberto: 915154678

MONCLOA (D)

Oficina, 60 m², muy luminosa. 240.000 €. Llamar Juan tardes: 916504190.

RESTAURANTE (C)

Cuatro tenedores, necesita cocinero profesional urgente, buen salario, preguntar por Carlos. 914747788

IDIOMAS (E)

Se necesitan profesores nativos para clases de español en academia y empresas. Enviar currículo C/ Carretas,7

EMBAJADORES (F)

Comparto piso con estudiantes de música. Habitación amplia e insonorizada. Llamar noches: 676843285.

¿A qué anuncio llamarías si:

1. ... fueras estudiante del Conservatorio y buscaras alojamiento?
2. ... hubieras nacido en Sevilla y estuvieras buscando trabajo en la enseñanza?
3. ... fueras abogado y quisieras poner un despacho.
4. ... te gustara mucho el flamenco?
5. ... estuvieras en el paro y fueras un experto restaurador?
6. ... tuvieras interés en trabajar como vendedor/a inmobiliario/a?

2. Cuando escribimos un anuncio por palabras se suelen omitir todas las palabras que no sean imprescindibles para la comprensión del mensaje (verbos, artículos, preposiciones...). Lo normal es que cuanto más largo sea el anuncio más caro te cueste. Por eso, mensajes del tipo:

> Vendo una oficina de 60 metros cuadrados. Tiene mucha luz. Está situada en la zona de Moncloa. Su precio de venta es de 240.000 €. Por favor, las personas interesadas llamen por las tardes al teléfono ... y pregunten por Juan.

quedarían reducidos a:

MONCLOA

Oficina, 60 m², muy luminosa. 240.000 €. Llamar Juan tardes: 916504190.

---

3. Escribe tres anuncios que incluyan la siguiente información.

1. Tengo una habitación disponible para alquilar en un piso para compartir con otros dos estudiantes. El precio es de 250 € al mes. Está situado en el centro de Madrid, en la plaza de España. Sólo se admiten no fumadores. Los interesados deberán llamar a Ana por las mañanas al 696717385.

2. Soy jubilado, cariñoso y divorciado. Tengo 65 años y necesito encontrar a una mujer de características similares. Lo que más me gusta hacer es andar por el campo, oír música clásica y salir a cenar. Las interesadas me pueden escribir al apartado de correos 8756.

3. Soy italiano. Estoy titulado por la Universidad de Turín y he dado clases de italiano durante los últimos tres años. Cobro 10 € la hora y estoy disponible en el teléfono: 896745473.

1. Lee el siguiente texto y contesta las preguntas.

Oro líquido

Así denominó Homero al aceite de oliva, que se ha utilizado tanto para rituales sagrados como para la vida cotidiana.

El aceite de oliva tiene una tradición histórica en España que se remonta a la época de los fenicios. Se cree que fueron ellos los que propagaron el cultivo del olivo por las islas griegas hasta llegar a las costas de España hace más de 3.000 años. El aceite de oliva ha recorrido un largo camino desde la época en la que los romanos lo utilizaban como medicina, hasta llegar a nuestros días en los que lo usan prestigiosos cocineros para elaborar los más refinados platos o está presente en laboratorios de importantes científicos que nos cuentan el porqué de sus propiedades.

El consumo de aceite de oliva es parte fundamental de la dieta mediterránea y española, ocupando además España el primer puesto en la producción y venta de aceite de oliva en el mundo.

El aceite de oliva "virgen extra" posee muchos beneficios para la salud y es por esto que su creciente venta ha generado también un incremento en la producción y cultivo de la oliva, si bien el precio del aceite de oliva continúa siendo más alto que el del resto de los aceites. Es muy bueno para el sistema cardiovascular, favorece el crecimiento de los huesos y la absorción del calcio. Excelente para evitar el envejecimiento de la piel, previene el cáncer y la diabetes.

Para los consumidores que buscan lo mejor, en las tiendas especializadas se puede encontrar el aceite de oliva virgen extra ecológico. El precio de este aceite ecológico es sensiblemente más caro, pero se trata de un auténtico producto de calidad, debido a que se elabora cultivando el olivar sin productos químicos, lo que le confiere aún mejores propiedades.

1. ¿Quiénes introdujeron el cultivo del olivo en España?
2. ¿Para qué se utilizaba el aceite de oliva en la Antigua Roma?
3. ¿Para qué se utiliza en la actualidad?
4. ¿Qué país es el principal productor de aceite de oliva?
5. ¿Qué beneficios aporta el aceite de oliva para la salud?

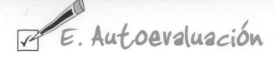
1. Clasifica las verduras del recuadro en su grupo correspondiente.

> alcachofa – berenjena – zanahoria
> espinacas – calabacín – cebolla – lechuga
> brécol – coliflor – pepino – patatas

Crecen bajo tierra	
Tienen hoja verde	
Son flores	
Tienen forma cilíndrica y carne blanca	

2. Relaciona los verbos del recuadro con sus definiciones.

> batir – condimentar – picar – rehogar
> añadir – hornear – rallar – hervir

1. Freír a fuego lento con aceite o mantequilla: _____
2. Desmenuzar un alimento con el rallador: _____
3. Revolver un alimento para que se disuelva: _____
4. Cocer un alimento en un líquido que está en ebullición: _____
5. Echar sal, pimienta y especias a los alimentos: _____
6. Cortar o dividir un alimento en trozos muy menudos: _____
7. Cocinar al horno: _____
8. Incorporar algún nuevo alimento a un guiso: _____

3. Relaciona dos partes del cuerpo con cada uno de los siguientes verbos.

1. doblar: _____, _____.
2. cruzar: _____, _____.
3. girar: _____, _____.
4. torcerse: _____, _____.
5. abrir: _____, _____.
6. levantar: _____, _____.
7. estirar: _____, _____.

4. Combina las oraciones utilizando los tiempos correspondientes, como en el ejemplo.

1. Ana me llamará. Después yo la iré a buscar.
   Tan pronto como Ana me llame, yo la iré a buscar.
2. Haré el pastel y recogeré la cocina.
   Cuando *haga el pastel, recogeré la cocina*
3. Yo estaré esperando. Él vendrá.
   Cuando él *venga, yo estaré esperando*
4. Me iré a la cama. Luego leeré un rato.
   Cuando me *vaya a la cama, leeré un rato*
5. El agua hervirá. Después tienes que apagar el fuego.
   En cuanto *hierva el agua y apagará el fuego*
6. Traerán los aperitivos. Luego tienes que servir el vino.
   Tan pronto como *~~los~~ traigan, tienes que*

5. Une las dos partes en una sola oración. Utiliza *hasta que* y *antes de (que)*.

1. Irse (nosotros) / empezar a llover.
   Vámonos antes de que empiece a llover.
   Nos fuimos antes de que empezara a llover.
2. Apagar el fuego / quemarse la comida. (*yo, antes de*)
   Apagué el fuego antes de que se quemó la comida / quemara
3. Llamar / salir de casa. (*tú, antes de*)
   Llámame antes de salir de casa
4. No volver / terminar el partido. (*él, hasta que*) ✓ o haya terminado
   No vuelve hasta que termine el partido
5. Ensayar / salir bien la canción. (*ellos, hasta que*)
   Ensayaban hasta que ~~salieron~~ salió bien la canción / salió
6. Morir / nacer sus nietos. (*él, antes de*)
   El murió antes de nacer sus nietos ✓

6. Reescribe las frases, como en el ejemplo.

1. Quiero ir a China, pero no tengo el visado.
   Si tuviera el visado, iría a China.
2. Puede que Juan vaya a Londres. Cogerá un avión. ✓
   Si *Juan va a Londres, cogerá un avión* ✓
3. No tuvimos tiempo de visitar el Museo Reina Sofía.
   Si *hubiéramos tenido tiempo, hubiéramos visitado el Museo Reina Sofía* / habríamos
4. La carta no llegó porque Julia se olvidó de echarla al buzón.
   Si *Julia no se hubiera olvidado de echarla al buzón, la carta habría llegado* ✓
5. No sé dónde vive. No puedo ir a visitarla.
   Si *supiera dónde ella vive, podría ir a visitarla*
6. No puedo hacer ese postre. No me has enseñado.
   Si *me enseñas, podré hacer ese postre* / Si me enseñaras, podría hacer ese postre
7. No compré berenjenas. No había en el mercado. ✓
   Si *hubiera habido berenjenas en el mercado, las ~~las~~ habría comprado unas berenjenas* ✓

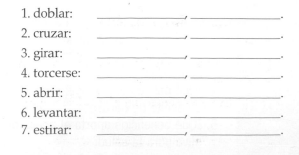

+ recipe

7. Elige la respuesta correcta.

1. Si yo *hubiera sabido* que era tu cumpleaños, te habría hecho una tarta.

   a. supiera   **b.** sabría   **c.** hubiera sabido

2. Si Elena *fuera* un poco más alta, podría jugar al baloncesto.

   a. será   **b.** fuera   **c.** hubiera sido

3. Si *llega* tarde, no la esperaremos.

   a. llega   **b.** llegará   **c.** llegaría

4. El médico habría ayudado a Antonio, si le *hubiéramos llamado* antes.

   a. habríamos llamado   **b.** llamaríamos   **c.** hubiéramos llamado

5. Si yo fuera tú, no *vería* tanto la televisión.

   a. veía   **b.** veré   **c.** vería

8. Lee el siguiente texto y di si son verdaderas o falsas las siguientes afirmaciones.

AUTOMEDICACIÓN

Aunque ningún médico recomienda la automedicación, esta práctica se ha extendido tanto que los farmacéuticos abogan porque, al menos, sea responsable.

Cuando el usuario decida automedicarse deberá contar al menos con el consejo del farmacéutico.

La automedicación supone en España un 8% sobre el total de medicamentos consumidos, cuando en la Unión Europea llega hasta el 25%. La vicepresidenta del Colegio de Farmacéuticos de Barcelona pronostica que esta cifra "será cada vez mayor cuando los pacientes sepan diferenciar si tienen o no que visitar al médico. Y eso es bueno. De otra manera las consultas médicas estarían saturadas".

Que en España la automedicación sea menor se explica por una legislación más restrictiva. Por ejemplo, la receta es obligatoria para antiinflamatorios, y en el resto del continente no lo es. Otra de las razones es la mayor información que existe en otros países.

1. La automedicación está tan extendida, que los médicos recomiendan su utilización. ☐
2. El enfermo debe acudir al farmacéutico antes de automedicarse. ☐
3. Los españoles se automedican más que el resto de los europeos. ☐
4. Es posible que el número de personas que se automediquen disminuya porque los pacientes irán más al médico. ☐
5. La legislación para la compra de medicamentos es más exigente en España que en el resto del continente. ☐

 Soy capaz de…

☐☐☐ *Hablar de hábitos de alimentación.*

☐☐☐ *Escribir una receta de cocina.*

☐☐☐ *Expresar temporalidad usando el indicativo y el subjuntivo.*

☐☐☐ *Expresar condiciones probables e improbables.*

☐☐☐ *Escribir un anuncio por palabras.*

4

A. ¿con quién vives?

4
A

1. Mira las fotos, ¿qué relación hay entre los que aparecen en cada una?

ESCUCHAR

2. Vas a oír a varios jóvenes que responden a la pregunta *¿Con quién vives?* Escucha y señala *V* o *F*. **11** 🔘

Pablo, 25 años. Olalla, 28 años.
Joaquín, 35 años.

1. Pablo quería compartir experiencias con sus amigos. ☑V
2. Para Pablo la experiencia no es buena porque le molestan algunas cosas de sus compañeros. ☐
3. Desde el punto de vista de los impuestos, a Olalla y David les saldría más caro casarse. ☐
4. Las diferencias entre ellos les lleva a ser más tolerantes uno con otro. ☐
5. Joaquín cree que los que viven solos pueden relacionarse con muchos amigos. ☐
6. Económicamente también es más rentable vivir solo. ☐

3. Escucha otra vez y completa la información con los conectores apropiados. **11** 🔘

> **Pablo:**
> 1. A todos nos gusta comer de todo, hacemos la compra juntos, _____ compartimos el gel de baño.
> 2. Nosotros nos llevamos bien, _____ a unas amigas mías les va fatal.
>
> **Olalla:**
> 3. _____ no hemos tenido problemas graves, hemos pasado un tiempo de adaptación.
> 4. David es menos ordenado, _____ _____ hemos tenido algunos choques.
>
> **Joaquín:**
> 5. _____ soy un poco independiente, echo en falta cierta comunicación.

HABLAR

4. En grupos de cuatro, hablad sobre el tema de la convivencia y sus conflictos. Primero responde brevemente a cada pregunta.

> • ¿Con quién vives? • ¿Te llevas bien o mal con el/ella/ellos? • ¿Cómo repartís las tareas? • ¿Cuáles son los principales puntos de desacuerdo: la tele, las tareas, las salidas, el ruido, el dinero, la comida?

5. Lee el texto sobre la amistad y responde. ¿Por qué causa, principalmente, se puede romper una amistad?

Así nace un amigo

Es la única relación de igual a igual que se plantea sobre una base de franqueza, libertad, complicidad y desinterés absoluto. Con el amigo nos sentimos cómodos y expresamos lo mejor que hay en nosotros mismos.

Muchas veces nuestros mejores amigos los encontramos en la escuela, pero no siempre la amistad nace de lo cotidiano, a veces encontramos un amigo lejos de nuestras rutinas. Según la socióloga Claire Bidart, la mayoría de la gente habla de confianza como la mejor definición de la amistad. Se trata de una noción que asociamos a grandes virtudes, como la franqueza, la honestidad, la sinceridad, el desinterés o la falta de celos. Amigo es, sobre todo, la persona con la que nos sentimos cómodos y con la que podemos expresar lo mejor de nosotros mismos. Amigo es el que siempre acude a nuestra llamada. Amigo es el que nos conoce en profundidad, mucho más allá de las apariencias. "Amigo –cantaba Miguel Ríos– es el que a menudo me recuerda a mí mismo".

Quizá por esto lo que más esperamos de un verdadero amigo es que comparta la imagen que tenemos de nosotros mismos o, al menos, que ésta no sea demasiado distinta.

La amistad es un vínculo potente que resiste muchos de los zarpazos que da la vida. Pero eso sí, alguna de sus condiciones son inapelables: no puede sobrevivir a una deslealtad.

(Muy Interesante)

6. Busca en el texto el nombre correspondiente a los siguientes adjetivos y completa la tabla.

ADJETIVO	NOMBRE
1. leal	*lealtad*
2. sincero	
3. honesto	
4. franco	
5. confiado	
6. libre	
7. profundo	
8. aparente	
9. cómplice	

GRAMÁTICA

FORMACIÓN DE PALABRAS: LA SUSTANTIVACIÓN

Los **sufijos** más frecuentes para formar nombres son:

tolerar ➤ toleran**cia**   educar ➤ educa**ción**
esperar ➤ esper**anza**   capaz ➤ capac**idad**
raro ➤ rar**eza**   pensar ➤ pensa**miento**

7. Relaciona cada grupo de verbos y adjetivos con el sufijo correspondiente.

1. actuar, elegir, educar   a. -idad
2. sincero, fácil, oportuno   b. -encia
3. residir, presidir, paciente c. -ción
4. triste, rico, raro   d. -miento
5. casarse, calentar, enfriar   e. -eza

8. Completa las frases con la forma derivada del adjetivo o del verbo que aparece entre paréntesis.

1. En la relación entre amigos, uno de los principales valores es la *lealtad*. (leal)
2. Mi padre siempre decía que en la vida hay que tener mucha _____ con todo el mundo. (paciente)
3. ¡Vaya tarde de domingo!, esto es un _____ total. (aburrido)
4. A causa del _____ del planeta, las temperaturas han subido dos grados en los últimos 40 años. (calentar)
5. María dice que ella no cambia a sus amigos por toda la _____ del planeta. (rico)
6. ¿Te has enterado? Alejandro se va a presentar como candidato a director en las próximas _____. (elegir)

HABLAR

9. Habla con tus compañeros sobre la amistad.

- Intenta definir qué es la amistad.
- ¿Qué esperas de tus amigos?
- ¿Qué pasa cuando un amigo te traiciona? ¿Cómo reaccionas?
- Explica el caso de un amigo que te traicionó.

ESCRIBIR

10. Escribe un párrafo sobre el tema anterior.

4 A

B. El amor eterno

1. ¿Crees que el matrimonio tiene que ser "hasta que la muerte nos separe", o es mejor no prometer nada en el momento de la boda?

2. En las fotos aparecen unas parejas que acaban de cumplir 50 años de casados. ¿Cuál crees que es el secreto para que una relación dure tanto tiempo?

ESCUCHAR

3. Antes de escuchar, busca el significado de las siguientes expresiones.

- a. *Hacer lo que me dé la gana.*
- b. *Llevar una carabina.*
- c. *Hacer de canguro.*
- d. *Estar de morros.*
- e. *Ver la vida de color de rosa.*
- f. *Tirar la casa por la ventana.*
- g. *A escondidas.*

4. Escucha y señala la opción correcta. **12**

1. a. Ángel y Montse querían casarse pronto porque no tenían libertad. ☐
  b. Cuando iban al cine podían besarse más. ☐
  c. Si se casaban no podían hacer lo que les diera la gana. ☐

2. a. Los padres tenían que ahorrar para pagar la boda. ☐
  b. Los novios ahorraron para el banquete y los muebles del dormitorio. ☐
  c. Los padres pagaron los gastos de la boda. ☐

3. a. Para Ángel y Montse, los hijos eran muy importantes, porque sufrieron la posguerra. ☐
  b. Querían que sus hijos tuvieran una vida mejor que la suya propia. ☐
  c. Los nietos cuidan a los abuelos de vez en cuando. ☐

4. a. Desde que se han jubilado, viajan mucho. ☐
  b. Lo que más les gusta actualmente es viajar. ☐
  c. Ya no pueden ir a su casa de campo a cuidar del jardín. ☐

5. Para mantener una buena relación,
  a. lo que hay que hacer es no enfadarse. ☐
  b. lo mejor es estar varios días de morros. ☐
  c. es importante que los enfados no sean largos. ☐

6. Según Amparo,
  a. la vida es de color de rosa. ☐
  b. los jóvenes no entienden que haya matrimonios muy duraderos. ☐
  c. es normal que con el tiempo no quieras al marido. ☐

7. Para esta pareja, el secreto de la buena convivencia es
  a. ir juntos a todas partes. ☐
  b. aguantar lo mínimo. ☐
  c. ceder y tenerse respeto. ☐

HABLAR

5. En grupos de cuatro, comentad.

- ¿Qué opinas de las dos historias, te parecen reales?
- ¿Estás de acuerdo con las razones que dan para la continuidad de su relación?
- De estas cosas, cuáles son más importantes y cuáles menos: carácter, compartir intereses, edad, educación.

GRAMÁTICA

6. Completa la letra de este famoso bolero. Utiliza la ayuda del recuadro.

> en que (x4) – cuando – que (x3)

Adoro

Adoro la calle (1) *en que* nos vimos,
la noche (2)_____ nos conocimos.
Adoro las cosas (3)_____ me dices,
nuestros ratos felices
los adoro vida mía.

Adoro la forma (4)_____ sonríes;
y el modo (5)_____ a veces me riñes,
adoro la seda de tus manos,
los besos (6)_____ nos damos
los adoro vida mía

Y me muero por tenerte junto a mí,
cerca, muy cerca de mí;
no separarme de ti,
y es que eres mi existencia, mi sentir,
eres mi luna, eres mi sol,
eres mi noche de amor.

Adoro, el brillo de tus ojos;
lo dulce (7)_____ hay en tus labios rojos;
adoro la forma (8)_____ suspiras,
y hasta cuando caminas
yo te adoro vida mía.

7. Escucha la canción y comprueba. **13** 🔘

RELATIVOS CON PREPOSICIÓN

*Adoro la calle en **la que** / **que** / **la cual** nos vimos la primera vez.*

*Recuerdo perfectamente el día en **que** nos conocimos.*

*Esta es la chica de **la que** / **quien** / **la cual** te hablé ayer.*

*Este es el hombre con **el que** / **quien** / **el cual** se casó Margarita.*

1. En la lengua hablada, la forma más frecuente es preposición + artículo + *que*, tanto para cosas como para personas.

*Este es el libro **del que** te hablé ayer.*

2. El uso de *quien* / *quienes* (para persona) o *el* / *la cual* (para personas y cosas) da un tono culto al escrito.

*Ayer conocí a la persona **de quien** depende mi ascenso o mi despido en la empresa.*

3. *donde* / *en que* / *en el que*.

*Este es el sitio **donde** / **en que** / **en el que** mataron a un policía.*

8. Transforma las dos frases en una, como en el modelo.

1. Ángel tenía un perro. Mimaba demasiado al perro.
   Ángel tenía un perro al que mimaba demasiado.
2. Estos son los amigos de Marta. Antes yo salía mucho con ellos.
3. Ahí hay un sitio. En ese sitio se pueden encontrar cosas baratas.
4. Te presento a mi primo Alfonso. Yo te hablé de él el domingo pasado.
5. Hemos vendido la casa de nuestros padres. En esa casa nacimos todos.
6. Han cerrado el Cine Rex. A ese cine íbamos antes todos los domingos.

9. Completa con la ayuda del recuadro.

> de la que – a quien – por el que – en la que

1. Carlos es una persona *de la que* se enorgullecen todos sus amigos.
2. No tiene ninguna amiga _____ pueda confiar.
3. Ha muerto Fernando, la persona _____ ella amaba más en el mundo.
4. El motivo _____ no te he llamado es que he estado fuera.

**4
B**

C. Los nuevos españoles

1. ¿Qué sabes de la emigración? Coméntalo con tus compañeros.

2. A continuación vas a leer un artículo sobre una mujer y su familia que han emigrado a España. Hemos separado las preguntas de las respuestas. Lee la entrevista y relaciona las preguntas con las respuestas.

a. ¿Se piensa en el regreso? — ⑤

b. ¿Por qué vienen tantos ecuatorianos? ☐

c. ¿Los lazos familiares son importantes? ☐

d. ¿Vienen de alguna zona concreta? ☐

e. ¿Qué costumbres ecuatorianas mantienes? ☐

f. ¿Qué te chocó más del cambio cultural? ☐

Una ecuatoriana en Barcelona

La nueva generación de españoles son los hijos de emigrantes. Crecidos entre dos culturas, nos aportan nuevos puntos de vista.

Los datos hablan de una nueva realidad sociológica, y es que en el 12% de los casamientos celebrados en 2005 en nuestro país al menos uno de los cónyuges era extranjero.

Raquel Caizapanta Rojas es hija de ecuatorianos que emigraron a Madrid, tiene 33 años y está tramitando la nacionalidad española. Tiene dos hijos, Pamela y Sergio, nacidos aquí. Vive en Barcelona y trabaja en el programa de radio *Actualidad latina*.

1. La situación allí es desastrosa. Sólo en España hay unos 800.000, más del 6% de la población total de Ecuador, pero también hay muchísimos en EE UU. Hoy la emigración es la principal fuente de ingresos del país.

2. Vienen de todas partes. Aunque hay diferencias entre los de la costa, más abiertos, y los que venimos de las zonas montañosas, que somos más vergonzosos y callados.

3. Sí, somos muy solidarios y nos mantenemos muy unidos. Pero la realidad es que el cambio de cultura ha creado desestructuración familiar. A veces nuestros hombres no asumen bien la independencia que tienen aquí las mujeres. Hay bastantes divorcios. Es un precio muy caro que estamos pagando para salir de la pobreza.

4. En Ecuador estamos muy acostumbrados a pedir permiso por todo y decir mucho "por favor" o utilizar el diminutivo. Choca que aquí se digan las cosas tan directas o que te empujen en el metro sin miramientos. Ahora ya estoy más acostumbrada.

5. No, ahora es imposible. Mis hijos son plenamente españoles y no se adaptarían a la vida allí.

6. En la cocina, sobre todo. Los latinoamericanos somos muy de sopa y de arroz diario, y en casa nunca nos faltan esos platos, aunque los niños prefieren la comida española. También solemos comer cosas como macarrones, ensaladas y mucha fruta.

Revista *Clara*

3. Lee otra vez y señala si las afirmaciones son verdaderas o falsas. Corrige las falsas.

1. Cada vez más españoles se casan con extranjeros. ☑
2. Raquel tiene nacionalidad española. ☐
3. El dinero que envían las familias emigrantes a su país es muy importante. ☐
4. Los habitantes de las montañas de Ecuador son más tímidos que los de la costa. ☐
5. Los españoles son más bruscos en su trato que los ecuatorianos. ☐
6. Raquel no mantiene las costumbres ecuatorianas. ☐

HABLAR

4. En grupos de cuatro. Cada uno debe hablar dos o tres minutos sobre las siguientes preguntas.

- ¿Conoces a alguna persona o familia que haya emigrado desde su país a otro?
- ¿En qué condiciones lo ha hecho?
- ¿Qué problemas se ha encontrado?
- ¿Se encuentra bien ahora?
- ¿Volvería a su país de origen?
- Si no conocéis a nadie que haya emigrado, intentad hacer una lista de los posibles problemas con que se encuentran los emigrantes.
- ¿Qué ventajas y problemas se plantean en el país de llegada?

GRAMÁTICA

EL ARTÍCULO NEUTRO *LO*

Lo barato sale caro. (= las cosas baratas)
No ha estudiado lo suficiente para aprobar.
Ven lo más pronto que puedas.
Mis padres ya saben lo nuestro.
Lo que ha dicho Pepe no es verdad.
Lo que más me gusta de ti es que eres sincera.
¿Ya sabes lo de Roberto? (= el asunto de Roberto)

- Detrás de ciertas expresiones sirve para dar énfasis, exagerar.

No puedes imaginarte lo cansada que estoy.
No sabes lo bien que cocina María.

5. Elige el artículo adecuado.

1. *Lo / El* que más me fastidia es que no me escuchen cuando hablo.
2. Este diccionario es *el / lo* que trajo Luis.
3. El motivo por *el / lo* que no te he llamado es que he estado fuera.
4. Estaba equivocado en *lo / el* que te dije el otro día.
5. *El / Lo* que te dijo eso el otro día estaba equivocado
6. No me gusta ninguno de los dos, pero *el / lo* que más me fastidia es Ernesto.
7. El director pidió disculpas a toda la clase por *el / lo* que había hecho el profesor.
8. *Lo / El* mejor es que salgamos temprano, antes de que empiece el atasco.
9. A mí me parece que *el / lo* mejor es el que ha escrito Vargas Llosa.
10. Raúl piensa *lo / el* mismo que tú: hay que compartir la riqueza.

6. Haz la transformación correspondiente.

1. Mis hijos comen mucho.
   No te imaginas lo que comen mis hijos.
2. El restaurante ese está muy cerca.
3. El marido de Rosa está muy ocupado.
4. Ese cantante ha vendido muchos discos.
5. Celia y Laura están muy guapas.
6. Carmen es muy autosuficiente.
7. Sus abuelos viven bastante lejos.
8. Ana toca muy bien la flauta.

4
C

¡¡ *Lo barato sale caro* !!

D. Escribe

UN ARTÍCULO PARA UNA REVISTA

1. ¿Te gusta escribir para la revista de tu escuela? ¿Has escrito artículos en tu idioma? ¿Te resulta fácil o difícil? ¿Qué procedimiento sigues? Coméntalo con los compañeros.

Un buen artículo debe reunir algunas condiciones

- Tener un título.

- Tener en cuenta el público al que va dirigido. En función de los lectores, el estilo de un artículo puede ser más o menos formal.

- Tener una buena organización de las ideas. La estructura más usual comprende:
  - Una introducción. Puede ser una afirmación general o una pregunta.
  - Uno o dos párrafos con las ideas principales. Cada idea debe ser concretada con ejemplos.
  - Un párrafo final de conclusión donde se resuma la idea principal y se dé la opinión personal.

- En cuanto al procedimiento, antes de empezar a redactar es imprescindible recoger una lista de ideas sobre el tema que se va a tratar. Una forma útil de recoger ideas es discutir en pequeños grupos y anotar lo que se le vaya ocurriendo a cada uno. Luego, hay que seleccionar aquellas ideas que parezcan más interesantes para desarrollar el artículo.

2. Discute con tus compañeros y toma nota.

¿Es mejor vivir solo o acompañado?
Ventajas y desventajas de cada situación.

3. Escribe un artículo de unas 150 palabras para la revista de la escuela donde estudias, sobre la pregunta anterior.

4. A continuación hay un artículo escrito por un estudiante para la revista de su escuela sobre el tema de la emigración. Léelo y encuentra los seis errores que contiene. Luego, comprueba con tu compañero.

El viaje de los pobres

Quisiera hablar del viaje que *efectúa(n)* sin maletas miles de personas procedentes de países pobres hacia países ricos.

Todos hemos oído hablar estos últimos años de pateras y cayucos y de inmigración clandestino en España, Italia, Europa del norte, Estados Unidos de América, pero no nos enteramos bien de los motivos que empujan a hombres y mujeres, incluso a niños, a efectuar lo que algunos periodistas llaman el "viaje de la muerte".

Los inmigrantes legales son conscientes de las dificultades que este viaje entraña. Desafían a la muerte porque la posibilidad de encontrar un futuro mejor les anima. En efecto, algunos huyen en países que padecen hambre. Otros abandonan su país a causa de las dictaduras y las guerras.

Por supuesto, los inmigrantes encuentran en los países de acogida una vida mejor, una organización social y un futuro para sus hijos. Los magrebíes los cuales emigraron en los años sesenta y setenta a Francia encontraron a este país el paraíso que buscaban. Sin embargo, se dan cuenta hoy de que sus hijos han perdido su identidad árabe y no han adquirido a cambio una identidad francesa.

Hay que añadir que la llegada de los inmigrantes a los países occidentales es debida al enriquecimiento de estos y su necesidad de mano de obra para la industria y la agricultura.

OCTAVIO PAZ

1. ¿Sabes algo de Octavio Paz? ¿Conoces a otros escritores hispanoamericanos? Coméntalo con tus compañeros y tu profesor.

DATOS BIOGRÁFICOS

Octavio Paz nació en Ciudad de México en 1914. Estudió en EE UU con una beca Guggenheim y en 1945 ingresó en el cuerpo diplomático. Su primer destino fue París, donde conoció a artistas surrealistas (André Breton, Albert Camus). Después de un tiempo en su país, regresó a Francia. Más tarde, en 1962, fue nombrado embajador en la India, pero renunció a su cargo en 1968 en protesta por la masacre que las autoridades mexicanas realizaron en la plaza de Tlatelolco. Los años que pasó en el continente asiático y el pensamiento oriental tuvieron influencia en su obra poética y filosófica.

Entre su abundante producción destaca su libro de ensayos titulado *El laberinto de la soledad* (1950), donde trata el problema de la identidad y el ser.

En 1958 apareció *Libertad bajo palabra*, un tomo que recoge poesías escritas entre 1935 y 1958. Los temas centrales son la soledad, el vacío del yo y el amor, que también serán tratados en otras obras.

Además de autor prolífico, fue fundador y colaborador en varias revistas literarias: *Taller, Plural* y *Vuelta* (premio Príncipe de Asturias 1993). En 1981 recibió el premio Cervantes y en 1990 el premio Nobel de Literatura.

Murió en Ciudad de México en 1998.

2. A continuación vas a leer un poema de Octavio Paz. Léelo y contesta las preguntas.

La calle

Es una calle larga y silenciosa.
Ando en tinieblas y tropiezo y caigo
y me levanto y piso con pies ciegos
las piedras mudas y las hojas secas
y alguien detrás de mí también las pisa:
si me detengo, se detiene;
si corro, corre. Vuelve el rostro: nadie.
Todo está obscuro y sin salida,
y doy vueltas y vueltas en las esquinas
que dan siempre a la calle
donde nadie me espera ni me sigue,
donde yo sigo a un hombre que tropieza
y se levanta y dice al verme: nadie.

Libertad bajo palabra

1. ¿Es un poema triste o alegre? ¿Por qué lo crees?

2. ¿Qué crees que significa? Intenta explicarlo.

3. Lee y escucha la voz de Octavio Paz. **14** 🔘

"La lengua es lo mejor que hay, y es lo peor. La lengua es la realidad substancial del escritor o del poeta y, al mismo tiempo, es su irrealidad total".

"Estoy en donde estuve, voy detrás del murmullo, pasos dentro de mí, oídos con los ojos, el murmullo es mental. Yo soy mis pasos, oigo las voces que yo pienso, las voces que me piensan al pensarlas. Soy la sombra que arrojan mis palabras".

1. Escribe el nombre abstracto correspondiente al adjetivo o verbo entre paréntesis.

Consejos útiles para que una amistad sea duradera

1. *Igualdad* Es el fundamento de una relación amistosa. (Igual)
2. _____ La amistad supone un encuentro entre dos personas diferentes y libres. (Libre)
3. _____ Al contrario que en el amor, no hay amistad sin correspondencia. (Recíproco)
4. _____ No se debe abrumar al amigo con confidencias que no pueda digerir. (Discreto)
5. _____ No alabarle en exceso ni valorarle por debajo de sus expectativas. (Justo)
6. _____ ¡Por algo el amigo es el compañero de aventuras! (Cómplice)

2. Completa la tabla.

perfecto	*perfección*
	paciencia
confiado	
fácil	
grande	
	riqueza
	demencia
perezoso	

3. Completa las frases con un relativo (con o sin preposición). A veces hay más de una posibilidad. Utiliza la ayuda de los recuadros.

en – por – a – con – de

el / la / los / las que – quien – que – donde

1. Repartía consejos y ropa a los pobres, *a los que / a quienes* ordenaba también leer la Biblia.
2. Ese no es el hombre _____ debe casarse.
3. Lo trataban como a un simple conocido, como a alguien _____ se es amable, y nada más.
4. Fue el amigo de Fernando _____ se ocupó de mí todo el tiempo que estuve enfermo.
5. Vino a la fiesta Laura, la chica _____ estaba saliendo nuestro anfitrión.
6. Se disculpó por el modo _____ me había tratado anteriormente.
7. ¿Cuál es la verdadera razón _____ te fuiste?
8. Hay que ayudar _____ más lo necesita.
9. Decía que ese era un tema _____ no se podía hablar.
10. Tiene muchas razones _____ no quiere separarse.
11. Rodolfo buscaba una mujer _____ disolviera la soledad de su alma, porque hay horas _____ la soledad te parece insoportable.
12. Rocío y yo fuimos al jardín, _____ los niños estaban jugando.

4. En todas las frases falta un pronombre relativo (con o sin preposición). Escríbelo.

1. Encontré un cartel *en el que* apenas se leían las palabras.
2. Al final del pasillo había una escalera subimos al primer piso.
3. Con la ducha me libré del polvo había acumulado en el viaje.
4. Aquel es Peter, la persona dirige la empresa con ayuda de David Fernández.
5. Es la hora tiene que volver a la oficina.
6. Nunca supimos la razón la mataron.
7. Sacó la carta del bolsillo la había metido hacía una hora.
8. Arriba a la derecha figura la fecha se realizó el último trabajo de reparación.
9. Había unos canalones el agua de la lluvia caía a la calle.
10. Dio las gracias a Luisa, estaba ocupada ordenando el escritorio.
11. Vio las ventanas que estaban encima del lugar había caído el herido.
12. Ramón miró la primera página del contrato figuraba el nombre del propietario del piso.
13. Conozco a tres personas han entrado a robar en su casa y no lo han denunciado.
14. La lancha los llevó a la parte del puerto estaba el trasatlántico.

4
E

5. A continuación hay un cuento popular mexicano al que hemos quitado los artículos (*el, la, los, las, lo, al, del, un, una*). Reescríbelos en su sitio.

El conejo y el lagarto

Una tarde estaba conejo frente a río, pensando manera de cruzarlo, cuando escuchó voz que venía de agua y le preguntaba:

—¿Qué haces tan pensativo, conejo?

Conejo miró hacia el río y descubrió a lagarto, a quien respondió:

—Pienso manera de llegar a otro lado de río. ¿No podrías llevarme tú?

Lagarto sonrió y se le iluminaron ojos, pues se imaginó rico que estaría ese conejo como almuerzo.

—Claro que sí, amigo conejo. Yo te llevo, pero cuando lleguemos a otra orilla te comeré.

Conejo, que era valiente, le contestó:

—Está bien, lagarto, pero prométeme que sólo me comerás cuando hayas llegado.

Lagarto aceptó y acercó su cola a orilla, para que conejo se subiera. (...)

Justo cuando estaban a punto de llegar a otra orilla, conejo pegó salto y tocó tierra antes que lagarto. Entonces fue corriendo a su cueva a esconderse. Lagarto, furioso, llegó hasta cueva y comenzó a excavar con sus patas. Tanto cavó que se quedó atrapado en hoyo que había hecho.

Conejo, que había salido por otro lado, lo miró y exclamó:

—¡Pero qué lagarto tan tonto! —Y se echó a reír.

Al oír carcajadas, lagarto se dio cuenta de que conejo estaba cerca y abrió boca para hacerle creer que era entrada de cueva.

Pero conejo, que era muy listo, se dio cuenta y saludó como si hileras de dientes no se vieran.

—¡Buenos días, cuevita!

—Buenos días, conejito. —Dijo lagarto como pudo.

—¡Qué cueva más habladora!, será mejor cerrarla.

Y con gran rapidez, tomó piedra muy grande y la echó en boca abierta de lagarto. Y, despúes, escapó feliz de lagarto, que tardó mucho en volver a cerrar su boca y en salir de hoyo que él mismo había cavado.

(Cuentos y leyendas hispanoamericanos. Selección de Ana Garralón. Anaya)

---

6. Transforma según el modelo.

1. Me molesta muchísimo que Óscar no me avise cuando va a llegar tarde:
   Lo que más me molesta de Óscar es que no me avise cuando va a llegar tarde.

2. Me gusta muchísimo que me regalen flores.

   _____

3. Valoro mucho que Teresa y Mariví dediquen su tiempo libre a cuidar a los demás.

   _____

4. Siento mucho que hayáis tenido que pasar la Navidad allí solos, sin la familia.

   _____

5. De mi trabajo, me gusta mucho tener vacaciones en verano, Semana Santa y Navidad.

   _____

6. A mis padres les gusta que vayamos a verlos con frecuencia.

   _____

 Soy capaz de…

 Hablar de la convivencia, de la amistad y del amor.

 Utilizar los artículos.

 Formar y utilizar sustantivos abstractos.

 Usar las oraciones de relativo con preposición.

 *Escribir un artículo para una revista.*

4
E

1. Hay muchas maneras de anunciar un producto.

- En periódicos o revistas.
- En el cine, antes de que empiece la película.
- En radio y televisión.
- En Internet.
- En carteles publicitarios.
- En propaganda comercial por correo.
- En catálogos...

¿Conoces alguna más?

2. En parejas, mirad la siguiente lista de productos. Si tuvieras que venderlos, ¿qué método publicitario sería el más adecuado? ¿Por qué?

1. Un perfume caro.
2. Una moto.
3. Un curso de golf.
4. Un nuevo refresco.
5. Un restaurante de comida exótica.
6. Una estantería.

3. Mira estos tres anuncios, ¿qué se anuncia en cada uno de ellos? ¿Cuál crees que es el más original? ¿Por qué?

4. En parejas. Mira los anuncios anteriores otra vez con tu compañero y analizad cuáles de las siguientes técnicas publicitarias se han utilizado en cada uno de ellos.

TÉCNICAS	1	2	3
Nombres abstractos			
Imágenes sorprendentes			
Repetición de palabras			
Referencias culturales			
Frases publicitarias			

ESCUCHAR

5. Conchi y Álvaro comentan los anuncios anteriores. Escucha lo que dicen y completa los apartados. **15** 🔘

1. Lo que anuncian no es _____, pero fíjate en _____.

2. En el primer anuncio utilizan una imagen _____, mientras que en el segundo utilizan _____.

3. La imagen de la luna y el clavo hace referencia a _____.

HABLAR

6. En grupos de cuatro, escoged unos anuncios publicitarios de cualquier revista y comentadlos entre todos. Puedes utilizar estas expresiones.

- *Mientras que...*   - *Por otro lado...*
- *La imagen es chocante, clásica, relajante..., quiere transmitir la idea de...*   - *En comparación con...*

GRAMÁTICA

7. Observa estas tres situaciones.

¡En la etiqueta decía que se podía lavar a máquina y que no encogía y mire cómo ha quedado!

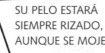

LAVAR A MÁQUINA. NO ENCOGE.

SU PELO ESTARÁ SIEMPRE RIZADO, AUNQUE SE MOJE.

¡En el anuncio decía que mi pelo estaría siempre rizado aunque se mojase, han caído cuatro gotas y mire qué pelos tengo!

RECLAMACIONES

- Utilizamos el **estilo indirecto** para repetir lo dicho por otra persona o para transmitir informaciones o peticiones.

  En este caso se utiliza concretamente para quejarse de que una promesa no se cumplió.

  *Tú me dijiste que **viniera** a tu casa hoy, que me **ayudarías** a hacer la redacción de español y ahora dices que **quieres** ver el partido de fútbol, eso no es lo que acordamos.*

8. Quéjate ante las siguientes situaciones. Practica con tu compañero.

1. Vendedor de agencia de viajes: "En Canarias siempre hace buen tiempo. Se podrá bañar todos los días". (No fue así).

2. Padre: "Cuando acabes la carrera te compraré un coche". (Se le olvidó).

3. Profesor: "Preséntate a las oposiciones que seguro que las apruebas". (Suspendiste).

4. Camarero: "Es una comida suave y no tiene sal". (No has parado de beber agua toda la tarde).

5. Jefe: "Trabaja este fin de semana. Te pagaré las horas extraordinarias". (No te han dado ningún dinero extra).

B. Dinero

1. ¿Te consideras una persona ahorradora o eres de los que piensan que el dinero es para gastarlo?

2. Relaciona.

1. Interés	d
2. Hipoteca	☐
3. Cartilla de ahorros	☐
4. Cuenta corriente	☐
5. Tarjeta de crédito	☐
6. Préstamo	☐
7. Descuento	☐
8. Pago al contado	☐
9. Cheque	☐
10. Sueldo	☐

a. Cuenta bancaria que se utiliza fundamentalmente para ahorrar dinero.

b. Dinero que se paga a una persona por su trabajo.

c. Préstamo para comprar una vivienda.

d. Dinero que un banco exige como pago por el uso de su dinero.

e. Pago que se efectúa en el momento de la compra.

f. Depósito de dinero realizado en un banco que se utiliza para los gastos diarios. Permite el uso de cheques.

g. Operación financiera por la que un banco proporciona dinero a un cliente con unas condiciones de devolución.

h. Rebaja del precio de una cosa.

i. Documento que contiene una orden de pago por una cierta cantidad de dinero y que permite a una persona cobrarla en su beneficio.

j. Trozo de plástico que permite hacer una compra sin desembolsar dinero en efectivo.

3. Completa las frases con palabras de la actividad anterior.

1. ¿Sabes? Ramón y Andrea han pedido una _____ en mi banco para comprarse el piso.

2. Como no llevaba bastante dinero en efectivo, tuve que pagar con _____.

3. Pablo ha ido hoy a abrir una _____ porque quiere ingresar dinero cada mes para comprarse una moto.

4. Mi empresa ha dicho que nos van a subir el _____ un 10% a todos los del departamento de Marketing.

5. Si tus padres no nos dan dinero para el coche nuevo, tendremos que pedir un _____ al banco.

6. La lavadora cuesta 650 € y puede usted pagarla en diez plazos, sin _____.

4. ¿El dinero da la felicidad? Escucha una entrevista a un sociólogo sobre el tema y elige la respuesta correcta. **16**

1. Alfonso Aguiló asegura que...   c

   a. tal y como dicen los refranes la gente piensa que el dinero da la felicidad.

   b. los refranes tienen razón: el dinero no da la felicidad.

   c. pocos creen en la afirmación de que el dinero no dé la felicidad.

2. El entrevistado afirma que...   ☐

   a. a un mendigo le sería indiferente mejorar su situación económica.

   b. a un mendigo le alegraría mejorar su situación económica.

   c. a un mendigo le disgustaría mejorar su situación económica.

5
B

3. Las investigaciones han demostrado que la sensación de felicidad... ☐

a. es parecida entre la gente de la misma edad y el mismo nivel económico.

b. depende de la titulación académica.

c. está influida por la raza y el sexo.

4. Las investigaciones señalan que las personas que se sienten felices tienen una serie de rasgos comunes: ☐

a. son introvertidas y prudentes.

b. son críticas y pesimistas.

c. son amables y con un alto concepto de sí mismas.

5. Las investigaciones afirman que la sensación de felicidad de las personas a las que les ha tocado la lotería... ☐

a. dura para toda la vida.

b. desaparece al poco tiempo.

c. se acaba convirtiendo en sensación de infelicidad.

HABLAR

5. En grupos de cuatro.

> • ¿Qué opináis sobre el tema? • ¿Serías más feliz si fueras más rico? • ¿Qué hace que la gente sea más feliz? • Y tú, ¿qué necesitas para ser feliz?

LEER

6. ¿Has comprado alguna vez por Internet? ¿Crees que es más barato? ¿Crees que es una compra segura?

7. Lee el texto y señala dónde deben aparecer los fragmentos siguientes.

a. mediante tarjeta de crédito ____

b. atractivas ofertas y descuentos ____

c. Sólo una pequeña parte ____

d. cuestan hasta un 20% menos ____

e. que están clasificados en diferentes departamentos ____

f. a las largas colas __1__

g. a medida que ____

h. hacer la compra ____

Hacer la compra por Internet

Internet ha puesto fin (1) *a las largas colas* del supermercado. Ya no hace falta salir corriendo del trabajo o aparcar en cualquier lugar para (2)_____. Sólo con un ordenador conectado a la red y unos minutos, puedes seleccionar y encargar todo lo que necesites.

Además, los super "on line" presentan (3)_____. Aunque los españoles nos mostramos todavía reacios a comprar a través de Internet, algunos productos como libros, discos o viajes ya se adquieren con cierta frecuencia de forma electrónica. (4)_____ de las adquisiciones hechas en nuestra Red se refieren a alimentación y bebidas. Este tanto por ciento ha ido aumentando (5)_____ lo ha hecho la presencia femenina en la Red.

Para hacer la compra por Internet es necesario registrarse en alguno de los supermercados que ofrecen este servicio, luego el cliente elige los productos, (6)_____: lácteos, bebidas, limpieza..., igual que en un supermercado. Además, disponen de un buscador de localización rápida. Hay otras buenas utilidades como "pedido habitual" o "pedidos anteriores",

En cuanto a los productos frescos, la mayoría de la gente aún prefiere recorrer el mercado para asegurarse una mayor calidad. Pero también existe una empresa especializada en productos frescos y en su distribución por todo el mundo a través de la Red, CC&A, a través de la cual se pueden comprar productos de alta calidad: frutas, verduras, carne, pescado, mariscos, etc. Los artículos que ofrece esta empresa (7)_____, ya que trabajan sin intermediarios y tampoco cobran gastos de envío en las compras, ni exigen pedidos mínimos.

Respecto al pago, la Red ofrece varias posibilidades, así que no sólo se puede pagar la factura (8)_____, sino también a través de domiciliación bancaria o al contado cuando se recibe el pedido en casa.

Revista *Clara*

c. comercio justo

1. ¿Sabes qué se entiende por "Comercio Justo"? ¿Qué objetivo persigue? ¿Conoces alguna tienda que se dedique al Comercio Justo? ¿Has comprado alguna vez en ellas?

2. Lee el texto y di si son verdaderas o falsas las siguientes afirmaciones.

Nacimiento del
COMERCIO JUSTO

En 1964 la "Conferencia de Naciones Unidas sobre Comercio y Desarrollo" realizó su primera reunión bajo el lema "Comercio, no ayuda". En ella se definieron una serie de propuestas a favor de nuevas relaciones entre los países ricos y los empobrecidos.

Dentro de este contexto surgió el Movimiento del Comercio Justo.

A mediados de los 60, algunas organizaciones de apoyo de los países del Sur comenzaron a importar productos de artesanía para venderlos en Europa por catálogo a través de grupos de solidaridad. Pero hasta 1969 no se abrió la primera tienda de "Comercio Justo", concretamente en Holanda. En España las dos primeras tiendas se abrieron en 1986, una en Andalucía y otra en el País Vasco.

Según el informe anual de 1996 de la Organización Mundial del Comercio (OMC), el 80% de los intercambios comerciales mundiales se realiza entre países del Norte, un 4% es comercio Sur-Sur, y el resto corresponde al comercio Norte-Sur.

Más de la mitad de los ingresos por exportación de la mayoría de países africanos y de América Latina dependen de las materias primas. Esto tiene graves consecuencias: la explotación de los trabajadores, la degradación del medioambiente...

Por lo tanto, el sistema comercial actual no sirve. Es necesaria una nueva visión responsable y sostenible del comercio. El Comercio Justo es una alternativa al comercio tradicional en la que comercio y producción están al servicio de las personas. Hace posible el desarrollo de las poblaciones más desfavorecidas del planeta e introduce valores éticos tanto sociales como ecológicos en contraposición al comercio tradicional, en el que priman los criterios puramente económicos.

El Comercio Justo se establece sobre unas bases de igualdad y transparencia en las relaciones de trabajo, que permiten mejorar las condiciones de vida de los productores en los países del Sur y garantizar a los consumidores del Norte que los productos que compran han sido elaborados en condiciones de dignidad. La actividad de los productores siempre es sostenible en su ámbito económico, medioambiental y social.

1. El Comercio Justo es un movimiento que surgió en 1964 como alternativa a las relaciones comerciales entre los países del Norte y del Sur. [V]
2. En los años 60 se empezaron a vender productos industriales procedentes del Sur. ☐
3. Fueron los países del Este los primeros en inaugurar las primeras tiendas de Comercio Justo. ☐
4. Veinte años después surgieron las primeras tiendas en España. ☐
5. Un 16% de los intercambios comerciales se realizan entre los países ricos y los empobrecidos. ☐
6. La economía de los países pobres se basa en la exportación de materias primas. ☐
7. El Comercio Justo se basa en conceptos únicamente económicos. ☐
8. El Comercio Justo beneficia las relaciones comerciales entre los países pobres y los ricos. ☐

5
C

GRAMÁTICA

FORMACIÓN DE PALABRAS
SUFIJOS DE FORMACIÓN DE ADJETIVOS

-ble /-es	**-ico /-a /-os /-as**
socia**ble**	estét**ico**
palpa**ble**	sociológ**ico**
nota**ble**	esfér**ico**

-al /-ales	**-oso /-a /-os /-as**
trimestr**al**	gener**oso**
casu**al**	fam**oso**
person**al**	ruid**oso**

-ivo /-a /-os /-as	**-nte /-es**
caut**ivo**	penetra**nte**
afect**ivo**	causa**nte**
efect**ivo**	pensa**nte**

3. Busca en el texto anterior al menos diez adjetivos formados con los sufijos del cuadro anterior.

4. Escribe los adjetivos correspondientes a los nombres del recuadro. Consulta tu diccionario.

> comercio – economía – crimen – amor
> espacio – gracia – abismo – representación
> cerebro – mundo

5. Completa las siguientes frases con un adjetivo derivado de los verbos del recuadro.

> reciclar – amar – adelgazar – desobedecer
> independizar

1. La dependienta que me atendió ayer era muy *amable.*
2. El niño no hacía caso a sus padres. Era muy _____.
3. Después de la revolución ese país se ha convertido en una república _____.
4. El vidrio es un material _____.
5. Como pesaba algún kilo de más, Sofía está siguiendo una dieta _____.

6. Elige la opción correcta.

1. En el naufragio hubo pocos _____.
   a. *supervivencia*   b. *sobrevivir*   c. *supervivientes*

2. Estamos a 40 °C. Hace un día muy _____.
   a. *calor*   b. *caluroso*   c. *caliente*

3. Ella sola se enfrentó a los ladrones. Es muy _____.
   a. *valiente*   b. *valor*   c. *valiosa*

4. Siempre quiere ganar. Es muy _____.
   a. *competente*   b. *competencia*   c. *competitiva*

5. Tiene muy buena mano para solucionar los problemas domésticos. Es muy _____.
   a. *manual*   b. *mañoso*   c. *manazas*

7. Fíjate en las expresiones y sustitúyela por un adjetivo.

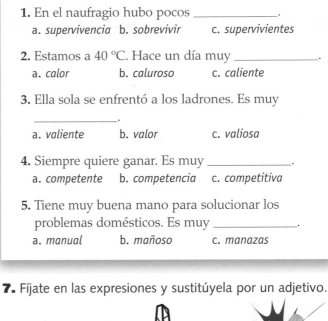

1. Hace mucho ruido. *Ruidoso*

2. Peligro. _____

3. Protege del sol. _____

4. Repite siempre lo mismo. _____

5. Acumula cansancio. _____

6. Proporcionan comodidad. _____

7. Repele los insectos. _____

5
C

D. Escribe

CARTA DE RECLAMACIÓN

1. ¿Has pagado alguna vez un producto o un servicio basándote en un anuncio de publicidad que resultó engañoso? Te recomendamos que en ese caso escribas una carta de reclamación al responsable del producto. Tu carta debe seguir las siguientes pautas.

(1) Expón el motivo de tu queja.

(2) Organiza tus ideas de forma lógica y utiliza los conectores necesarios.

(3) Utiliza el último párrafo para indicar lo que esperas de tu reclamación y las consecuencias si ésta no fuera satisfecha.

Muy señor mío:

Le escribo para (1) quejarme por el servicio recibido en el hotel que usted dirige el pasado fin de semana.

(2) En primer lugar, al llegar el recepcionista me aseguró que no tenía registrada mi reserva, a pesar de que yo había enviado un fax detallado varias semanas antes. (2) Después, una vez resuelto este primer problema, cuando subí a mi habitación, encontré que no la habían limpiado adecuadamente, aunque el recepcionista me aseguraba que la acababan de limpiar.
(2) Además, cuando bajé a desayunar al día siguiente, me dijeron que era demasiado tarde, aunque eran sólo las nueve y media y en el folleto informativo de la habitación decía que se podía desayunar hasta las diez.
(2) Finalmente, cuando pedí la cuenta, cuál fue mi sorpresa al ver que me habían cobrado bebidas del minibar, que yo no había consumido.

(3) Por lo tanto, si no recibo una respuesta satisfactoria a esta carta, me veré obligado a presentar una reclamación ante la (3) Asociación de Consumidores.

En espera de su respuesta, se despide atentamente.

ALEJANDRO TORRIJOS

PARA MANIFESTAR EL MOTIVO DE TU CARTA

Le escribo / me dirijo a usted para...

* *quejarme por...*
* *expresar mi malestar por...*
* *llamar su atención sobre...*

PARA EXPRESAR TUS QUEJAS

* *En primer lugar..., después..., finalmente...*
* *Por si esto fuera poco...*
* *No sólo..., sino que además...*

PARA DECIR LO QUE ESPERAS

* *Si no..., me veré obligado a...*
* *A no ser que..., no tendré más remedio que...*

2. Has estado de vacaciones con un grupo de amigos en un *camping* de la costa. Y acabasteis muy decepcionados con vuestra estancia. Estas son las cosas que prometía el folleto publicitario y que no se cumplieron. Escribe una carta a la dirección del *camping* quejándote de todos los inconvenientes que tuvisteis.

CAMPING LA BALLENA FELIZ

✦ Está a 50 m de la playa *(falso: a 500)*.

✦ Tiene supermercado *(sólo bebidas)*.

✦ Hay duchas de agua caliente *(pagando)*.

✦ Podrá comer en nuestro restaurante *(sólo bocadillos)*.

✦ Ofrecemos descuentos para jóvenes *(sólo para menores de 14 años)*.

Muy señor mío:

Me dirijo a usted para plantearle varias quejas sobre el camping *que usted dirige...*

EL CAFÉ

1. ¿Qué sabes del café? ¿De dónde procede? ¿Dónde se cultiva?

2. Lee el texto informativo sobre el café y luego contesta las preguntas.

Historia del café

Existen muchas leyendas sobre el origen del café. Una de las leyendas más conocidas cuenta que un pastor conducía su rebaño en Etiopía cuando sus cabras encontraron unos cafetos y comieron sus frutos y sus hojas. Llegada la noche, las cabras, en lugar de dormir, se pusieron a retozar alegremente y estuvieron despiertas toda la noche.

Otra leyenda cuenta que un monje cortó los frutos y las hojas de un cafeto y los llevó a la cocina para cocerlos. Una vez cocinado, el monje probó la bebida y la encontró de un sabor terrible, por lo que arrojó a las llamas los granos que quedaron sin cocer. Los granos conforme se quemaban despedían un olor agradable, por lo que el monje tuvo la idea de preparar la bebida con estos granos que, aunque amarga, tenía un aroma y un sabor agradables y producía, después de beberla, un efecto tonificante, por lo que los monjes decidieron consumirlo para mantenerse despiertos durante sus oraciones.

Con independencia de que las leyendas sean ciertas o no, podemos decir que el café ha sido, a través de la historia, alabado, prohibido, criticado, simbolizado, etcétera.

En un tratado anónimo muy antiguo, se especifican las cualidades que se atribuyen a esta bebida "que tonifica el hígado, resulta excelente para la sarna y limpieza de la sangre, refresca el corazón, alivia los dolores de estómago, hace que se recupere el apetito. Es excelente para los catarros que afectan al pulmón, los dolores de riñón y las lombrices. Es un alivio extraordinario después de haber bebido o comido demasiado, por lo que su uso es muy popular".

El clima más favorable para el cultivo del café se localiza entre el trópico de Cáncer y el trópico de Capricornio. Las plantaciones de café que se encuentran dentro de esta franja proporcionan las mejores calidades. El cafeto necesita una temperatura media de 20 ºC.

El café ocupa el primer lugar como producto agrícola generador de divisas y empleos en el medio rural de los países productores (Colombia, México...) y, por sus características de cultivo y labores de limpia, emplea a hombres y mujeres de todas las edades.

1. ¿Quién descubrió por primera vez que el café quitaba el sueño?
2. ¿Cómo descubrieron los monjes el aroma del café?
3. ¿Qué utilidad principal le encontraron los monjes al café?
4. ¿Cómo ha sido tratado por la opinión pública el café a lo largo de la historia?
5. ¿Cuándo se suele tomar con más frecuencia?
6. ¿Dónde se cultiva fundamentalmente?
7. ¿Qué beneficios genera a los países productores?

3. Comenta con tus compañeros.

¿Te gusta el café? ¿Por qué? ¿Cuándo lo tomas? ¿Qué efectos te produce?

✓ E. Autoevaluación

1. Quéjate de la siguiente situación.

La semana pasada llevaste tu vídeo a arreglar.

CLIENTE: Quisiera saber si merece la pena arreglar ese vídeo.

VENDEDOR: Seguro que sí. Se lo arreglaremos en una semana. Quedará como nuevo. Le durará por lo menos otros diez años. El arreglo no le costará muy caro y no le dará ningún problema de aquí en adelante.

Después de varias semanas de espera, te llamaron para recoger el vídeo. Pagaste mucho más de lo esperado y, al llegar a casa y encenderlo, el vídeo empezó a fallar de nuevo. Inmediatamente llamaste a la tienda para quejarte:

CLIENTE: Usted me dijo que _____
_____
_____
_____
_____
_____

2. Elige la palabra correcta.

1. Puedes pagar con *factura / recibo / tarjeta*.

2. Camarero, ¿puede traerme la *cuenta / cheque / recibo*?

3. Cuando le llevemos el pedido a casa le llevaremos la *tarjeta / factura / cartilla*.

4. ¿Cuánto vas a *ahorrar / ganar / gastar* en este trabajo?

5. Con el *préstamo / cheque / sueldo* que te han concedido te puedes comprar un piso.

6. Estoy pagando la *cuenta / hipoteca / intereses* del piso nuevo.

7. Me ha salido muy barato. Me han hecho un importante *préstamo / factura / descuento*.

3. Completa la carta con las palabras del recuadro.

> préstamo – crédito – sueldo – hipoteca
> dinero – facturas – cuenta bancaria – descuento
> tarjeta de crédito – interés

Estimado cliente:

Queremos agradecerle la confianza que nos ha demostrado al ingresar su (1)_____ mensual en nuestra entidad bancaria.

Por eso ahora le ofrecemos las siguientes ventajas:

✓ La (2)_____ en la que ingresa su salario tiene una comisión anual de 0 €.

✓ Tendrá derecho a un (3)_____ igual al valor anual de su salario.

✓ Le concedemos una (4)_____, con la que podrá pagar (5)_____ o retirar (6)_____ en nuestra red de cajeros. Además conseguirá un 2% de (7)_____ al pagar con ella en muchos establecimientos.

✓ Solicite un (8)_____ para la compra de un piso a un (9)_____ especial y podrá conseguir una (10)_____ de hasta el 80% de su precio total.

✓ Podrá domiciliar todos sus recibos gratuitamente.

No pierda esta oportunidad. Infórmese en cualquiera de nuestras oficinas.

Reciba un cordial saludo,

M.ª Luisa Ortega
DIRECTORA DE CLIENTES

Tel. 915 384 999 • Fax 915 384 990

4. Escribe el adjetivo derivado de los siguientes verbos.

1. educar: *educativo*

2. desaparecer: _____

3. leer: _____

4. empobrecer: _____

5. descomponer: _____

6. ver: _____

7. conocer: _____

8. sentir: _____

9. informar: _____

10. comprender: _____

5. Completa las siguientes frases con alguno de los adjetivos del ejercicio anterior.

1. Con la niebla los coches que circulaban por la carretera apenas eran _____.

2. Me gusta oír las últimas noticias en el programa _____ de las 9.

3. Sufre por cualquier cosa. Es una persona muy _____.

4. Lo estuvieron buscando durante muchos días y finalmente le dieron por _____.

5. Los países del Tercer Mundo tienen las economías más _____ del mundo.

6. Completa las frases con el adjetivo derivado de los sustantivos del recuadro.

> economía – poder – inteligencia – ruido
> profesión – discusión – celos – independencia
> hábito – horror

1. Los vecinos de arriba no me dejan dormir. Son muy *ruidosos*.

2. Le gusta vivir solo. Es muy _____.

3. Han abierto un supermercado con muchas ofertas. Es muy _____.

4. Sucede todos los días. Es algo _____.

5. Dirige varias empresas. Es muy _____.

6. Trabaja con mucha seriedad. Es un buen _____.

7. Su hijo siempre saca muy buenas notas. Es muy _____.

8. No le gusta que su novia salga con sus amigos. Es muy _____.

9. No me gustó nada la película. Me pareció _____.

10. No nos pusimos de acuerdo. El tema era muy _____.

7. Completa el texto con las preposiciones correspondientes.

> a – con – tras – por – en – sin – desde
> sobre – para – de

ESTOY HARTA DE PUBLICIDAD

No me disgusta la publicidad siempre que la pueda controlar. Siempre que esté (1) *en* su sitio. Ha sido (2)_____ que la publicidad ha sustituido al medio ambiente cuando he empezado (3)_____ preocuparme. Porque la publicidad me abruma tanto que ya no puedo mirar a mi alrededor (4)_____ ver los temibles anuncios. Qué tiempos aquellos en que cogías las revistas y pasabas página. Incluso qué tiempos aquellos en que hacíamos colección (5)_____ los nuevos avisos sobre automóviles franceses...

A este paso, temo que un día, al descolgar el teléfono y después de escuchar la pregunta "¿Cómo estás?", le conteste:

– Maravillosamente, sumergida en un baño (6)_____ espuma relajante de la marca Plim, después de haber extendido (7)_____ mi rostro una crema Tilín, (8)_____ haber utilizado Culín (9)_____ limpiar mi piel a fondo.

Y lo peor será escuchar, al otro lado del aparato:

– Pues yo me he pasado a Michín (10)_____ sus resultados mucho mejores en el cuidado del rostro y del cuerpo.

¡Aug! Mucho ¡aug!

Maruja Torres (*El País Sernanal*)

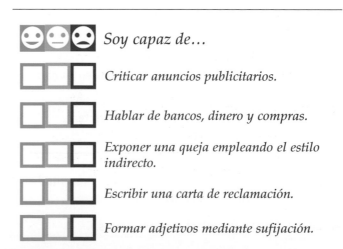

Soy capaz de...

Criticar anuncios publicitarios.

Hablar de bancos, dinero y compras.

Exponer una queja empleando el estilo indirecto.

Escribir una carta de reclamación.

Formar adjetivos mediante sufijación.

6

A. La televisión

1. ¿Conoces a alguien que no tenga tele? ¿Qué tipo de persona es? Si no conoces a nadie, imagina cómo será una persona que no tiene tele en su casa. Coméntalo con tus compañeros.

2. Primero lee la encuesta sobre la televisión y luego hazle las preguntas a tu compañero. Toma nota de las respuestas.

TÚ Y LA TELEVISIÓN

1. ¿Cuántas horas dedicas al día a ver la televisión?

2. ¿Qué tipos de programas sueles ver?

3. ¿Te molestan los anuncios publicitarios en mitad de las películas?

4. ¿Crees que la televisión es buena o mala para la educación de los niños? ¿Por qué?

5. ¿Crees que la televisión une a la familia o, al contrario, fomenta la incomunicación?

6. ¿Crees que la calidad de los programas en tu país es buena?

7. ¿Sobrevivirías sin la televisión? ¿A qué te dedicarías si no tuvieras televisión?

3. ¿Estáis de acuerdo tú y tu compañero? Presentad vuestras conclusiones al resto de la clase.

4. Lee el artículo y contesta las preguntas.

El selecto club de los "sin tele"

Son sólo unos pocos de los 43 millones de españoles. Una aristocracia, para algunos. Unos marginados, para otros. Una casta de raros en el país europeo que más horas de televisión consume. Han decidido vivir desenchufados.

Se les mira como extraños, contracorriente. Son aproximadamente el 0,4% de la población española: unos miles de hogares que han destronado el monitor televisivo de los altares de su sala de estar. Porque en España, según datos del Centro de Investigaciones Sociológicas, el 60,4% de los hogares tiene una en el salón, el 54,9% en el comedor, un 30% en los dormitorios y un 12,9% en la cocina.

Los autores del libro *365 días para vivir sin televisión* apuntan doce verbos alternativos al sedentario e hipnótico acto de ver la tele: *atrévete, piensa, crece, muévete...* "Son actividades más enriquecedoras que la única que nos pide la televisión: *mirar*", opinan.

Ellos, por su parte, la tienen, pero aseguran no dedicarle más de tres horas semanales, "lo que duran un par de películas". "Las personas que no ven la tele", sostienen, "son más inquietas intelectualmente, más creativas y con ganas de dominar las riendas de su vida". Todos los *antitele* han utilizado la televisión antes de abandonarla. "Están los que se han cansado de sentirse insultados por la banalidad de los mensajes publicitarios y los malos programas. Otros, al formar una familia, temen que perjudique su modo de relacionarse. Los más radicales militantes antitelevisión aluden a sus devastadores efectos sociales y psicológicos".

Los niños ven una media de 937 horas al año de televisión, unas tres horas al día; 37 horas más del tiempo que están en clase, puesto que hay tele los fines de semana. Las personas de más de 60 años llegan a consumir 6 horas al día de televisión. La televisión nos impide acudir a otras fuentes de información mucho más reflexivas, como la columna de un periódico. Se come, sin duda, el tiempo de lectura y consigue que se charle mucho menos. Para colmo, en los hogares ya no se discute por ver uno u otro programa. Solución: un monitor en cada cuarto. Conclusión: la tele disgrega.

SOL ALONSO, *El País Semanal*

1. ¿Qué lugar ocupa España entre los usuarios de televisión en Europa?
2. ¿Qué opiniones contrarias existen sobre las personas que no ven la tele?
3. Según los autores del libro *365 días...*, ¿qué diferencias básicas existen entre los teleadictos y los sin tele?
4. ¿Por qué distintos motivos se deja de ver la tele?
5. ¿Cuál es la consecuencia final del uso abusivo de la televisión?

GRAMÁTICA

EXPRESIÓN DE LA FINALIDAD

Las oraciones que expresan finalidad pueden ser introducidas por **para (que), con el fin de (que), con el objeto de (que), que.**

- Llevan el verbo en **infinitivo** cuando el sujeto de los dos verbos es el mismo:

  Algunos programas pueden servir para favorecer la comunicación.

- Llevan el verbo en **subjuntivo** cuando el sujeto es diferente:

  Baja el volumen de la tele, Fernando, que no se despierte el niño.

5. Une la primera parte de cada frase con la segunda, utilizando una conjunción final.

1. Tenemos que jugar más con nuestros hijos *para que* **e**
2. Hay que analizar la programación seriamente _para_ **b**
3. Deberíamos realizar diferentes actividades en familia _____ **a** para

4. La televisión no se debe utilizar ___para que___ **c**
5. Tenemos que controlar el tiempo que los niños pasan ante el televisor __d__ para que

a. ...no estar siempre viendo la televisión.
b. ...poder seleccionar los programas más adecuados.
c. ...los niños estén quietos.
d. ...no exceda de una hora al día.
e. ...no vean tanto la televisión.

6. Completa las frases con uno de los verbos del recuadro en el tiempo correcto.

> ayudar – ver – celebrar – enseñar
> no molestar – ir – dar

1. Se fue a su habitación para *ver* el partido de fútbol.
2. Bajé el volumen de la televisión para __no molestar__ a los vecinos.
3. Mi padre me convenció para que __fuera__ con él al cine.
4. Le di dinero a Pablo para que ___celebrara___ su cumpleaños con los amigos.
5. Fueron a ver a su hermano para que les __vieran__ su piso nuevo. enseñara
6. Te llamo para que me ___ayudes___ a resolver un problema.
7. Iremos al campo para que nos ___demos___ el aire.

ESCUCHAR

7. Escucha la entrevista con el sociólogo Luis Bueno sobre la influencia de la televisión en la comunicación familiar y completa los apartados del texto. **17**

a) La pérdida de comunicación entre los miembros de la familia puede haber sido ocasionada no sólo por la (1)_____, sino además por la (2)_____ de los miembros de la familia, por la distancia desde el hogar a (3)_____ y estudio y por las distintas (4)_____.

b) Los programas de (5)_____ pueden servir para favorecer la comunicación entre los distintos miembros de la familia, especialmente entre (6)_____. Mientras que ver la televisión de forma aislada, cada uno en su habitación, provoca el (7)_____.

c) Ver la televisión reúne físicamente a la familia, pero (8)_____. Disminuyen las actividades que antes de la existencia de la televisión hacían los encuentros familiares más activos, como: (9)_____ y (10)_____.

6
A

B. Los ricos también lloran

1. Mira las fotos y el título de la unidad, ¿sabes a qué tipo de serie de televisión se refieren?

ESCUCHAR

2. Cuatro personas opinan sobre los culebrones en la tele. Escucha las opiniones y señala si las afirmaciones son *V* o *F*. **18** 🔘

Rosario, de 65 años, ama de casa.
Marta, de 32 años, editora.
Celia, de 20 años, estudiante.
Luis, de 35 años, administrativo.

1. Rosario siempre sigue alguna telenovela. ☐
2. Marta cree que son positivos porque facilitan el entendimiento de otras culturas. ☐
3. Celia dice que son muy realistas. ☐
4. Luis opina que son aburridas. ☐

HABLAR Y ESCRIBIR

3. En grupos de cuatro, elaborad una lista de aspectos positivos y aspectos negativos de los culebrones. Luego, ponedla en común con el resto de la clase.

POSITIVO	NEGATIVO
Sirven para aprender una lengua extranjera.	

4. Lee el texto y completa con las expresiones del recuadro.

> guiones humorísticos – dan la espalda
> por si fuera poco – de carne y hueso
> cada tres meses – de una manera u otra

El mundo de los culebrones

En la Isla de Pascua, los Moai, esos inquietantes colosos de roca volcánica, (1) *dan la espalda* al mar y miran al interior. A 4.000 kilómetros de cualquier otro lugar habitado, sus vecinos (2)_____ reciben información del mundo a través de TNV, el canal estatal chileno.

Pero, además, también reciben ocio y algún dinero, pues los culebrones, aquí llamados teleseries, proporcionan diversión y trabajo a los habitantes de este lugar perdido en el Pacífico.

Un barco llega con provisiones (3)_____, mientras que las desgarradoras historias de amor, lujo y miseria están cada día en sus televisiones. Y, (4)_____, de vez en cuando la isla es elegida como lugar exótico para rodar una de estas series, con lo que prácticamente todos los habitantes del lugar (poco más de 3.500 personas) se ven implicadas (5)_____ en el mundo del culebrón.

Cuentan que un estudio con público de los primeros capítulos de *Lorena*, serie rodada en Pascua, desveló que los telespectadores relacionaban esta isla con un lugar bello y de gran interés antropológico, pero tremendamente aburrido. Y a raíz de este estudio, los ejecutivos y guionistas decidieron dar un aire diferente, tanto a la serie como al lugar: cambiaron la vegetación, diseñaron unos decorados más parecidos a los de Polinesia y escribieron (6)_____ en los que los actores bromeaban junto a los Moai. Y es que las audiencias mandan.

JAVIER PÉREZ DE ALBÉNIZ

http://www.elmundo.es/elmundo/2005/04/06/descodificador/1112743792.html

DATOS DE INTERÉS

■ La telenovela más larga: *Coronation Street*, una *soap* opera británica que lleva 44 años en Granada TV.

■ La más vista: *Tierra nuestra*, de Red TV Globo de Brasil, vendida a 84 países.

■ Los países exportadores más importantes: Brasil y México, con más de 20.000 horas anuales de culebrones vendidas a más de 100 países.

GRAMÁTICA

EXPRESIÓN DE LA CAUSA

Las oraciones causales suelen introducirse con los nexos **porque, pues, por, a causa de, como, ya que, puesto que, que.** Se construyen en indicativo casi siempre.

*No voy a comprar más pintura roja, **pues** ya casi he terminado de pintar.*

*Roberto, no hagas eso, **que** te vas a caer.*

***Como** ya hemos pintado la casa, ya pueden traer los muebles.*

***Ya que** no te interesa lo que te digo, no tenemos nada más que hablar.*

*Lo metieron en la cárcel **por** no pagar sus impuestos.*

PORQUE + SUBJUNTIVO

En algunas ocasiones, las oraciones causales introducidas por la conjunción **porque** llevan el modo subjuntivo. Eso ocurre:

• Cuando se niega la causa.

*Pablo llega tarde a clase no **porque sea** dormilón, sino porque tarda mucho en desayunar.*

• También cuando tiene valor final.

*Sus padres hicieron lo posible **porque tuviera** una buena educación.*

5. Elige la opción más adecuada. Pueden ser aceptables una o dos, pero no las tres.

1. ¿Te has enterado? A David le han quitado el permiso de conducir *por / porque / a causa de* conducir bebido.

2. *Ya que / Porque / Puesto que* no tienes nada que hacer, ayúdame en la cocina, por favor.

3. *Como / Por / Debido a que* el mes pasado trabajé todos los fines de semana, este mes no tengo que trabajar ninguno.

4. Se ha perdido la mitad de la cosecha de la uva *a causa de / por / ya que* la sequía.

5. Jorge, retira la comida del fuego, *que / porque / como* se quema.

6. Completa con la forma adecuada del verbo.

1. Como el autobús nocturno no *venía*, al final tuvimos que tomar un taxi. (venir)

2. Paula suspendió el examen del carné de conducir no porque no _____ la teoría, sino porque hizo mal la maniobra de aparcamiento. (saber)

3. El partido de fútbol se suspendió porque _____ a llover a mares. (empezar)

4. Clarita, ven aquí, que _____ a cenar ya. (ir, nosotros)

5. No vayas a ver a Rosa porque no _____ en casa a estas horas. (estar)

6. Dejé el trabajo no porque yo _____ sino porque la empresa _____ mi departamento. (querer, cerrar)

c. Diarios en la red

1. ¿Cuál es la forma de leer el periódico que más se ajusta a la tuya?

- *Leo prácticamente todo el periódico.*
- *Leo los artículos que me interesan y a los demás les echo un vistazo.*
- *Lo leo por encima.*
- *No leo ningún periódico.*

SECCIONES DEL PERIÓDICO

2. Contesta la siguiente encuesta.

De las secciones del periódico, ¿cuáles son las que lees?	S	H	O	N
Local, provincial, autonómica				
Nacional				
Internacional				
Cultural				
Deportiva				
Programación TV/radio				
Tiempo				
Editorial, colaboraciones				
Sociedad				
Cartelera / espectáculos				
Economía				
Cartas al director				
Horóscopo / pasatiempos				
Necrológicas				
Anuncios por palabras				

S= siempre, **H**= habitualmente, **O**= ocasionalmente, **N**= nunca.

HABLAR

3. En grupos de cuatro, comparad los resultados y calculad las estadísticas en tantos por ciento. Comparad con el resto de la clase.

4. Lee el texto y elige la opción más adecuada.

Bienvenidos a la **blogosfera**

"La libertad de prensa es para quien tiene una", decía Henry Mencken, un famoso periodista estadounidense de principios del siglo XX, el columnista más respetado y temido de su época. Cuando su pluma volaba, temblaba la Casa Blanca. Mencken podía enfrentarse a los banqueros y denunciar los abusos de los poderosos. Sin embargo, era consciente de sus limitaciones. Sin una rotativa, sin toneladas de papel, sin litros de tinta, sin una enorme red de distribución, sin la industria pesada necesaria para poner en marcha un medio de comunicación, su influencia se acababa. El cuarto poder sólo estaba al alcance de los poderosos capaces de pagar la factura.

Internet ha acabado con esta barrera. La libertad de prensa ya es como la libertad de expresión: es para todos. Ya no hacen falta millones, basta con un ordenador. Hoy los internautas pueden tener un medio de comunicación de masas. Casi con la misma facilidad y el mismo tiempo que se emplea en registrarse para acceder a una cuenta de correo electrónico se puede montar un diario on line, esto es, un *blog*. Comenzaron como la versión digital de los diarios personales. Hoy los *blogs* se cuentan por miles, y algunos ponen a los poderosos contra las cuerdas.

¿Pero qué es un *blog*? Para muchos es la palabra del siglo XXI, el término más consultado durante los últimos años. No obstante, las definiciones de *blog*, también llamado bitácora, varían de persona a persona. Esto es así porque un *blog* es fácil de crear e incluso de usar, aunque un poco más complicado de explicar. Básicamente, un *blog* es un espacio personal de escritura en Internet, con reflexiones, comentarios y enlaces. Un *blog*, por lo tanto, está diseñado para que, como en un diario, cada artículo tenga fecha de publicación, de forma tal que el escritor y los lectores puedan seguir un camino de todo lo publicado y archivado.

El número de *blogs* en España se duplica cada seis meses. Actualmente hay más 45.000 *blogs* en español, de los que alrededor de 20.000 son de España. Si seguimos creciendo a este ritmo, en menos de un año habrá 80.000 bitácoras en nuestro idioma.

Muy Interesante

6
C

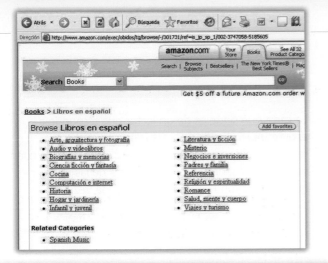

1. A principios del siglo xx sólo podías expresar tu opinión si... `c`
   a. eras banquero.
   b. tenías mucho dinero.
   c. poseías un periódico.

2. El cuarto poder es... ☐
   a. un partido político.
   b. los medios de comunicación.
   c. el conjunto de las personas más poderosas de un país.

3. Internet nos permite desarrollar... ☐
   a. nuestra libertad de lectura.
   b. nuestra libertad de prensa.
   c. nuestra libertad de mercado.

4. Un *blog* es... ☐
   a. un tipo de correo electrónico.
   b. un sitio en la red que contiene un diario personal.
   c. una columna en un periódico.

5. El número de bitácoras en España... ☐
   a. aumenta lentamente.
   b. empezará a crecer el año próximo.
   c. dentro de un año será cerca de 100.000.

COMUNICACIÓN

Conectores del discurso

- *Un **blog** es fácil de crear y **además** es fácil de usar.*
- *Es un espacio para las reflexiones, **por eso** se parece a un diario.*
- *Mucha gente los conoce, **aunque** los define de varias maneras.*
- ***Como** son fáciles de crear, su número de usuarios crece cada día.*

5. Localiza en el texto siete conectores.

6. Elige el conector más adecuado.

1. *Aunque / Como* no tengo ningún *blog* abierto, los leo con mucha frecuencia.

2. No tengo Internet en casa, *porque / por eso* no puedo consultar mis *blogs* favoritos con mucha frecuencia.

3. Soy usuario de Internet, *por eso / sin embargo* no me gusta mirar los *blogs* de nadie.

4. No me suele contestar, *además / a pesar* de todo, le daré la noticia por correo electrónico.

5. Consulto mi correo diariamente, *incluso / sin embargo* los fines de semana.

7. Relaciona los distintos puestos de trabajo de un periódico con sus definiciones.

1. Informador que suministra periódicamente noticias y reportajes a un medio de comunicación desde una localidad nacional o extranjera. `b`

2. Persona a cuyo cargo está la dirección de un periódico. ☐

3. Persona que escribe habitualmente en un periódico sin pertenecer a la plantilla de redactores. ☐

4. Redactor o colaborador que tiene a su cargo una columna o sección fija en una publicación periódica. ☐

5. Persona o entidad que publica un periódico valiéndose de las distintas técnicas de reproducción. ☐

6. Persona que se dedica a crear el formato y la encuadernación del periódico. ☐

7. Profesional de la publicidad. ☐

8. Encargado de redactar el pronóstico del tiempo. ☐

9. Persona que forma parte de la redacción de un periódico. ☐

10. Responsable de las imágenes del periódico. ☐

a. Director	b. Corresponsal
c. Redactor	d. Colaborador
e. Periodista gráfico	f. Meteorólogo
g. Maquetista	h. Columnista
i. Publicista	j. Editor

6
C

LA EXPRESIÓN DE LA OPINIÓN

En la mayoría de periódicos y revistas hay una sección destinada a que los lectores opinen. A veces esas revistas proponen un tema concreto e invitan a sus lectores a participar.

1. Aquí hay dos cartas que responden a la pregunta formulada por una revista: "¿Se entienden hombres y mujeres?". Léelas y piensa: ¿cuál ha sido escrita por un hombre y cuál por una mujer? ¿Por qué? Discútelo con tus compañeros.

Química y misterio

No nos entendemos, ni falta que hace. Es cuestión de química y misterio. Estamos convencidos de que somos, ante todo, racionales y establecemos cuadrículas donde ir ordenando todos los aspectos de nuestra vida. Somos muy listos, pero se rompen todos nuestros esquemas con el fuerte impacto irracional de los sentimientos, en definitiva, la química haciendo estragos. Somos hombres y mujeres en este entorno complicado que es la vida, y lo seguimos intentando. Quizá este sea el misterio y quizá no nos va tan mal.

Personas

La experiencia me dicta que hay personas con las que tengo grandes afinidades y otras con las que no conecto de ninguna manera. Encuentro personas alegres y otras tristes; sensatas e insensatas; agresivas y dóciles; aventureras y prudentes. Hay gente maja y otra impresentable; dominante y sumisa; leal e infiel; colaboradora y vaga. También me topo con personas cariñosas y con otras despegadas; hipócritas y francas; groseras y educadas. Según mi carácter y el de las demás personas, me entiendo peor o mejor con ellas. Además, a veces coincide que unas personas son de un sexo y otras, de otro.

2. ¿Con cuál de las dos estás más de acuerdo?

3. La carta que sigue es de un lector que responde a la pregunta "¿Es serio el arte moderno?". Léela y reconstrúyela con elementos del recuadro. Ten en cuenta que en el recuadro hay más palabras de las necesarias, y que algunas son necesarias más de una vez.

es – y – se – de – una – que – hay – en

Malo

Hace tres siglos, Velázquez (1) *se* esmeraba en aunar el espacio (2)_____ la luz con el reflejo de la personalidad (3)_____ el rostro (4)_____ los personajes. Y así surgieron *Las Meninas*. Hace unos años, en la Bienal de Venecia, Tàpies exponía un somier pintado de blanco (5)_____ sin colchón (6)_____ medio de una habitación vacía y (7)_____ llevaba el premio del certamen. ¿Cuestión de gustos? ¿O es que estamos ante una nueva versión (8)_____ *El vestido del Emperador* y no (9)_____ nadie que diga lo (10)_____ es una porquería y lo que es arte? El arte moderno no (11)_____ que no sea serio, es que (12)_____ malo. Se llama arte a lo que es el camelo de unos pretenciosos.

MANOLO ESPAÑA, Córdoba

4. Escribe tu opinión sobre uno de los temas mencionados anteriormente.

A. ¿Se entienden hombres y mujeres?

B. ¿Es serio el arte moderno?

SIGUE ESTOS CONSEJOS

- Haz una lista de argumentos.
  Piensa en ejemplos concretos, como ha hecho el autor de la tercera carta.
- Redacta un primer borrador.
  Utiliza los conectores apropiados. (Ver página 144 de la "referencia gramatical").
- Piensa en una buena conclusión.
- Pásalo a limpio.

LA VIDA EN UN BAR

1. ¿Has estado alguna vez en un bar español? ¿Cómo es? Coméntalo a tus compañeros.

2. Lee el texto.

Un lugar para relacionarse

Las noches de los sábados los jóvenes llenan el bar, con música altísima y arrimados a la barra para conseguir algo de beber. Las mañanas de los días laborables, los padres y madres de esos mismos jóvenes desayunan y comen en el bar, en los descansos de la jornada de trabajo. Por la tarde, los abuelos y abuelas meriendan café y bollos en el mismo bar.

Muchos españoles pasamos por uno de estos locales en algún momento de nuestra vida y este es uno de los comportamientos que nos distingue del resto de europeos. Aquí gastamos un 11,2% del presupuesto familiar en restauración. En Alemania, por ejemplo, apenas un 4,1%. Se dice que en Atocha, Madrid, hay más bares que en toda Noruega. Hay calles en San Sebastián o en Sevilla en las que sólo hay bares. Pero no sólo ocurre en las ciudades, también en los pueblos el bar es un centro importante de socialización.

Sea cual sea el tipo de local y sus parroquianos, el bar es un lugar para relacionarse con otros seres humanos, tanto para establecer vínculos nuevos como para reforzar los existentes. Aunque parezca que las nuevas relaciones son superficiales, a veces se convierten en ataduras profundas. Delfín Fernández, un camarero de 42 años que lleva 15 trabajando en el mismo bar, asegura que él ha hecho grandes amistades desde el otro lado de la barra. "Hay gente estupenda y me encanta esta profesión precisamente porque puedes relacionarte con personas interesantes".

"El bar es un lugar donde la gente va a pasárselo bien y también a hacer negocios –dice Jesús Nicolás Moreno, presidente de una asociación de hosteleros–. Yo, cuando era barman, presencié escenas históricas, como cuando Di Stefano firmó el contrato con Santiago Bernabéu para jugar en el Real Madrid".

Hay bares de muchos tipos: además del típico bar de tapas, tenemos cafés donde se reúnen los literatos para hablar de su obra, otros para bailar y escuchar música, los cibercafés, donde se puede navegar por Internet mientras tomas algo, e incluso ha sido un lugar para las conspiraciones políticas. Parece que los militares que participaron en la intentona del golpe de Estado de 1981 la habían preparado en una famosa cafetería madrileña. En fin, un lugar para relacionarse.

Muy Interesante

3. Después de leer, comenta con tus compañeros.

¿Existe algo parecido a los bares en tu país?
¿Adónde van los jóvenes los fines de semana?
¿Y las personas mayores?

4. En parejas o individualmente, elabora un escrito sobre los establecimientos de ocio en tu país.

6
D

E. Autoevaluación

1. Completa con las expresiones del recuadro.

> para entregar – con el objeto de que... mejoren
> con el fin de llegar
> para que... presentaran – para que se pueda

1. Los sindicatos fuerzan las negociaciones *con el fin de llegar* a un acuerdo.
2. Hay que buscar nuevas fórmulas _____ _____ resolver el conflicto.
3. El ministro anuncia una nueva normativa _____ _____ las empresas _____ la seguridad en el trabajo.
4. El príncipe llegó ayer a Oviedo _____ los premios que llevan su nombre.
5. El alcalde organizó una asamblea _____ los vecinos _____ sus quejas.

2. Reescribe estas oraciones con el nexo final correspondiente.

1. Ayer llamé a Enrique. Quería que me prestara su coche.
   Llamé a Enrique para que me prestara su coche.
2. Abre la ventana. Hay que ventilar la habitación.
   _____
3. 80.000 personas se reunieron. Protestaban por la subida de los precios.
   _____
4. Hemos cambiado de casa. Los niños necesitaban más espacio.
   _____
5. Ayer avisamos al fontanero. Había que poner un grifo.
   _____

3. Completa los huecos con el vocabulario del recuadro.

> periódico – informativos – mando a distancia
> suplementos – publicidad – radio – sección
> películas – prensa – volumen – artículos

1. No me gusta ver *películas* en la televisión, hay demasiada _____.
2. Los domingos compro el _____ porque me interesan los _____ que trae.
3. Los _____ de la _____ me gustan más que los de la televisión.
4. La _____ de política local es la más leída.
5. Vargas Llosa ha escrito muchos _____ de _____ últimamente.
6. Se pasa el día subiendo y bajando el _____ de la televisión con el _____.

4. Escribe el conector más adecuado (distintas opciones son posibles).

1. La última película de Almodóvar me ha gustado mucho, _____ la anterior me gustó más.
2. Está con el ordenador hasta muy tarde, _____ al día siguiente está cansado.
3. He leído todas las noticias del periódico, _____ los anuncios por palabras.
4. No hay demasiada afición a leer la prensa *on line*, _____ cada día hay más internautas que lo hacen.
5. _____ estoy todo el día conectado a Internet, he contratado una tarifa plana.

5. ¿En qué sección del periódico encontrarías la siguiente información?

1. El presidente del gobierno se entrevista con el líder de la oposición. _____
2. Los jugadores del equipo español conquistan el primer puesto en el pódium. _____
3. Se acrecientan los problemas en los países de Oriente Medio. _____
4. La empresa italiana y la francesa se unen para crear una importante multinacional. _____
5. El alcalde de León inaugura las fiestas de la ciudad. _____
6. Se inaugura una nueva exposición en el Museo de Arte Contemporáneo. _____
7. Esta noche comienza la serie televisiva *Sra. Presidenta.* _____
8. Toledo. Se venden tres magníficos adosados a estrenar. 916399258. _____
9. 16 de julio, ultima función. *Cabaret.* _____
10. Su mujer, sus hijos y su perrita Lulú piden una oración por su alma. _____

6
E

6. Lee la carta de un lector al periódico. ¿Cuál de los siguientes conectores puede ir en cada hueco?

> además – por eso – en cambio – a causa de
> incluso – por lo tanto – al contrario – como
> en primer lugar – aunque – porque
> por otro lado – sin embargo – no obstante

Muy señor mío:

Recientemente ha habido un gran debate sobre cómo se podrían solucionar los problemas de tráfico que llevan a que haya tantas víctimas en las carreteras españolas. (1)_____, me gustaría decir que, según mi opinión, hay una serie de cosas que son bastante claras. (2)_____, hay una normativa que regula la velocidad en todas las carreteras, (3)_____ la mayoría de los conductores no la cumple. (4)_____, todos sabemos que tanto las señales de tráfico como los semáforos son para respetarlos y (5)_____ muchos de los conductores no lo hacen.

(6)_____ me gustaría que se castigara especialmente a estos ciudadanos que no respetan las normas y con su falta de respeto por la vida causan tantas víctimas cada año.

7. Clasifica los diferentes conectores del recuadro anterior en el grupo apropiado.

- **Aditivos** (nos ayudan a ir añadiendo las diferentes ideas a nuestra argumentación):
  _____, _____.

- **Consecutivos** (presentan una idea como consecuencia de la anterior):
  _____, _____.

- **Contraargumentativos** (introducen una idea en contraste con la anterior):
  _____, _____, _____.
  _____, _____.

- **Causales** (para presentar las causas):
  _____, _____, _____.

- **Estructuradores del discurso** (sirven para ordenar las ideas):
  _____, _____.

8. Lee el texto y contesta las preguntas.

"No hay que satanizar a la televisión ni endiosar a Internet. Así como existe telebasura, también hay infobasura. El desafío es saber buscar en esos dos medios para encontrar los canales y la información de calidad. También mostrar que no se puede construir la vida a imagen y semejanza de lo que allí se ve, y en ambos casos aprovechar las posibilidades educativas que ofrecen", asegura Roberto Aparici, uno de los mejores expertos en pedagogía de la comunicación.

Sostiene también que a los estudiantes hay que enseñarles el lenguaje audiovisual y digital, porque quienes no conocen los medios de comunicación pueden ser víctimas del engaño y la manipulación. "Debe enseñárseles que los medios muestran una realidad que depende de sus intereses económicos y políticos; que son finalmente empresas. No hay medios neutrales".

"Hay que mostrar la importancia de la información: quien la posee tiene el conocimiento; vale más que el oro o el café".

(Entrevista con el director del diario colombiano *El Tiempo*)

1. ¿Qué medios son actualmente muy importantes para encontrar información de calidad?
2. ¿Cuál de los dos se puede aprovechar más desde el punto de vista pedagógico?
3. ¿Por qué es importante conocer el lenguaje de los medios de comunicación?
4. ¿Por qué la información nunca es neutral?
5. ¿Qué diferencia hay entre una persona que está informada y otra que no lo está?

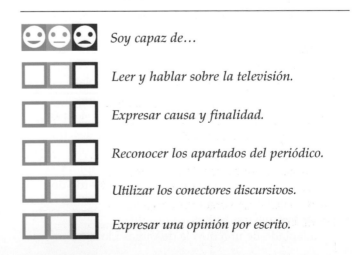

😃	😐	😞	Soy capaz de...
☐	☐	☐	*Leer y hablar sobre la televisión.*
☐	☐	☐	*Expresar causa y finalidad.*
☐	☐	☐	*Reconocer los apartados del periódico.*
☐	☐	☐	*Utilizar los conectores discursivos.*
☐	☐	☐	*Expresar una opinión por escrito.*

6
E

A. Ir al cine

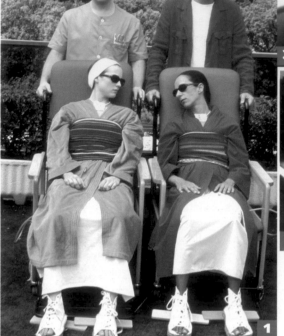

1. Mira las fotos, pertenecen a películas de habla hispana. ¿Has visto alguna? Relaciona cada una con su título.

a. *Nueve reinas*   **3**
b. *Alatriste*   ☐
c. *Y tu mamá también*   ☐
d. *Hable con ella*   ☐

2. ¿Cuál ha sido la película que más te ha gustado últimamente? ¿Por qué? ¿Quién era el director? ¿Y los actores?

VOCABULARIO

3. Completa las frases con las palabras del recuadro.

> guión – argumento – director – casting
> papel – secuencia – cortometraje – rodaje
> banda sonora – largometraje – plató

1. La película no está mal, pero la *banda sonora* es horrible, no me ha gustado nada la música, me parece que no va con el tema de la película.
2. La _____ del desayuno de Chaplin y el niño en *El chico* dura un minuto, pero tardó dos semanas en rodarse.
3. La película que vimos ayer es un _____ adaptado de una novela de Vargas Llosa.

4. Rafael Julián quiere ser cineasta, y por eso ha hecho un _____ de cinco minutos y lo ha presentado a un concurso. A ver si tiene suerte.
5. Roberto Suárez y Victoria Luz se conocieron durante el _____ de una película el año pasado y desde entonces son novios.
6. El centro del pueblo se ha convertido en un gran _____ desde que han empezado a rodar la película de Trueba.
7. A. ¡Hola, Raúl!, ¿tienes trabajo?
   B. ¡Qué va! Casi todos los días voy a un _____, pero hay cien actores por cada papel que sale.
8. A. ¿Qué os ha parecido la película?
   B. No sé, a mí no me ha gustado mucho. El _____ es flojo, hay cosas que no tienen ni pies ni cabeza.

ESCUCHAR

4. Escucha a dos personas contar el argumento de dos películas famosas. Completa las fichas. **19**

> **RAÚL**
> Título: ___*La lengua de las mariposas*___
> Tema: _____
> Director: _____
> Argumento basado en: _____
> Actores: _____
> Opinión personal: _____
> _____

LAURA

Título: _____

Director: _____

Nacionalidad: _____

Tema: _____

Género: _____

Opinión personal: _____

HABLAR

5. En grupos de cuatro. Cuenta a tus compañeros una película que te haya impresionado.

6. En grupos de cuatro. Juega con tus compañeros, cuenta el argumento de una película muy famosa sin decir el título. Los demás tendrán que adivinar el título.

ESCRIBIR

7. Escribe la crítica de una película que hayas visto recientemente. Incluye los siguientes puntos.

- **Párrafo 1.** Título. Género (drama, comedia, policíaca, terror, fantástica…). Nombre del director y de los actores principales.

- **Párrafo 2.** ¿De qué trata la película, cuál es el argumento? ¿Qué te ha llamado más la atención? ¿Cómo es la fotografía, la música?

- **Párrafo 3.** Opinión personal.

8. ¿Has visto *Volver*? ¿Te gustó? Lee la sinopsis y la crítica y responde a las preguntas.

SINOPSIS

Madrid. Ahora. Raimunda es una madre joven y emprendedora, con una hija adolescente. Desde su infancia guarda un terrible secreto.

Su hermana Sole se gana la vida con una peluquería ilegal. Un domingo de primavera, Sole llama a Raimunda para decirle que su tía Paula ha muerto. Raimunda no puede ir al entierro porque momentos antes de recibir la llamada ha encontrado a su marido muerto con un cuchillo clavado en el pecho. Su hija le confiesa que lo ha matado porque él la acosó insistentemente.

Por su parte, Sole, después de ir y venir del pueblo, escucha en el maletero de su coche unos golpes: es el fantasma de su madre. Sole la integra en el trabajo de la peluquería, sin contarle a su hermana el asunto porque Raimunda no cree en fantasmas… Es una historia compleja y sencilla a la vez, que afecta a las mujeres de la familia de Raimunda, a sus vecinas y a algunos hombres.

CRÍTICA

Volver, como el título indica, significa el regreso del director a sus orígenes, La Mancha, donde nació, pero también es una vuelta a la comedia y al universo femenino, tan habitual en él.

En esta nueva película, Almodóvar conjuga la comedia con el costumbrismo, el melodrama y la intriga, junto con unos toques fantásticos y de humor negro. Demuestra de nuevo su maestría para entrelazar de manera única los distintos géneros, igual que en la vida misma, y hace pasar de la risa al llanto en un instante. También logra uno de los aspectos más difíciles en la comedia, que es construir diálogos cargados de ingenio y frescura.

El director ha conseguido una gran depuración estilística, con ayuda de sus colaboradores habituales: la música de Alberto Iglesias, el montaje de José Salcedo y la fotografía de J. L. Alcaine, un maestro de la luz que ha conseguido captar con naturalidad la luz del paisaje manchego.

No se puede dejar de mencionar el excelente trabajo de las intérpretes femeninas. Penélope Cruz pone su alma en su papel de madre con problemas. También Lola Dueñas y Blanca Portillo bordan sus personajes.

Por último, el regreso de Carmen Maura al lado de nuestro director más internacional es una buena noticia, ya que la gran complicidad que existe entre ambos da lugar a escenas de gran carga dramática.

1. ¿Quiénes son las protagonistas de la película?
2. ¿A qué género pertenece *Volver*?
3. ¿Cuáles son los escenarios donde se desarrolla la historia?
4. ¿Qué temas toca?

7 A

B. ¿Bailas?

1. ¿Te gusta bailar? ¿Qué bailas habitualmente?

ESCUCHAR

2. Escucha las noticias sobre acontecimientos culturales. En los resúmenes que siguen se han colado algunos errores. Corrige la información. Luego, comprueba con tu compañero. **20** 🔘

CRISTINA HOYOS

7 B

BAILARINES DE HIP-HOP

AGENDA MÚSICA Y DANZA

1. Cristina Hoyos presentó anoche un antiguo espectáculo, **Viaje al Sur**, que estará en Madrid hasta el 17 de agosto. La acompaña el Ballet Flamenco de Sevilla. El espectáculo presenta tres emociones: la alegría, la tristeza y el amor.

2. En el estadio de Villarrobledo, Albacete, se celebra el festival de música Villapop. Es el décimo año que se reúnen y hay grupos de pop (Media Naranja o Barón Rojo), de hip hop o de música mezcla de diferentes estilos (Macaco, Ojos de Brujo).

3. La primera semana de mayo se celebra en Madrid un festival en el que la danza es lo principal. El primer grupo que actúa es una compañía de danza madrileña llamada Buen Pelo. Actúan en el Círculo de Bellas Artes.

4. Del 27 al 29 de enero, en el teatro Albéniz de Valencia actuarán Tamara Rojo y Julio Bocca. Será la primera vez que bailen juntos y además lo harán con música de Manuel de Falla. Se trata de la obra **Tango rojo**, con música original de Manuel de Falla, pero adaptada por el compositor Leo Stekelman. Cuenta la historia de dos hermanas enamoradas del mismo hombre.

HABLAR

3. ¿Qué efectos beneficiosos tiene el baile? Haz una lista y coméntala con tus compañeros.

4. Ahora, lee y completa el artículo con las palabras del recuadro.

> a. se mejora la coordinación
> b. lleva bailando c. después de que
> d. que mezcla e. se han apuntado a
> f. como una derivación del aeróbic
> g. según cuenta h. obliga a
> i. movimiento de caderas.

Batuka
El baile que desestresa y activa la mente

Un paso para adelante, otro paso para atrás, (1) *movimiento de caderas* y media vuelta. No es salsa, ni bachata, ni aeróbic. Se trata de la batuka, un baile con mucha historia al que se ha dado nombre recientemente y que ha comenzado a practicarse en numerosos gimnasios (2)_____ los alumnos de *Operación Triunfo* lo practicasen en televisión.

Muchas adolescentes y veinteañeras (3)_____ esta danza que se mueve entre la salsa y el aeróbic. Pamela Álvares es profesora de batuka en la Escuela de Danza Internacional de Madrid, (4)_____ desde los cinco años y ahora tiene 25. Ha incorporado la batuka a su currículo y explica que "es (5)_____, pero con más coreografía de danza". Así, entre los pasos de la batuka hay salsa, merengue, jazz e incluso piruetas.

Por eso, Pamela asegura que con este tipo de baile se adquiere fondo, (6)_____, la elasticidad y la creatividad, porque das al alumno mucha información y muchas novedades al mismo tiempo. Pero sobre todo activa la mente, porque (7)_____ recordar una coreografía en la que tienes que aprender varias partes, pegarlas y llegar a una escena total. Y eso es, (8)_____, lo que más esfuerzo cuesta a los alumnos.

Según la estudiante Ana de Castro, "esta danza me gusta y me desestresa, después de estar todo el día estudiando es una buena terapia. Lo más divertido son las coreografías".

En fin, la batuka es un baile (9)_____ diferentes ritmos. Se puede bailar sobre casi cualquier música: reggaeton, salsa, merengue, rumba flamenca, tecno, cumbia y latin dance. También hay compactos especiales con música de batuka. Según sus practicantes es divertido y al mismo tiempo proporciona flexibilidad por las posturas que hay que adoptar.

MIREN INQUIETA (Extracto de *El Mundo*)

5. Lee el texto otra vez y busca las palabras correspondientes a estas definiciones.

1. Libera la tensión nerviosa. *Desestresa.*
2. Modalidad de gimnasia rítmica que combina respiración, ejercicio y música.
3. Mujeres alrededor de los veinte años.
4. Movimientos ágiles con el cuerpo.
5. Flexibilidad.
6. Arte de componer bailes.
7. Tratamiento que mejora enfermedades o el malestar.

HABLAR

6. ¿Qué haces en tu tiempo libre? Estas son algunas actividades que la gente hace en su tiempo libre. Con tu compañero, añade algunas más a la lista.

- escalar montañas
- jardinería
- tomar algo en un café
- cenar con alguien
- participar en una ONG
- ir a un karaoke
- hacer senderismo
- ir a bailar
- cantar en un coro
- montar en bicicleta
- ver una película en casa
- ir a un concierto
- ir al gimnasio
- jugar en casa: cartas, dominó, juegos de mesa

Luego, en grupos, cada uno debe hablar de su afición preferida. Utiliza las preguntas del recuadro como ayuda.

> • ¿Qué actividad realizas en tu tiempo libre?
> • ¿Cuánto tiempo le dedicas a la semana?
> • ¿Cuándo empezaste a practicarlo? ¿Por qué?
> • ¿Qué beneficios te proporciona?

7 B

C. No imaginaba que fuera tan difícil

1. Varias personas han decidido aprender a bailar batuka. Lee sus opiniones sobre el tema.

A mí me parece que este baile es demasiado complicado, sólo es para gente joven con muchas energías.

Yo no creo que sea tan complicado, sólo hay que poner un poco de atención y si tienes ganas de aprender, aprendes.

Yo me imagino que este baile es otro invento para vender discos, y creo que será una moda pasajera, que dentro de unos años nadie se acordará ya de la batuka.

Pues yo no tenía ni idea de que existía este baile.

Uf, ya me he perdido otra vez, no imaginaba que fuera tan difícil.

GRAMÁTICA

VERBOS DE OPINIÓN

creo, opino, supongo, me imagino, me parece } + **que** + **indicativo** o **subjuntivo**

VERBOS DE PERCEPCIÓN FÍSICA

veo, recuerdo, comprendo, sé, me he dado cuenta } + **que** + **indicativo** o **subjuntivo**

- En las oraciones subordinadas dependientes de verbos de opinión o de percepción física (o mental) como los anteriores, el verbo puede ir en indicativo o subjuntivo.

INDICATIVO

- Cuando la oración principal es afirmativa o interrogativa.

  *¿Te has dado cuenta de que ya **han terminado** las obras de la autovía?*

- Cuando es imperativa negativa.

  *No creas que **vas a aprobar** sin estudiar.*

SUBJUNTIVO

- Cuando la oración principal es negativa.

  *Yo no recuerdo **que hayamos venido** antes a este restaurante.*

- Ahora bien, cuando el hablante quiere expresar la veracidad de su aserción, puede usar el indicativo.

  *Julieta no creía que Mario **volviera**.*
  (= Puede que Mario haya vuelto, o no lo sabemos).

  *Julieta no creía que Mario **volvería**.*
  (= Mario ha vuelto).

  *¡Anda!, ya no recordaba que **había quedado** con Pedro para salir a cenar.*

  *El mecánico que revisó el coche no vio que los frenos **estuvieran / estaban** en mal estado.*

• *No sabía que...*

Las oraciones dependientes de *No sabía que...* pueden llevar el verbo en indicativo o subjuntivo.

Indicativo: Cuando el hablante constata una realidad que ignoraba.

No sabía que en España se comía a las dos de la tarde.

Subjuntivo: Cuando el hablante no se compromete con que la información sea veraz.

No sabía que bailaras tango. (= Cabe alguna duda de que sea cierto. Pero también puede ser cierto).

En cualquier caso, ambas formas son correctas.

¡No sabía que tenías hijos!

2. Elige la opción correcta. En algunos casos valen las dos.

1. Veo que ya *has terminado / hayas terminado* de pintar la casa, ¿cuándo van a traer los muebles?

2. Yo pensaba que *vendrías / vinieras* a buscarme a la estación.

3. No parece que Ricardo *tenga / tiene* más de cincuenta años.

4. No sabía que Elena *era / fuera* tan buena cocinera, esta paella le ha salido riquísima.

5. ¿Te has dado cuenta de que Julia *toca / tocara* el piano cada día mejor?

6. No recordaba que tú ya *habías estado / estuvieras* en París hace 10 años.

7. Sus padres no veían bien que Elías *estudiara / estudió* Bellas Artes, preferían que fuera médico o abogado.

8. No tenía ni idea de cuándo *volvería / volviera* su marido.

9. No veo que David *trabaje / trabaja* mucho. ¿De qué vive?

10. No recuerdo que tú *hayas estudiado / has estudiado* nunca danza. ¿Cómo sabes bailar tan bien?

11. No imaginaba que Lourdes nos *hiciera / haría* esa faena: dejarnos plantadas en mitad del proyecto.

3. Escribe las frases en forma negativa. El verbo de la subordinada puede ir en indicativo o subjuntivo. Razona por qué.

1. Yo me imaginaba que el novio de Lucía era bastante rico.
   Pues yo no, yo no imaginaba que el novio de Lucía fuera rico.

2. El director opinaba que era mejor separar a los buenos alumnos de los malos en clases distintas. Pero el inspector no pensaba que…

3. Los accionistas se han dado cuenta de que el Banco va cada vez peor.
   Yo creo que los accionistas no se han dado cuenta…

4. Mi padre cree que he aprobado todas las asignaturas.
   No, tu padre no cree que…

5. Celia recuerda que conoció a Iván en el viaje de fin de curso del bachiller.

4. Completa las frases siguientes con el verbo más adecuado. Escribe todas las posibilidades que creas posibles.

1. Andrés, mi padre no se cree que *he estado / haya estado* toda la tarde en la biblioteca, ¿puedes hablar tú con él? (estar)

2. A. Mira, José Luis no se ha extrañado del regalo que le hemos hecho. Yo creo que ya sabía qué _____ a regalarle. (ir)

   B. No, yo creo que no _____ ni idea, porque a mí me dijo que no_____ nada. (tener, saber)

3. A. ¿Sabes? Ayer vi a David con una chica mucho más joven que él. No sabía que _____ de su mujer. (separarse)

   B. ¡Si no se ha separado! Lo que yo no imaginaba es que _____ la cara tan dura de salir con otra chica. (tener)

ESCRIBIR Y HABLAR

5. Escribe un párrafo sobre tus opiniones, recuerdos y sentimientos con respecto al baile. Luego, compártelo con tus compañeros. Utiliza las expresiones que hemos aprendido en la lección.

> • Yo no creo que el baile sea tan divertido como dicen... • Me he dado cuenta de...
> • Supongo / Veo que no es tan difícil...

7
C

D. Escribe

CARTA AL DIRECTOR

1. ¿Para qué se escriben cartas al director de un periódico? Con tu compañero, haz una lista de razones.

> A veces los lectores escriben al periódico porque están muy enfadados, y eso se traduce en cartas llenas de recursos expresivos con el fin de llamar la atención de los lectores.

2. Lee la siguiente carta al periódico y señala en qué hueco va cada expresión de las del recuadro.

> **a.** por puro placer de practicarlo **b.** a mí no me interesan **c.** lo que ocurre es que **d.** a los que se cubre de oro **e.** no me preocupa en absoluto **f.** Sinceramente **g.** a las horas que saben **h.** el resumen de la etapa

¿POR QUÉ NO ME DEJAN EN PAZ?

Tengo la impresión, de un tiempo a esta parte, de que se me ha dejado de lado. Y por una sola razón: no me interesan los deportes.

Entendámonos, al deporte, como una actividad de ocio, (1) _a_, a eso yo sí me apunto. Pero el deporte de competición, el de campeonato, el de batir récords, qué quieren que les diga. Miren, (2)_____ los superdotados, los cuerpos preparados para ser los mejores, los números uno.

No creo en las razas superiores, en los héroes modernos (3)_____ para luego dejar caer en solitario. Y no soy la única que piensa así, me consta; (4)_____ estamos callados y nos hemos dejado acorralar por un deporte-adicción que no respeta a nadie. Cuando no es la Liga es la Copa, el Open o el Tour. La televisión me cuela en casa todo eso (5)_____ que estoy frente a la pantalla y luego se regodea con la repetición de las jugadas, los mejores goles, (6)_____. Lo de este verano, sin ir más lejos, ha sido agotador, de verdad.

(7)_____ creo que se está desvirtuando el deporte, que priman otros intereses de tipo económico o político, no sé. Y, a mí, el césped de los campos de fútbol (8)_____, así que, por favor, ¿por qué no me dejan en paz?

CARMEN DELGADO. SEVILLA.

3. ¿Para qué ha escrito la carta Carmen?

COMUNICACIÓN

RECURSOS PARA ARGUMENTAR

- Para introducir la propia opinión:
  Tengo la impresión de que, me parece, creo, no creo…

- Para introducir un nuevo argumento:
  Lo que ocurre es que…

- Para dar fuerza a una opinión:
  Sinceramente
  No me importa / no me interesa en absoluto
  Me consta = estoy segura.

- Apelaciones al lector:
  Entendámonos…
  ¿Qué quieren que les diga?
  Miren…

4. Elige la opción con la que estés más conforme y escribe la carta correspondiente.

A. Eres un amante del fútbol y te parece ofensiva la carta de Carmen Delgado. Escribe una carta al mismo periódico contestando a la anterior.

B. No te gusta nada el fútbol y estás de acuerdo con Carmen, pero tienes otras ideas sobre el tema. Escribe una carta donde expongas tus propios argumentos en contra del fútbol.

De acá y de allá

BARCELONA Y GAUDÍ

1. ¿Sabes algo de Barcelona? Coméntalo con tus compañeros.

2. Lee la información.

LA CIUDAD CONDAL

Barcelona (1.503.884 habitantes), capital de Cataluña, es la segunda ciudad de España y uno de los primeros puertos del Mediterráneo. La ciudad está formada por un núcleo antiguo, el Barri Gotic, y otros barrios modernos donde destaca el Eixample, de avenidas amplias y rectilíneas. Su tradición histórica y cultural, sus monumentos, la bonanza del clima y el carácter alegre de sus habitantes hacen de Barcelona una de las ciudades más animadas y atractivas de España.

El templo de la Sagrada Familia inicialmente fue un proyecto neogótico diseñado por el arquitecto Francisco de Paula del Villar. Gaudí se encargó de continuar la obra a partir de 1891 y sustituyó el proyecto existente por otro mucho más ambicioso que dio lugar a la gran estructura actual. La Sagrada Familia pretende ser una construcción simbólica, por lo que tiene tres fachadas monumentales: la de levante, dedicada al Nacimiento de Cristo, la de poniente, dedicada a la Pasión y Muerte, y, al sur, la fachada de la Gloria, que es la más grande de todas y está dedicada a la fe religiosa. Las cuatro torres de cada fachada simbolizan en conjunto los doce apóstoles.

El parque Güell está situado en la montaña del Carmel. El financiero Eusebio Güell pensaba construir una ciudad jardín en el solar de una finca antigua de Can Muntaner, y le encargó el proyecto a Gaudí. Sólo se llegaron a construir dos casas, pero en el jardín se pueden ver los bancos y pilares inclinados recubiertos de mosaicos de vidrio y cerámica, que constituyen su estilo más característico. ■

GAUDÍ

Nació en Reus, en 1852, dentro de una familia de caldereros. Se trasladó a Barcelona en 1870 para estudiar arquitectura.

En su obra se pueden distinguir cuatro etapas: la primera va desde 1878, año en que se tituló, hasta 1882 y se caracteriza por el aspecto urbano y social de sus obras. La etapa siguiente, en la que empezó a trabajar en la Sagrada Familia, está marcada por un esfuerzo por superar los estilos históricos y por conseguir una plástica y unas formas estructurales propias. Precisamente, estos dos aspectos básicos son los que definen el estilo gaudiniano, en que se hace una utilización libre y personal del arte musulmán y de los estilos gótico y barroco. El período que va de 1900 a 1917 es su época más creativa e innovadora, en la que desarrolla su estilo más propio. En esta época construye el Parque Güell, la casa Milá (La Pedrera)… Desde 1918 hasta su muerte en 1926, causada por el atropello de un tranvía, Gaudí se concentró en la obra de la Sagrada Familia.

3. Haz un concurso con tus compañeros. En parejas, preparad 10 preguntas sobre Barcelona y Gaudí y luego intercambiad las preguntas con otra pareja. Debéis contestar con el libro cerrado.

7
D

1. En las sinopsis de películas que siguen, elige la opción adecuada.

NO SOS VOS, SOY YO

Javier, un médico treintañero, decide casarse *con / por* la inmadura María, *para / por* poder viajar y establecerse *a / en* Estados Unidos. La crisis estalla cuando ella viaja primero *a / para* hacer contactos y conoce *a / en* otra persona. Justo antes *de / a* partir *a / en* Miami *para / por* encontrarse *a / con* su mujer, Javier recibe una llamada *de / para* María confesándole que se ha enamorado *con / de* otro y que da *para / por* terminada su relación. Javier está desesperado, ella es su vida y no sabe qué hacer. Así que trata de refugiarse *a / en* el sofá *para / de* su psicoanalista, *en / por* sus amigos y *en / con* el perro que acaba *de / por* comprar; todo *por / para* superar su incapacidad de estar solo y olvidar esa traición. Entonces, tras una etapa *con / de* angustia, invita *para / a* salir *a / con* Julia.

LOS TRES ENTIERROS DE MELQUÍADES ESTRADA

El cuerpo *de / para* Melquíades Estrada aparece *a / en* pleno desierto, donde ha sido enterrado precipitadamente después *con / de* su asesinato. Las autoridades locales, *de / sin* preocuparse *para / por* las causas *de / en* este crimen, dan sepultura *a / ø* Melquíades *en / al* el cementerio público.

Pete Perkins, capataz *en / de* la región y mejor amigo *para / de* Melquíades, decide investigar *por / en* su cuenta y descubrir *al / por* el asesino, obligándole *a / para* que lleve *a / ø* su amigo *a / para* su Eldorado natal, México. *En / De* esta manera ofrecerá *para / a* Melquíades su viaje más hermoso, el *de / a* su tercer entierro.

BIENVENIDO A CASA

Un fotógrafo *de / en* provincias llega *en / a* Madrid *con / en* compañía *de / a* su novia convencido *para / de* poder triunfar *en / con* su especialidad. *Al / En* poco de establecerse entra *en / a* formar parte del *staff con / de* una revista cuyos miembros, *por / para* su sorpresa, le acogen como si se tratara *de / a* un nuevo miembro *de / por* su disfuncional y disparatada familia. *Con / Para* el recién llegado, la vida no puede resultar más divertida. *Hacia / Hasta* que un día, su novia le comunica que van *para / a* ser padres…

2. Completa las frases con el verbo en el tiempo y modo adecuados. Algunas veces hay más de una opción. Escríbelas todas.

1. ¿No te diste cuenta de que Alejandro le *pasó* un papel a su secretaria durante la reunión? (pasar)

2. Nunca imaginé que Ricardo _____ a ser tan importante. (llegar)

3. El director suponía que los alumnos de sexto curso _____ en su clase, no en el patio. (estar)

4. En la comunión del hijo de mi primo, mis tíos recordaron que Elena _____ muy mal carácter cuando era pequeña. (tener)

5. Enrique no se creía que tú _____ trabajando en China. (estar)

6. A mí no me pareció que Rosalía _____ enfadada con Pedro. (estar)

7. Yo creía que los niños _____ a casa ya comidos, por eso no he preparado nada de comer. (venir)

8. Antes de venir a España, Yoshie creía que todos los españoles _____ flamenco. (bailar)

9. Yo no creo que los asistentes al Congreso _____ ya. (llegar)

10. El juez no dijo que el marido _____ el culpable de todo, lo que dijo es que tenía algo de culpa. (ser)

11. El portavoz del Gobierno todavía no ha confirmado que el Presidente _____ a viajar a Moscú. (ir)

12. Al salir del cine todos vimos que a Luisa no le _____ nada la película. (gustar)

13. Ayer en el periódico no informaron de que en nuestra fábrica _____ a doscientos trabajadores. (despedir)

14. En el hospital le pusieron penicilina a Ernesto porque no sabían que _____ alérgico. (ser)

15. No penséis que porque el jefe no está, _____ pasar la mañana sin dar palo al agua. (poder)

16. Yo no digo que los políticos _____ la culpa de la crisis económica, pero vaya, alguna responsabilidad sí tienen. (tener)

3. En el texto que sigue, elige la opción adecuada de las que se ofrecen.

1. a. hacía b. hace c. desde	**6.** a. evitamos b. queremos c. intentamos
2. a. Es b. Está c. Era	**7.** a. con b. en c. para
3. a. por eso b. porque c. pues	**8.** a. están b. vienen c. tienen que ver
4. a. entonces b. mientras que c. de ahí que	**9.** a. descubrimiento b. agradecimiento c. reconocimiento
5. a. traído b. fundado c. hecho	**10.** a. estamos b. parecemos c. somos

Jacqueline Pulupa

Orgullosa de su origen quechua, enseña su baile

Jacqueline Pulupa nació en Llano Grande, Ecuador, (1) *hace* casi treinta años. (2)_____ orgullosa de su origen quechua y (3)_____ se ha implicado de manera muy seria en el estudio y difusión de las actividades culturales de su país; (4)_____ sea una de las encargadas de mantener con vida a Puriccuna, un grupo de danza (5)_____ en 2003.

¿Cómo está conformado Puriccuna?

Somos quince personas que van desde los siete a los treinta y tres años, y hacemos nuestro trabajo desde el más profundo respeto y conocimiento del baile; (6)_____ caer en el mero "folclorismo".
El trabajo está organizado en tres etapas: clases teóricas, expresión corporal y departamento social. Nos interesa respetar y saber que no se trata de un mero baile, sino también de una concordancia (7)_____ la naturaleza y con nuestra tierra, la pacha mama.

¿Qué ritmos y repertorios tiene Puriccuna?

El ritmo que bailamos se llama sanjuanito, y las coreografías son de la región de la Sierra. La gran mayoría (8)_____ con el respeto a la pacha mama. Tenemos una coreografía que se llama *Inti Raymi*, que es la fiesta al sol; el *canta munani*, que es una canción al enamoramiento; el *alichishing musshug*, dedicada a la nueva luz, y una más a las siembras y cosechas, que es en (9)_____ a todos los alimentos y a la vida misma.

¿Por qué es importante mantener las tradiciones?

Es importante porque es una forma de respeto a nuestras tierras, a nuestros antepasados y, sobre todo, es como decir que no (10)_____ una cultura muerta. Queremos mantener nuestra identidad a través de nuestra cultura.

Madrid Latino.

4. Completa el texto con las palabras del recuadro.

> escena – el relato – el cine – el guionista
> rodaje – filmarlo – los diálogos
> los actores – un argumento

El guión es (1) *el relato* escrito de lo que va a suceder en la película. Es algo muy sencillo y se parece a una novela. En él se desarrolla completamente (2)_____ teniendo en cuenta que todo hay que (3)_____, grabarlo y montarlo. El guión se compone de (4)_____, las escenas, las secuencias y una descripción minuciosa y pormenorizada de lo que (5)_____ hacen en (6)_____.
Por tanto, es muy importante que (7)_____ sepa de cine, de montaje y de los entresijos del (8)_____, como la dificultad de realizar determinados efectos. En definitiva, que sepa lo que se puede y lo que no se puede hacer en (9)_____.

   Soy capaz de…

☐ ☐ ☐ *Contar el argumento y escribir una crítica de una película.*

☐ ☐ ☐ *Hablar de mis actividades de tiempo libre, especialmente del baile.*

☐ ☐ ☐ *Hablar de creencias, opiniones, recuerdos…, utilizando el indicativo y el subjuntivo.*

☐ ☐ ☐ *Escribir una carta a un periódico.*

☐ ☐ ☐ *Leer y entender una crítica periodística de cine.*

7
E

A. Viajar

8

1. Mira las fotos de diferentes embarcaciones. ¿Sabes cómo se llaman en español? ¿Has viajado en barco alguna vez?

> trasatlántico   canoa   yate   barca   lancha
> motora   catamarán   piragua

2. ¿Qué tipo de viaje se describe en cada párrafo?

> acampada – crucero – montañismo
> viaje organizado – escapada

1. Me encanta viajar en grupo con un guía que te explique la historia de los sitios que visitas. *Viaje organizado*

2. Sólo estaré fuera un par de días. Voy a pasar el fin de semana en Barcelona con mi novia. _____

3. Es muy relajante. Me encanta saber que cada día llegaremos a un puerto diferente. _____

4. Me voy a Pirineos. Vamos a hacer una travesía de una semana por el Parque Nacional de Ordesa. _____

5. A mi familia le encanta estar al aire libre, y los niños disfrutan muchísimo durmiendo en sacos de dormir en la tienda. _____

HABLAR

3. En parejas. Imaginad que estáis planeando pasar una semana en la montaña. Aquí hay una serie de objetos que podéis llevar. Explica qué importancia tiene cada uno para ti y luego elige los dos más importantes.

Para mí es muy importante…
El más necesario

4. En grupos de tres o cuatro. Discutid las siguientes preguntas.

> • ¿Cuáles son tus vacaciones ideales?
> • ¿Cuáles son las vacaciones más impresionantes que recuerdas? • ¿Qué piensas de la gente que dedica sus vacaciones a ayudar a los demás en una ONG?

ESCUCHAR

5. Mayte acaba de llegar de vacaciones y se encuentra con Ricardo. Escucha la siguiente grabación y contesta las preguntas. **21** 🔘

1. ¿Qué tipo de viaje ha realizado Mayte en sus vacaciones?
2. ¿Cuántos días duró la travesía?
3. ¿Qué dos tipos de actividades se complementan en este tipo de viajes?
4. ¿Qué actividades se pueden realizar durante el día?
5. ¿Qué actividades se realizan al anochecer?
6. ¿Cómo se entretienen los niños durante la travesía?
7. ¿Con quién va a ir Mayte de vacaciones el próximo verano?
8. ¿Qué van a celebrar en ese próximo viaje?

GRAMÁTICA

VALORES DE LOS TIEMPOS DE SUBJUNTIVO

Presente de subjuntivo

- Se utiliza para hablar del presente o del futuro.

  *Es una pena que tu hija no **esté** en casa ahora, me gustaría conocerla.*
  *No creo que **venga** a la excursión de mañana.*

Pretérito perfecto

- Se utiliza para referirnos a una acción acabada recientemente, o a una experiencia, sin especificar el contexto temporal.

  *Es una pena que no **hayas venido** de vacaciones con nosotros.*
  *No creo que tu tía Rosita **haya viajado** mucho en su vida.*

- También podemos referirnos a una actividad acabada en el futuro.

  *Cuando **hayas hecho** la comida, avísame.*

Pretérito imperfecto

- Sirve para expresar tiempo pasado.
  *Me molestó que no me **llamaras** por teléfono el domingo pasado.*

- Para expresar un deseo hipotético en el presente.
  *Me gustaría que mis amigos **estuvieran** aquí.*

- También se puede referir al futuro.

  *Mi madre me pidió ayer que la **llamara** por teléfono el domingo que viene.*

6. Elige el verbo adecuado.

1. Está muy interesado en conocerla. No creo que mañana *llegue / haya llegado* tarde a la cita.
2. Está riquísimo. No creo que lo *haya hecho / haga* ella sola.
3. Ya no trabaja con nosotros. ¡Qué pena que lo *despidan / hayan despedido!*
4. ¡Qué raro que no *salgan / hayan salido* el próximo fin de semana!
5. Es una pena que no me *haya tocado / toque* ningún premio en el último sorteo.
6. Hace mucho que no los veo. Espero que no se *cambien / hayan cambiado* de casa.
7. ¡Qué bien que *apruebes / hayas aprobado* los últimos exámenes!

7. Completa las frases con los verbos del recuadro en pretérito perfecto o presente de subjuntivo.

> llegar – jugar – tener – conocer
> enterarse – poner

1. Ana vive en tu portal. Qué raro que no la *conozcas.*
2. Me extraña que Juan no _____ aún. Suele ser muy puntual.
3. Es raro que tú no _____ de la noticia de la semana pasada.
4. Es una pena que tú no _____ la final de mañana. Va a ser muy interesante.
5. Me molesta que los niños _____ la música tan alta cuando estoy leyendo.
6. Es muy raro que Pepa no _____ noticias de su hermano desde la semana pasada.

8. Transforma las frases como en el ejemplo.

1. Ayer no me llamaste.
   Me extrañó que *no me llamaras.*
2. José era un mal estudiante.
   No me imaginaba que _____
3. No teníamos tiempo libre.
   Fue una pena que _____
4. Andrés vendió mis discos antiguos.
   Me molestó que _____
5. Os fuisteis muy pronto.
   Me dio mucha pena que _____
6. Hice una tarta muy rica.
   Les encantó que _____
7. Pedí una pizza para cenar.
   Fue una buena idea que tú _____

1. Mira las fotos y piensa ¿Para qué viaja la gente? Con tu compañero, elabora una lista de razones y fines por los que la gente viaja. Te damos tres ejemplos.

- *Para aprender un idioma extranjero.*
- *Para conocer otras culturas.*
- *Por razones de trabajo.*

2. Lee el texto y señala la opción adecuada.

Ida y vuelta

Ahora que cada rincón del planeta ha sido explorado, cada tribu contactada, cada playa y cada bosque inventariados, quedan viajes muy excitantes por realizar. No me refiero a intentar emular las hazañas del pasado, como dar la vuelta al mundo en patinete, subir al Cervino en bicicleta o visitar Madrid por su red de alcantarillado. Me refiero al viaje geográfico como metáfora del único viaje que de verdad importa, el viaje interior.

Hoy en día son muchos los viajeros que se dirigen, más allá del último horizonte, hacia una meta que ya está presente en lo más profundo de su ser, aunque todavía permanezca oculta a su mirada. Cuando embarcan en un avión, lo hacen –más que para conocer al otro– para descubrir esa meta, que equivale a descubrirse a sí mismo.

Otros viajan de forma distinta, buscando la aventura hacia lo auténtico, donde impera el deseo de fundirse con el otro, ya sea una tribu amazónica, una familia esquimal o una comunidad de monjes budistas. Para no parecer un intruso, el viajero se disfraza, cambia su manera de vivir y de sentir, intenta difuminar su propia identidad. Esta forma de viaje, que siempre ha existido, se está haciendo ahora tremendamente popular: esconderse, huir o desaparecer se ha convertido en una necesidad vital para los que viven en una sociedad archirreglamentada. El tiempo de ocio es precisamente el único en el que se puede huir del control social. Por eso surge, con ímpetu renovado, el viejo instinto nómada,

para protegerse de la vigilancia de los demás, para luchar contra las obligaciones, para ser de nuevo un animal libre. Sentirse vivo de verdad implica desaparecer, desvanecerse, aunque sólo sea unas horas, unos días, unas semanas. Viajar entonces no es lo que se cuenta a los demás, sino lo que uno calla, en el secreto de una intimidad por fin protegida. Da igual el destino del viaje, lo importante es olvidarse del teléfono móvil, del contestador automático, de la pila de facturas bajo la puerta, de los compromisos –esa terrible palabra–. Lo realmente importante es dejar nuestro mundo ordenado y cuadriculado y bucear en el otro, más grande, más enigmático y más tentador, para olvidar lo que de verdad somos, unos sedentarios que añoran la vida nómada de nuestros antepasados más lejanos.

JAVIER MORO (*RONDA IBERIA*)

1. ¿Qué viaje considera más interesante el autor? [c]
  a. Dar la vuelta al mundo.
  b. Un viaje en bicicleta.
  c. El viaje interior.

2. ¿Qué es para el autor "el viaje interior"? ☐
  a. Conocer otros países.
  b. Conocerse a uno mismo.
  c. Conocer a otras personas.

3. ¿Qué entiende el autor como lo "auténtico"
de un viaje? ☐
   a. Mezclarse con las nuevas culturas que conoce.
   b. Cambiar su forma de vida.
   c. Huir de su vida anterior.

4. ¿Qué provoca en el viajero esa necesidad
de recuperar su instinto nómada? ☐
   a. El exceso de trabajo.
   b. Las relaciones sociales y familiares.
   c. La necesidad de huir de una sociedad muy
      controladora.

5. ¿Cuál es la sensación más importante que
se tiene al volver de un viaje? ☐
   a. Lo que se cuenta a los demás.
   b. El haber abandonado por una temporada
      nuestra vida sedentaria.
   c. El recuperar nuestra vida ordenada.

3. Escribe un artículo para la revista de tu escuela sobre
el tema de la unidad: "¿Qué es viajar para ti?".

GRAMÁTICA

¿*SER* O *ESTAR*?

• Algunos adjetivos cambian de significado si se utilizan
con el verbo **ser** o **estar**.

Ser un fresco *(sinvergüenza)* / estar fresco *(frío)*

Ser interesado *(materialista)* / estar interesado *(curioso)*

Ser imposible *(difícil)* / estar imposible *(inaguantable)*

4. Completa con *ser* o *estar*.

1. A. ¿Qué te parece el novio de Elena?
   B. Me cae bien, parece que *es* muy atento.
2. ¡Qué horror! El tráfico hoy _____ imposible.
3. Clara, ¿_____ lista? Vamos, que _____ tarde.
4. A. Tienes que comer naranjas, ya sabes que
      _____ muy buenas para la salud.
   B. Sí, pero ahora en verano no _____ muy
      buenas.
5. Carlos, ha llamado un hombre que _____
   interesado en ver el piso.
6. Clara, trae el zumo, que ya _____ fresco.
7. No sé qué le pasa a Arturo, es muy simpático, pero
   hoy _____ imposible.

SER + PARTICIPIO

• Forma la voz pasiva, utilizada en textos históricos y
periodísticos especialmente.

*Felipe Fernández **ha sido** nombrado director general de la empresa SINTAL.*

*El último libro de Pedro **ha sido** traducido a muchos idiomas.*

ESTAR + PARTICIPIO

• Expresa el resultado de un proceso.

*Este libro **está** traducido del alemán.*

5. Elige la opción correcta.

1. El rey Federico nunca *fue / estuvo* perdonado por
   sus súbditos.
2. Los ladrones *fueron / estuvieron* detenidos por la
   policía en el aeropuerto.
3. El marido de Rosalía *está / es* detenido desde ayer
   por la mañana, *es / está* acusado de asesinato.
4. El Ministro de Economía presentó su dimisión,
   pero no *fue / estuvo* aceptada por el Presidente del
   Gobierno.
5. Este coche *es / está* adaptado para que lo conduzca
   Pepe, que tiene problemas en las piernas.
6. Algunas normas europeas *han sido / han estado*
   adaptadas a los nuevos avances tecnológicos.
7. No le des más vueltas, Federico, ese problema ya
   es / está resuelto.

6. Completa el texto con la forma verbal adecuada de
ser o *estar*.

Clases de cultura japonesa

Desde nuestra asociación se promueve la enseñanza de las costumbres tradicionales japonesas,
una cultura milenaria que (1) *es* posible conocer
en profundidad por medio de las clases que se im-
parten en nuestro centro. Nuestros profesores
(2)_____ especializados en la ceremonia del té
y la caligrafía con tinta china. Las clases de lengua japonesa (3)_____ adaptadas para todos
los niveles. Las clases de arte floral (4)_____
las más solicitadas. Al finalizar el curso, los alumnos reciben un diploma de la escuela Ikenobo de
Kioto, que (5)_____ la más antigua de Japón.

8
B

C. Historia de una travesía

1. ¿Te gustaría dar la vuelta al mundo? Lee y escucha el siguiente texto. Después, contesta las preguntas. **22**

EL ÁLBUM FAMILIAR DEL PLANETA

Cinco continentes, 250.000 km, 130 países y cuatro años necesitó el fotógrafo alemán Uwe Ommer para retratar a 1.000 familias distintas. Ahora ha tardado otros tres años en elaborar un libro titulado Tránsito, *con el material de aquel largo viaje, que él define como "el álbum familiar del planeta".*

En sus fotos parecen felices todos estos hombres, mujeres y niños. Sean de donde sean: gitanos europeos, masáis, musulmanes de Malasia, católicos irlandeses, o tibetanos, chinos, rusos, letones, africanos o latinoamericanos. De los lugares más ricos a los más miserables. No cuesta imaginar la escena: el extranjero blanco, rubio, alto y amable que aparece un buen día, acompañado de su asistente, en un todoterreno y dice que nos quiere retratar. Y corre, vete y llama a tu madre, a tu hermano, al abuelo, a la tía..., y tráete el perro, la tortuga, nuestra moto, la bici, la vaca... A través de las imágenes se adivina la vida cotidiana en las mansiones de unos, en las casas de adobe, caravanas, barcos o chozas de otros. Y Uwe Ommer –mientras les indica cómo colocarse ante la pantalla blanca, mientras dispara su cámara– les pregunta por sus deseos para este milenio.

No han sido uno, sino dos, los viajes alrededor del mundo que ha realizado el alemán durante esta década. El primero fue la travesía en sí, los cuatro años de recorrido geográfico, en los que cada mañana hubo de organizar la ruta, elegir el destino, avistarlo desde el coche, llegar, preguntar, encontrar y saludar a los anfitriones, conocer a las familias, explicarles... Cada día quedó admirado con la belleza física y mental de las gentes, con las sonrisas de los niños que corren, cantan, atienden el ganado, se bañan, venden en los mercados, sufren, se abrazan a sus madres y a sus animales, miran divertidos a la cámara... Ese primer viaje duró hasta que ya no pudo ser. Ommer tuvo que guar-

dar la cámara. "Dije ¡basta! porque descubrí que uno puede pasarse la vida entera moviéndose de un lugar a otro sin meta, porque sí...".

El segundo viaje lo acaba de terminar: elaborar *Tránsito*. *Tránsito* es una belleza para cualquier espíritu viajero, puede provocar envidia pura.

En noviembre del año pasado, su acompañante por Asia, Isadora Chen, le convirtió en progenitor de un niño al que han llamado Ulises. La pareja posa feliz para la última página de *Tránsito*, la familia 1.001. También expresan un deseo: "Que Ulises, como sus padres, tenga las ganas y el sano sentido común para viajar por el mundo".

Lola Huete (*País Dominical*)

1. ¿En que consiste *Tránsito,* el libro de Ommer?

2. ¿Cómo y con quién realizó su viaje?

3. ¿Cómo se organizaban las familias para ser fotografiadas?

4. ¿Qué reflejan fundamentalmente las fotografías del alemán?

5. ¿A qué se refiere la autora del artículo cuando dice que Ommer ha realizado dos viajes?

6. ¿Por qué dio por terminado su viaje?

7. ¿Quiénes aparecen en la fotografía 1.001 de *Tránsito*?

GRAMÁTICA

FORMACIÓN DE VERBOS

Muchos verbos se forman a partir de sustantivos o adjetivos.

- **Derivación directa:**
  pregunta > pregunt**ar** / caliente > calentar

- **Derivación por sufijos:**
  mar > mar**ear** / canal > canal**izar**
  momia > mom**ificar** / oscuro > oscur**ecer**

- **Derivación por parasíntesis:**
  (prefijo + raíz + sufijo)
  viejo > **en**vej**ecer** / vista > **a**vist**ar**
  arma > **des**arm**ar**

2. Escribe el verbo correspondiente. Algunos están en el texto anterior.

1. Saludo *saludar*
2. Abrazo
3. Moderno
4. Trozo
5. Masa
6. Retrato
7. Gordo
8. Lata
9. Comienzo
10. Edificio
11. Triste
12. Delgado
13. Imagen
14. Necesidad
15. Título

3. Completa las siguientes frases con el verbo correspondiente.

> empeñar/desempeñar – aclarar/clarear
> trocear/destrozar – animar/desanimar
> encabezar/descabezar – falsear/falsificar

1. Antes de echarlo a la cazuela, hay que *trocear* el calamar.

2. Fueron al partido para _____ a su equipo.

3. Fue un amanecer precioso. Empezó a _____ a las cinco de la mañana.

4. _____ documentos oficiales es un delito muy grave.

5. Ha sido capaz de _____ su puesto de trabajo con toda responsabilidad durante toda su vida.

6. Los representantes de los obreros tuvieron que _____ la manifestación del primero de mayo.

4. Relaciona cada significado con los verbos derivados de las palabras del recuadro.

> tierra – memoria – peor – barato – dosis – mudo
> eléctrico – mínimo – protesta – lección

1. Graduar una cosa. *Dosificar*
2. Retener en la mente.
3. Empequeñecer.
4. Quedarse callado.
5. Tomar tierra.
6. Enseñar.
7. Bajar el precio.
8. Dotar de instalación eléctrica.
9. Mostrar disconformidad.
10. Ponerse peor que estaba.

5. Completa el texto con los verbos derivados de las palabras del recuadro.

> proyecto – diseño – color – imagen
> estímulo – descanso

LOS HOTELES DEL FUTURO

Ni cápsulas, ni edificios volantes. Un grupo de expertos se ha reunido para (1) *diseñar* la habitación del hotel del futuro y han llegado a la conclusión de que, dentro de 50 años, se llevarán los espacios personalizados, capaces de (2)_____ los cinco sentidos y ser respetuosos con la naturaleza. Todo pensado para un huésped cada vez más estresado.

De entrada serán espacios neutros, con paredes y cortinas transparentes que cada cual pueda (3)_____ a su gusto con distintos tonos y texturas. En el techo se podrá (4)_____ un cielo estrellado, y un menú de aromas pondrá al alcance del viajero los perfumes que desee, estimulantes cuando haya que espabilarse y relajantes si se quiere (5)_____ .

Muchos de los inventos previstos en estos hoteles de mañana aún no existen, por lo que no podemos (6)_____ el coste que pueden tener estas habitaciones.

8
C

D. Escribe

CONTAR HISTORIAS

1. El texto que sigue pertenece al diario de un navegante que dio la vuelta al mundo con su familia. Léelo y subraya las expresiones temporales.

> <u>Hace sólo unas horas</u> hemos estado a punto de ser tragados por el océano. Al principio de la noche, nada hacía presagiar la jugada que nos preparaba el mar. Después de haber zarpado de Santa Cruz de Tenerife, nuestro barco cortaba el agua como una cuchilla, y el viento nos era favorable. Poco antes de las diez de la mañana, bajé a la cabina para tomarme un café. Con la taza en la mano, asomé la cabeza por la escotilla. Entonces vi cómo se acercaba la ola más grande que he visto en mi vida. Era un muro oscuro de más de 15 metros. Antes de que la ola se nos echara encima, logré atarme al timón. En unos segundos la ola se acercó con un rugido terrible. Nos embistió como si fuéramos una astilla. La popa se levantó en el aire, arriba, muy arriba. A duras penas pude sujetarme, colgado de la barra del timón. Cuando todo pasó, me asomé por la escotilla y comprobé que, dentro de la cabina, la familia seguía viva, aunque con el agua hasta las rodillas. Pero, finalmente, lo peor fue que la pala del timón se había partido en dos.
>
> *El País semanal*

2. Completa las siguientes frases con la expresión temporal correcta.

1. *Antes* de que todo empezara, estábamos tranquilamente tomando el sol.
   (al principio / finalmente / antes)

2. _____ me sentía solo, pero _____ llegaron ellos.
   (al principio / antes de que / después)

3. Estábamos preparando la cena, _____ oímos un fuerte ruido.
   (mientras / cuando / después)

4. _____ todo el mundo se fue a casa.
   (cuando / al principio / finalmente)

5. Empezamos la escalada _____ de llegar y _____ de la tarde estábamos muy cansados.
   (al final / al principio / poco después)

PARA ESCRIBIR UNA HISTORIA SE NECESITA

- Un buen argumento.
- Expresiones temporales para indicar el orden de los acontecimientos.
- El uso correcto de los tiempos narrativos.

3. Observa el uso de los tiempos verbales. ¿Qué tiempo se utiliza para las frases descriptivas? ¿Qué tiempo se utiliza para la narración de los acontecimientos principales? Ahora elige el tiempo más adecuado en las siguientes frases.

1. Aquella noche nuestro barco *navegaba / navegó* sin ningún problema.
2. *Era / fue* mi cumpleaños y *estuvimos / estábamos* celebrando la fiesta cuando *sonaba / sonó* el teléfono.
3. La ola *llegaba / llegó* y nos *arrolló / arrollaba* en pocos segundos.
4. La niña *estaba / estuvo* estudiando, mientras su madre *leía / leyó* el periódico.
5. *Sonó / sonaba* un disparo y el hombre *caía / cayó* al suelo.
6. La madre le *pidió / pedía* a Caperucita que *llevara / llevaba* a su abuela unos pasteles que *había preparado / preparaba* para ella.

4. Escribe una historia que te haya ocurrido en alguno de tus viajes.

Sigue estos pasos

1.º Piensa en el argumento.

2.º Antes de empezar a escribir piensa en las respuestas a preguntas como:

- ¿Qué estaba ocurriendo cuando empezó la historia?
- ¿Qué ocurrió después?
- ¿Cómo acabó todo?

3.º Ordena tus notas y piensa qué expresiones temporales necesitas.

4.º Utiliza el diccionario para consultar las dudas de vocabulario.

5.º Organiza tu narración con una presentación, un nudo y un desenlace.

6.º Por último, revisa y corrige los errores.

8
D

De acá y de allá

LATINOAMÉRICA Y LOS LATINOAMERICANOS

1. ¿Cuánto sabes sobre Latinoamérica? Realiza el cuestionario.
Luego comprueba con tu compañero.

ENCUESTA

1 ¿En qué país se encuentra el estadio de fútbol Maracaná?
- a. Argentina ☐
- b. Uruguay ☐
- c. Brasil ☐

2 ¿Cuál es la capital de México?
- a. Cuernavaca ☐
- b. Ciudad de México ☐
- c. Acapulco ☐

3 La sede del gobierno de Argentina se encuentra en...
- a. la Casa Rosada ☐
- b. la Casa Blanca ☐
- c. la Casa Azul ☐

4 El Titicaca de Perú es un...
- a. monte ☐
- b. río ☐
- c. lago ☐

5 El museo de Fernando Botero se encuentra en...
- a. Bogotá ☐
- b. Caracas ☐
- c. Lima ☐

6 *El hijo de la novia*, nominada para los Oscar a la mejor película extranjera, es de nacionalidad...
- a. argentina ☐
- b. boliviana ☐
- c. panameña ☐

7 Fidel Castro ha gobernado durante muchos años en...
- a. Costa Rica ☐
- b. Santo Domingo ☐
- c. Cuba ☐

8 Las taquerías son restaurantes típicos de...
- a. Brasil ☐
- b. México ☐
- c. Chile ☐

9 Carlos Gardel fue famoso por sus...
- a. habaneras ☐
- b. mariachis ☐
- c. tangos ☐

10 *La casa de los espíritus* es una famosa novela, llevada al cine, de...
- a. Isabel Allende ☐
- b. Mario Vargas Llosa ☐
- c. Octavio Paz ☐

8
D

2. Con tu compañero elabora algunas preguntas más para añadir al cuestionario y después intercambiadlas con el resto de la clase.

E. Autoevaluación

1. Elige la opción correcta.

1. Cuando llegamos a la estación ya *estaba / era* muy tarde para coger el tren.
2. Al final de la jornada todos *éramos / estábamos* muy cansados.
3. ¿Sabías que mis primos *estaban / eran* aquí?
4. *Está / Es* prohibido fumar en los centros de trabajo.
5. Nunca he *estado / sido* tan feliz como en aquel viaje.
6. ¿Sabes dónde *es / está* la reunión? Sí, creo que *es / está* en el aula 3.
7. Buenos días, ¿*es / está* aquí donde venden un piso?
8. Mi jefe dice que *sería / estaría* interesante vender las acciones.
9. A. ¿De qué estabais hablando?
   B. No te preocupes. No *era / estaba* importante.
10. Juan no había *estado / sido* enamorado hasta que conoció a Alicia.
11. Señora, ya *están / son* pintadas las paredes, ya puede venir.
12. No vuelvo a salir otra vez con Jaime, *es / está* un fresco, siempre tengo que pagar yo la gasolina.
13. A. ¿Tiene el último disco de Alejandro Sanz?
    B. No, lo siento, *es / está* agotado.
14. A. Y Carmen, ¿cómo se encuentra?
    B. Regular. Sólo está contenta cuando *es / está* acompañada por sus nietos.

2. Relaciona las palabras del recuadro con su significado.

> a. barca, b. naviera, c. trasatlántico, d. camarote
> e. yate, f. canoa, g. lancha, h. motora, i. crucero

1. Buque de grandes dimensiones destinado a hacer travesías por el mar. `c`
2. Embarcación de remo muy estrecha, ordinariamente de una pieza. ☐
3. Embarcación pequeña para pescar o navegar cerca de la costa o en los ríos. ☐
4. Embarcación de recreo. ☐
5. Bote pequeño equipado con un motor. ☐
6. Aposento pequeño con cama en los barcos. ☐
7. Viaje turístico en barco. ☐
8. Sociedad propietaria y responsable de un barco y de la mercancía transportada. ☐

3. De las frases siguientes, seis son incorrectas y tres correctas. Busca los errores y corrígelos.

1. Al salir del cine ya ~~estaba~~ *era* demasiado tarde para cenar en un restaurante.
2. Yo creo que cada uno está libre de hacer con su vida lo que quiera.
3. Nada volverá a estar igual. Todo ha cambiado de lugar desde que me fui.
4. Al levantarme tropecé con la mesilla porque la habitación estaba a oscuras.
5. No te compres esta camisa, te está grande.
6. Si estuvieras aquí, todo estaría más fácil.
7. ¿Has visto qué guapo es Alejandro? Se parece mucho a su padre.
8. Esa camisa está muy oscura, mejor ponte la blanca.
9. Si me lo hubieras pedido, habría sido más atenta a su conversación.

4. Completa el siguiente texto con las palabras del recuadro.

> yate – cubierta – turistas – río
> barcos de pesca – tripulantes – puerto
> embarcaciones – isla – proa

Desde la (1) *cubierta* he divisado una gran cantidad de (2)_____ frente al cabo. Parecían mariscadores. Un (3)_____ se ha acercado haciendo sonar la bocina. Desde cubierta, sus (4)_____ nos han explicado que el pueblo ha preparado un gran recibimiento. Numerosas (5)_____ se han puesto a (6)_____ y otras tantas siguen nuestra estela. Hemos dado la vuelta a una pequeña (7)_____ y nos dirigimos hacia la desembocadura del (8)_____. Ya diviso la entrada al (9)_____. Un numeroso grupo de (10)_____ nos saluda desde el muelle.

5. ¿De qué nombres o adjetivos se derivan los verbos siguientes?

1. posibilitar   *posibilidad*
2. independizar   _____
3. preguntar   _____
4. responsabilizar   _____
5. amasar   _____
6. empequeñecer   _____
7. abrochar   _____
8. encerrar   _____
9. desordenar   _____

6. ¿Pretérito perfecto o presente de subjuntivo? Completa las frases con los verbos del recuadro.

> romper – venir – acabar – vender – invitar
> decir – estar – hacer – ir – faltar

1. ¡Qué raro que Juan *haya vendido* la moto! Estaba nueva.
2. Yo sé que cuando tú _____ todo va a seguir igual.
3. Es una pena que Elena no _____ al examen. Ha sido muy fácil.
4. No creo que Pedro _____ a la reunión. Está muy interesado en el asunto.
5. Estamos muy contentos de que _____ vuestro proyecto. Creíamos que no iba a estar listo para la fecha prevista.
6. No creo que Mayte te _____ a su fiesta. Está muy enfadada contigo.
7. No le _____ a nadie que he venido a verte.
8. Es una pena que se _____ tan pronto. Quería hablar con ellos.
9. No me extraña que se _____ el jarrón. Estaba en muy mal sitio.
10. Espero que vosotros no _____ demasiado cansados. Tenemos que salir a cenar.

7. Transforma las frases como en el ejemplo.

1. Irene sacó muy buenas notas.
   No era raro que sacara muy buenas notas.
2. No voy a ir al concierto.
   Es una pena _____
3. Al final, Luis no vino de vacaciones con nosotros.
   Qué lástima _____
4. Rosa se ha ido muy pronto.
   Cuánto sentimos _____
5. No vino a recibirme.
   Sentí mucho_____
6. Han estado en Bélgica esta semana.
   ¡Qué suerte _____!
7. A Carlos le han dado el trabajo aunque no tiene experiencia.
   No esperaba _____
8. El juez liberó a los atracadores.
   No es lógico _____
9. Araceli ha adoptado a dos niños etíopes.
   A sus padres les ha encantado _____

8. Lee el siguiente texto y di si las afirmaciones son verdaderas o falsas.

TURISTAS EN EL ESPACIO

La Antártida, la Amazonia, el Himalaya. Son destinos que comienzan a quedarse pequeños para los viajeros más ambiciosos. Ya tienen una nueva oferta: giras por el espacio y estancias en hoteles en órbita. En diez años ya no sonará tan raro.

Lo cierto es que docenas de empresas privadas están ya haciendo planes y, en algunos casos, incluso diseñando naves para transportar a clientes de pago hasta el límite de la atmósfera terrestre y más allá. Los expertos del sector predicen que los viajes turísticos espaciales serán habituales en las próximas décadas. "Calculamos que de aquí a veinte años el turismo espacial esté al alcance de una persona con ingresos medios, con lo que podrían viajar aproximadamente un millón de turistas al año".

1. Las empresas turísticas posibilitarán viajes al espacio en pocos años. ☐
2. Son doce las empresas que planifican este tipo de viajes. ☐
3. No podrán realizarse estos viajes de forma cotidiana hasta finales de siglo. ☐
4. Este tipo de viajes se encarecerán mucho. Sólo estarán al alcance de unos pocos. ☐

 Soy capaz de...

 Hablar de vacaciones y viajes por mar.

☐☐☐ *Distinguir los valores de los tiempos de subjuntivo.*

☐☐☐ *Formar verbos a partir de otras palabras.*

☐☐☐ *Distinguir ser y estar con participios.*

☐☐☐ *Contar historias.*

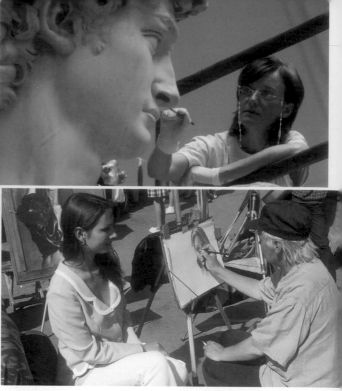

1. Mira las fotos de estos profesionales. ¿Te gustaría ser tu propio jefe? ¿Qué ventajas y desventajas le encuentras?

ESCUCHAR

2. Escucha la entrevista radiofónica con Natalia e Iván y elige la opción correcta. **23** 🔘

1. Natalia de la Peña ha pasado de... ☑
   a. empleada de banco a funcionaria.
   b. empleada de banco a restauradora de muebles.
   c. empleada de banco a ejecutiva de cuentas.

2. Cuando decidió dar este paso tenía miedo... ☑
   a. de perder el sueldo fijo.
   b. de no encontrar un lugar donde trabajar.
   c. de no encontrar suficiente clientela.

3. Su primer cliente fue... ☑
   a. alguien de su antiguo trabajo.
   b. una amiga anticuaria. → antiques
   c. un vendedor de libros.

4. Iván Mogarra empezó a tatuar... tattoo
   a. como una profesión.
   b. como una afición.
   c. como una forma de hacer amigos.

5. Para Iván, ser tatuador significa... ☐
   a. ganar mucho más dinero.
   b. no tener que pagar a la Seguridad Social.
   c. tener libertad total en el trabajo.

3. Organiza un debate con tu compañero. Uno ha de defender las ventajas de ser trabajador asalariado y otro las de ser autónomo. Utiliza las ideas de los recuadros. Mira el cuadro de comunicación.

A
• Organizas tu propio trabajo. • Las ganancias económicas son para ti. • Puedes elegir tu propio equipo de trabajo. • Controlas tus cuentas de ingresos y gastos. • Puedes conseguir mayores ganancias.

B
• Si no eres organizado, puede ser un desastre. • También son tuyas las deudas. • La responsabilidad sobre tu equipo puede agobiarte. • Administrar una empresa es difícil. • El inicio de una empresa requiere una gran inversión.

COMUNICACIÓN

EXPRESAR LA OPINIÓN
Yo creo / opino / pienso / Me parece que… En mi opinión… / Para mí…

EXPRESAR ACUERDO
Estoy (totalmente) de acuerdo / Llevas razón… / Soy de tu misma opinión / Es verdad… / Por supuesto que sí…

PONER OBJECIONES / CONTRASTAR
Lo que pasa es que… / Sin embargo, / No obstante, / Bueno, sí, pero por otro lado…

EXPRESAR DESACUERDO
No estoy de acuerdo / No llevas razón / ¡Qué va! / No creo que sea así…

Todos canves in injimative va en indicativo

4. Lee el texto y contesta las preguntas.

CUANDO EL JEFE ES UNO MISMO

Que nadie le diga a qué hora se tiene que levantar, lo que debe hacer, lo poco que trabaja y, encima, ganar mucho dinero parece una utopía, pero no lo es.

Ser su propio jefe en España es complicado, pero no imposible. En este país, según los expertos, es difícil ser autónomo, y el éxito o el fracaso dependen mucho de la actividad que uno quiera desarrollar. Hay empresas y empleos que son rentables, y otros que no; hay gente que inventa un producto y da en el blanco, y otra que se estrella con su propia frustración; hay personas que quieren trabajar y hay gente que no. Tal como comenta Mar Mígueles, de la Consultora de Economías en Escala, "hay gente que llega a una asesoría diciendo: 'Quiero montar una empresa porque estoy en paro, pero no sé si una cafetería, una pollería, una relojería o una guardería'. No tiene sentido. Está claro que quiere trabajar, pero necesita orientación. En primer lugar es necesario saber si la empresa o el proyecto que se tiene en mente puede ser viable y rentable; luego, si se conoce cómo funciona y si se tiene la capacidad para poder llevarlo y, por último y en todo caso, darse de alta como autónomo y emprenderlo".

En el régimen general de asalariados, se tiene médico, pensión de jubilación y paro, y si el trabajador debe darse de baja cobra la prestación de la Seguridad Social a partir del tercer día. El autónomo tiene médico y pensión de jubilación, pero, si se da de baja, cobra la prestación sólo a partir del decimoquinto día. Es muy probable que un trabajador autónomo pueda ganar más dinero que un asalariado, pero a costa de su esfuerzo personal y un coste añadido de estrés. No cobra paro y, aunque quisiera cotizar para algún día cobrar el desempleo, no puede. Tampoco tiene vacaciones pagadas, ni pagas extra.

El País

1. ¿Qué ventajas tiene el ser trabajador por cuenta propia?
2. ¿Qué ideas tiene que tener claras una persona que quiera montar una empresa?
3. ¿Qué quiere decir la palabra "asalariado"?
4. ¿Qué ventajas tiene el trabajador asalariado sobre el trabajador autónomo?
5. Aunque gane más dinero, ¿qué desventajas tiene el trabajador autónomo?

ESCRIBIR

5. Lee el artículo otra vez y haz una lista de las expresiones y palabras del mundo del trabajo.

COMUNICACIÓN

examen

EXPRESIÓN DE LA AMENAZA

Las estructuras introducidas por **Como** + **subjuntivo** son condicionales. Aportan un matiz de amenaza a la comunicación.

*Como no **hagas** los deberes, no **sales** / **saldrás** a jugar con tus amigos. (= Si no haces los deberes...).*

6. Sigue el modelo.

1. Aparcar aquí (tú) / poner una multa (ellos).
   Como aparques aquí te pondrán una multa.
2. Portarte mal (tú) / no tener regalo (tú).
3. No venir a mi fiesta (tú) / enfadarse (yo).
4. Llegar tarde otra vez (tú) / irse sin ti (yo).
5. No bajar la música los vecinos / llamar a la policía (yo).
6. No decir la verdad (tú) / no volver a hablarte (yo).

7. Completa con el verbo correspondiente en el tiempo adecuado.

poder – llegar – devolver – venir – ponerse seguir – llamar

1. Si *viene* mucha gente a la boda, sobrará comida.
2. Si ___pudiera___ dejaría el trabajo en el banco y pondría una tienda.
3. A mí me dijo Laura que como no le ___devuelve___ lo que le debes, dejaría de hablarte.
4. Si ___llegas___ al hotel después de las once, no me llames.
5. Como ___sigue___ a llover ahora mismo, se nos estropea la barbacoa.
6. Como ___te pones___ comiendo así, te vas a poner muy gordo.
7. Si ___llama___ por teléfono Ricardo, dile que no estoy en casa, no quiero hablar con él.

9 A

B. La mujer trabajadora

1. ¿Crees que hay trabajos que son más propios de hombres que de mujeres? ¿Cuáles?

¿Has montado alguna vez en un autobús conducido por una mujer?
¿Y en un avión pilotado por una mujer?
¿Has encontrado alguna diferencia?

2. Lee el texto y di a quién se refiere cada una de las siguientes afirmaciones (Esther, Mercedes o Carmen).

Les habla la comandante...

Las mujeres han entrado con fuerza en el mercado laboral español. Ello no evita que padezcan una situación peor que los hombres en términos generales: salarios más bajos, abundancia de contratos temporales y mayor tasa de desempleo. Pese a ello, hay pioneras que han logrado acceder a labores tradicionalmente masculinas: pilotan aviones, conducen autobuses, dirigen desembarcos... Tres pioneras en trabajos tradicionalmente reservados a los varones nos relatan su experiencia.

La primera marina de guerra española se llama **Esther Yáñez** y es teniente de navío. Hija de marino de guerra, sabía desde pequeña que no le dejarían seguir la tradición familiar, por lo que, al acabar el Bachillerato, se matriculó en la facultad de Medicina, a la que prácticamente no acudió. Ante este fracaso, esta gaditana decidió presentarse para ingresar en la escuela Naval, pese al pánico inicial de sus padres. Aprobó a la primera. Como uno más, Yáñez pasa cada año entre 100 y 130 días embarcada. A bordo ya no está sola: de los 180 tripulantes de su embarcación, 30 son marineras y 7, oficiales de su mismo sexo.

Mercedes Carrero, de 39 años, lleva quince años al volante de autobuses. Empezó con las rutas escolares, pero en un colegio le dijeron que le pagarían menos que a un hombre. No lo aceptó y, hace ocho años, ingresó en la Empresa Municipal de Transporte de Madrid. Desde entonces conduce los autobuses públicos. Un trabajo que sólo desempeñan unas 20 mujeres entre más de 4.000 conductores.

Maestra, psicóloga y pescadora gracias a los tribunales. **Carmen Serrano**, de 42 años, debió recurrir a la justicia, junto con otras mujeres, para conquistar el derecho a pescar en la Albufera valenciana, reservado a los hombres. "El Tribunal Supremo acaba de darnos la razón definitivamente", dice satisfecha. La batalla contra la discriminación le ha costado muchas enemistades en su pueblo, El Palmar (900 habitantes), pero finalmente consiguieron sacar adelante su reivindicación de tener el mismo derecho que los hombres pescadores habían disfrutado durante siglos.

1. Casi la cuarta parte de sus compañeros de trabajo ya son mujeres. *Esther*
2. Ha tenido que mantener una fuerte batalla social para conseguir su empleo. _____
3. Al sufrir discriminación salarial por razones de sexo, cambió de trabajo. _____
4. Tiene muy pocas compañeras de trabajo. _____
5. Tuvo que enfrentarse al miedo de su familia para acceder a su profesión. _____
6. Eligió esta profesión a pesar de tener más de un título universitario. _____
7. Trabaja para un ayuntamiento. _____
8. Tuvo problemas en sus primeros pasos en la universidad. _____
9. Algunos de sus vecinos no han respetado su decisión de acceder a ese trabajo. _____
10. Pasa muchos días al año lejos de su familia. _____

GRAMÁTICA

EL GÉNERO DE LOS NOMBRES DE SERES ANIMADOS

Casos generales

- El masculino termina en **-o** y el femenino en **-a**.
  hijo / hija, gato / gata

- Formas distintas para masculino y femenino.
  hombre / mujer, caballo / yegua, yerno / nuera.

- Única forma para ambos géneros.
  El / la paciente, el / la atleta, el / la testigo.
  El / la criminal, el / la amante, el / la oficial.
  La víctima (hombre o mujer), la persona.
  La jirafa (macho o hembra), el gorila.

Nombres de profesiones

- Terminaciones más frecuentes.
  marinero / marinera   conductor / conductora
  presidente / presidenta   barón / baronesa
  el comandante / la comandante
  el violinista / la violinista
  el periodista / la periodiista

- Algunas veces hay dos formas correctas para el femenino.
  la abogado / la abogada, la juez / la jueza

- Algunos nombres que acaban en **-o** no cambian el femenino.
  el piloto / la piloto, el modelo / la modelo

3. Completa con el artículo *(el/la/los/las)* y una de las palabras del recuadro, en el género y número correspondiente.

> criminal – víctima – guía – dependiente
> atleta – paciente – juez – pianista – piloto
> testigo – actor – actriz – dependienta – alumna

1. La testigo, muy segura de sí misma, declaró que había podido ver bien la cara del *criminal* porque estaba muy cerca de él.
2. El médico no atendió a todas _____ porque había demasiadas.
3. _____ que tocó la última pieza llevaba un precioso vestido negro.
4. El novio de mi prima es _____ más guapo de toda la tienda.
5. _____ Marisa Paredes actúa esta semana en el Teatro Albéniz.
6. _____ de la Audiencia Provincial, Rosa Lorenzo, ha salido a hablar por teléfono.
7. Al terminar el curso, _____ fue felicitada calurosamente por el profesor de Matemáticas.
8. _____ del atraco dijo que no había visto a los ladrones porque llevaban la cara tapada.
9. _____ sueca llegó la última a la meta.
10. _____ turístico que nos tocó en Salamanca era más simpático que el otro.
11. En el vuelo entre Buenos Aires y la Patagonia, _____ era una mujer.

HABLAR

4. En grupos de tres. Juega a las definiciones con el vocabulario anterior. Uno dice una definición y los otros tienen que adivinar de quién se trata.

A. *Unos hombres que corren mucho para ganar medallas.*
B. *Los atletas.*

C. Servicios públicos

1. ¿Sabes lo que significa ser funcionario en España? ¿Sabes cómo se accede a estos puestos de trabajo? ¿Qué ventajas y desventajas tiene con respecto a los empleos en la empresa privada?

VOCABULARIO

2. Relaciona las siguientes palabras con su significado.

1. funcionario — ☑ d
2. oposiciones — ☐
3. servicio público — ☐
4. formulario — ☐
5. ventanilla — ☐
6. solicitud — ☐
7. administración — ☐

a. Conjunto de los organismos de gobierno.
b. Prestaciones cuya competencia depende del Estado.
c. Abertura en la pared de una oficina para comunicar con el público.
d. Persona que desempeña un empleo público.
e. Impreso administrativo en el que se formulan las preguntas a las que los interesados han de responder.
f. Procedimiento selectivo para acceder a un empleo público.
g. Documento formal con el que se solicita algo.

3. Escucha las conversaciones y contesta las preguntas. **24** 🔘

3. ¿De qué servicio público habla Carmen?
4. ¿Para qué estaba esperando en la cola?
5. ¿Qué deseaba el señor que estaba delante de ella?
6. ¿Qué tipo de atención recibió?

7. ¿De qué servicio público están hablando?
8. ¿Qué documentación necesita para hacerse socio?
9. ¿Cuánto le va a costar?
10. ¿Qué prestaciones va a tener como socio?

4. En parejas. Imagina una situación en un servicio público de tu ciudad y escribe una conversación similar a las anteriores.

ESCUELA OFICIAL DE IDIOMAS

1. ¿En qué tipo de estudios desea la señora matricular a su hijo?
2. ¿Qué tiene que hacer para realizar la matrícula?

LEER Y HABLAR

5. Lee estas dos opiniones tan diferentes sobre los servicios públicos en España.

1 España cuenta con una infraestructura de servicios públicos muy diversa y competitiva, no sólo en las áreas de transporte y telecomunicaciones, sino también en enseñanza, tanto reglada como complementaria. Algunos de estos servicios se encuentran en manos del Estado y otros pertenecen al sector privado.

Por ejemplo, el servicio de Correos en España es muy eficiente, hay oficinas en cada provincia para cualquier servicio postal, incluyendo envío de cartas y paquetes, giros internacionales, servicio de fax, telegramas, etcétera.

2 Llevo viviendo en España desde hace 10 años –después de haber vivido 18 años en Estados Unidos– y mi opinión general es que, aunque la empresa española poco tiene que envidiarle a la empresa norteamericana, los empleados públicos norteamericanos y los empleados públicos españoles parecen venir de dos planetas diferentes. La calidad de los servicios públicos españoles es patética: la justicia es increíblemente lenta; la obtención de documentos tipo DNI o pasaporte, también; el correo es especialmente irresponsable. El proceso de obtención de licencias para abrir un negocio es interminable.

Creo que ha llegado la hora de terminar con el sistema de los funcionarios y sus trabajos garantizados de por vida.

6. ¿Y tú qué opinas? En grupos de cuatro, cada uno debe hablar tres minutos respondiendo a las preguntas siguientes.

- ¿Cómo son los servicios públicos en tu país?
- Piensa especialmente en Correos, ¿crees que funciona correctamente?
- ¿Qué opinión tienes de los funcionarios?
- ¿Crees que es positivo que sean puestos vitalicios?
- ¿Qué sugerencias puedes hacer para una mejora de los servicios públicos?

7. Escribe un párrafo exponiendo tu opinión.

COMUNICACIÓN

EXPRESIÓN DE LA CONDICIÓN (II)

1. Además de la conjunción universal *si*, que sirve para introducir todo tipo de condiciones, tenemos una serie de conectores que introducen la expresión de la condición. Llevan siempre el verbo en subjuntivo: *en caso de que, a no ser que, excepto que, siempre y cuando, con tal de que...*

Llámame en caso de que me necesites.

2. Con tal de que y *siempre y cuando* introducen oraciones que expresan que el cumplimiento de la condición es indispensable para que se realice algo:

Contaremos contigo, siempre y cuando te comprometas a colaborar.

8. Completa con el verbo en su forma adecuada.

1. En caso de que no *aparezca* (aparecer) la documentación, tendrán que ir a la policía.
2. Me dijo que iríamos a cenar, a no ser que le surgiera (surgir) algún compromiso.
3. Es posible que te quiten la multa, siempre y cuando (tú) tengas (tener) al día el pago del seguro.
4. Podéis reuniros en casa, con tal de que no hagáis (hacer) mucho ruido.
5. Yo creo que nos dejarán cruzar la frontera siempre que presentemos (presentar) nuestros pasaportes.
6. Ana no habría venido a no ser que tú no se lo hubieras pedido (pedir).
7. Sería feliz con tal de que ella esté (estar) aquí.
8. Nos lo habríamos pasado mejor en caso de que (vosotros) hubierais venido (venir).

9. Completa las frases siguientes con uno de los conectores del recuadro.

en caso de que – a no ser que – como siempre y cuando – siempre que

1. Sería mejor que lo denunciaseis *en caso de que* conozcáis al culpable.
2. No digas nada, a no ser que estés seguro.
3. Te prestaría el dinero, siempre y cuando me lo devolvieras antes de fin de mes.
4. Como se lo digas a alguien me enfadaré contigo.
5. Te lo contaré, siempre y cuando estés dispuesto a escucharme.

ESCRIBE TU CURRÍCULUM

1. Lee el siguiente currículum y contesta las preguntas.

DATOS PERSONALES

NOMBRE Y APELLIDOS:
Andrés Ruiz López
NIF: 5544786-T
ESTADO CIVIL: Soltero
LUGAR DE NACIMIENTO: Cáceres
NACIONALIDAD: Español
TELÉFONO MÓVIL: 678 768 693
CORREO ELECTRÓNICO:
ipp1854@yahoo.es
DIRECCIÓN: C/ Canarias, 15 - 3.º E
28005 Madrid

FORMACIÓN

- Licenciado en Publicidad en la Universidad Complutense de Madrid.
- Máster en Diseño Gráfico en la Design Technology University of London.

IDIOMAS

- Inglés: nivel avanzado.
- Italiano: nivel principiante.

EXPERIENCIA

2001-2003 Becario en el departamento de publicidad de El Corte Inglés.
2003-2006 Maquetista y diseñador en Editorial Maeva.

OTROS DATOS DE INTERÉS

- Participación en diversos programas culturales con el Ayuntamiento de Cáceres.
- Primer puesto en el Campeonato de Natación de la Universidad Complutense de Madrid.
- Carné de conducir tipo B.
- Disponibilidad de horario.

Currículum cerrado a 10 de junio de 2006

1. ¿Crees que se podría añadir algún otro dato en el apartado de información personal?
2. ¿Qué tipo de trabajo crees que le podría interesar al solicitante, teniendo en cuenta su formación y experiencia?
3. ¿Qué apartado crees tú que contiene una información más interesante para la persona que lo contrate?

¿CÓMO SE PRESENTA UN CURRÍCULUM?

- Hoja blanca, formato DIN A-4.
- En letra impresa, salvo que se especifique lo contrario.
- Brevedad y claridad.
- Escrito en primera persona o en forma impersonal.
- Precisión en datos y fechas.
- Fotografía color, tamaño carné.
- Si se pide, adjuntar fotocopias de títulos y referencias.

¿QUÉ DEBE CONTENER?

- En primer lugar, los datos personales: nombre y apellidos, dirección, distrito postal, teléfono y otros datos personales de interés. No debe escribirse todo en mayúsculas.
- Formación reglada: se incluirán todos los títulos oficiales y formación no reglada: cursillos, prácticas, etcétera.
- Idiomas: evitar los típicos "perfecto conocimiento" o "conocimientos de...". Es preferible "nivel correcto oral y escrito".
- Se finalizará con la siguiente frase: Currículum cerrado a tal fecha.
- Junto al currículum, envía una breve carta que exponga el motivo de la misma y anuncie los anexos que se adjuntan.

2. Redacta tu currículum y una carta de presentación del mismo, solicitando un trabajo que se adapte a tu formación.

FESTIVAL DE CINE

1. ¿Te interesan los festivales de cine? ¿Cuántos conoces?

2. Lee el texto y contesta las preguntas.

Gabriel García Márquez con el director de cine argentino Fernando Birri, en el Festival de Cine de la Habana.

Cine en La Habana

El Festival de Cine de La Habana, una de las últimas trincheras del cine alternativo, ofrece 11 días de pasión absoluta por el celuloide. En él se exhiben cada año más de quinientas cintas, entre largometrajes y cortos, del nuevo cine latinoamericano. España es el único país no latinoamericano que habitualmente concurre a este festival.

El Festival de La Habana, dirigido por su fundador, el intelectual cubano Alfredo Guevara, un íntimo amigo del presidente Castro, surgió en 1979 como una alternativa para el cine comprometido de América Latina, con la bendición del escritor colombiano Gabriel García Márquez, Premio Nobel de Literatura.

Desde sus comienzos se convirtió en el festival más completo del continente, y lo ha seguido siendo hasta el presente, pese a las dificultades del país caribeño. Es cierto que la presencia de extranjeros, antes muy grande, ha disminuido; la asistencia de prensa internacional es ahora muy escasa, y el número de espectadores jóvenes ha bajado considerablemente, probablemente atraídos más por el cine comercial norteamericano. También es cierto que las salas habaneras de 1.500 butacas no ofrecen las comodidades de los multicines a los que estamos acostumbrados. Pero, pese a todo, el festival de La Habana sigue siendo la gran pantalla del cine de la región, en sus diversas categorías: ficción (cortos y largometrajes), documental y animación. Ofrece, además, un amplio panorama del cine internacional.

Para preservar la existencia de este festival, actualmente en crisis financiera y de espectadores, hacen falta más recursos económicos que permitan traer más muestras internacionales e invitar a personalidades importantes dentro del mundo del cine. Además, a la prensa, radio, televisión e Internet deben colaborar de una forma más activa para ayudar al mantenimiento del festival.

Tal y como suscribe su fundador, el festival le ha permitido a América Latina favorecer la unidad latinoamericana en el campo de la cultura.

1. ¿Qué tipo de cine se puede ver en el festival de cine de La Habana?
2. ¿Qué países concursan en el festival?
3. ¿Qué famoso escritor latinoamericano apoyó la creación del festival?
4. ¿En qué distintas categorías se puede concursar?
5. ¿En qué aspectos se puede observar la crisis del festival?
6. ¿Qué tipo de medidas serían necesarias para apoyar el mantenimiento del festival?

E. Autoevaluación

1. Completa el siguiente texto con las palabras del recuadro.

> solicitud – funcionario – administración
> ventanilla – oposiciones – servicio público
> formulario

Para acceder a un puesto de trabajo en la (1) *administración* pública española es necesario superar una serie de exámenes llamados (2)_____.
Para participar en estas pruebas, el opositor ha de presentar una (3)_____ acompañada de un (4)_____ con sus méritos personales en la (5)_____ correspondiente, dependiendo del (6)_____ al que quiera acceder. Una vez superados los exámenes, el solicitante adquiere la categoría laboral de (7)_____ de la Administración pública española, puesto de trabajo que normalmente tiene carácter vitalicio.

2. Completa la siguiente tabla.

MASCULINO	FEMENINO
El estudiante	La estudiante
El frutero	
El taxista	
	La conductora
El juez	
	La modelo
El profesor	
	La nuera
El príncipe	
	La poetisa
	La campesina
El panadero	
El médico	
	La principiante
El policía	
	La publicista
El astronauta	
	La vidente
El actor	
El sacerdote	

3. Elige la palabra adecuada.

1. *El padre / La madre* no vino a la reunión porque estaba enferma.
2. *El actor / la actriz* exigió en el contrato ser el protagonista.
3. No he podido hablar con *la abogada / el abogado* porque no lo he visto.
4. *La presidenta / el presidente* está sentada a la cabecera de la mesa.
5. El marido de mi *portero / portera* tiene los ojos igual que los de sus hijos.
6. Pedro es *una / un* artista muy reconocido.
7. *El alcalde / la alcaldesa* de mi pueblo es la sobrina de mi primo.
8. *La directora / el director* de mi colegio es muy dura con los alumnos.
9. El marido de mi hija es mi *yerno / nuera*.
10. *El violinista / la violinista* fue muy bien acogida por el público.

4. Escribe una frase con cada una de las siguientes palabras.

> la multitud – la víctima – el/la testigo – un gorila
> el/la cónyuge – una persona – el/la guía

La multitud esperaba en la plaza para ver a su equipo de fútbol.

5. Elige la forma verbal adecuada.

1. Como no *recojas / recoges* tu habitación, no te dejaré salir a la calle.
2. Si no *venga / viene* Carlos, no puedo empezar a hacer la cena.
3. Me enfadaré contigo si no me *llamas / llames* por teléfono.
4. Como no te *levantas / levantes* pronto, llegaremos tarde.
5. Si ya no la *usas / uses*, véndela.
6. Como no *encuentro / encuentre* las llaves, no puedo entrar en casa.
7. Si *abras / abres* la ventana habrá corriente.
8. Como *llueve / llueva*, no podremos encender la barbacoa.
9. Como no *puedo / pueda* terminar el informe, me van a echar la bronca.
10. Si *empecemos / empezamos* tan tarde, no acabaremos el trabajo.

9
E

6. Relaciona la primera parte de la frase con la segunda.

1. Haremos la fiesta en su casa... `g`
2. En caso de que nos invite a su cumpleaños... ☐
3. Le haremos su plato favorito... ☐
4. Me parece todo bien... ☐
5. A no ser que se estropee el tiempo... ☐
6. Apoyaremos tus argumentos... ☐
7. Con tal de que estés tranquila... ☐
8. A no ser que Ángel y Alicia no puedan venir... ☐

a. con tal de que venga a la cena.

b. siempre y cuando digas la verdad.

c. le compraremos un regalo.

d. escalaremos la montaña mañana.

e. estaremos todos en la reunión del sábado.

f. excepto que tenga que levantarme temprano.

g. siempre y cuando no estén sus padres.

h. haremos lo que tú dices.

7. Completa la frase con la forma adecuada del verbo.

1. Carlos habría ganado, siempre que _____ (participar).

2. No cambiaré de piso a no ser que _____ (encontrar) uno que no sea muy caro.

3. Si (nosotros) no _____ (oír) el despertador, habríamos perdido el tren.

4. Excepto que todos nosotros _____ (cambiar) de forma de vida, acabaremos con las reservas de petróleo.

5. Como no _____ (venir) a mi fiesta de aniversario, me enfadaré mucho contigo.

6. En caso de que yo _____ (poder) llegar pronto, te avisaría.

7. A no ser que mi marido _____ (tener) mucho que hacer, mañana iríamos a cenar con vosotros.

8. Carlos le prometió a su secretario que le pagaría un viaje siempre y cuando él _____ (comprometerse) a terminar el proyecto a tiempo.

8. Lee el siguiente texto y contesta las preguntas.

Cada día valoramos más el espacio y los ambientes en los que trabajamos y vivimos. Algunas personas han convertido esta preocupación por la estética y la comodidad en su profesión: "Nuestro trabajo consiste en diseñar espacios verdes (jardines, terrazas, parques...) desde su concepción en el estudio hasta su ejecución en el campo de trabajo", explican Carlos y Teresa.

"Lo más duro es empezar de la nada. Al principio hacíamos los trabajos puramente de jardinería, desde plantar hasta mover piedras. El primer dinero que conseguimos lo invertimos en materiales; luego compramos un ordenador y una furgoneta. Pronto aprendimos no sólo a diseñar en un papel, sino a observar el comportamiento de las plantas en un jardín".

Dedican unas dos semanas a preparar cada proyecto. Una vez elaborado, le entregan al cliente una carpeta con los planos, el presupuesto y un calendario de mantenimiento. No existen tarifas oficiales y cada profesional cobra sus servicios según su criterio.

En caso de que te interese el mundo de las plantas, puedes prepararte para ejercer como paisajista de forma autónoma o en gabinetes de trabajo medioambiental. Es una profesión con futuro en la que aún quedan muchos campos por descubrir.

1. ¿Qué significa ser un paisajista?
2. ¿Cuáles fueron las primeras necesidades del negocio de Carlos y Teresa?
3. ¿Qué información recibe el cliente una vez estudiada su petición?
4. ¿Cómo puedes desarrollar tu trabajo si te interesa ser paisajista?

 Soy capaz de...

☐ ☐ ☐ *Debatir sobre un tema polémico.*

☐ ☐ ☐ *Diferenciar el género de los nombres de seres animados.*

☐ ☐ ☐ *Escribir un currículum vitae para solicitar trabajo.*

☐ ☐ ☐ *Hablar de servicios públicos.*

☐ ☐ ☐ *Expresar condiciones con conectores como a no ser que, con tal de que...*

1. ¿Has tenido alguna vez algún problema con la policía? ¿Qué te pasó?

VOCABULARIO

2. Relaciona con su definición.

1. delito	a	7. contrabando	☐
2. delincuente	☐	8. crimen	☐
3. hurto	☐	9. secuestro	☐
4. soborno	☐	10. homicidio	☐
5. bigamia	☐	11. asesinato	☐
6. fraude	☐	12. evasión de impuestos	☐

a. Acción u omisión voluntaria castigada por la ley.
b. Delito grave que consiste en matar, herir o hacer daño a una persona o a una cosa.
c. Delito que consiste en matar a una persona.
d. Engaño que se hace en contra de la ley para obtener un beneficio.
e. Acción de retener a una persona con el fin de pedir algo a cambio.
f. Muerte que se da a una persona intencionadamente.
g. Estado del que ha contraído matrimonio con dos personas a la vez.
h. Entrega de dinero (o cualquier servicio) que se hace a una persona para que haga algo ilícito.
i. Acción de introducir (o sacar) de un país mercancías prohibidas.
j. Persona que comete un delito.
k. Acción del contribuyente para evitar pagar impuestos.
l. Delito que consiste en tomar algo ajeno sin la voluntad del dueño.

ESCUCHAR

3. Javier cuenta lo que le pasó un día que salió a cenar. Escucha y señala *V* o *F*. **25** 🎧

1. Javier bebió alcohol en la cena. [V]
2. Pensaba que más tarde no sentiría el efecto del alcohol. [V]
3. Al salir del restaurante la policía lo detuvo. [F]
4. Tenía demasiado alcohol en la sangre. [V]
5. La policía le puso una multa de 245 € y le quitó el carné de conducir por dos meses. [F]

4. Completa los titulares periodísticos con palabras de la actividad 2.

> Un empresario valenciano (1) *ha sido secuestrado* para pedir un rescate a su familia.

> En los últimos seis meses ha bajado el número de (2)_____ respecto al mismo periodo del año pasado.

> En la línea 4 del Metro los (3)_____ cometidos por carteristas son más frecuentes que en el resto de líneas de metro.

> Una conocida marca de patatas fritas ha sido condenada por (4)_____ contra la salud pública. Decía que las patatas estaban fritas con aceite de oliva y no era verdad.

Muere un (5)_____ de un disparo de la policía en un tiroteo a la salida del banco que acababa de atracar.

El concejal de urbanismo de Villanueva está acusado de (6)_____ por haber aceptado el regalo de un chalé que le hizo el constructor de la urbanización.

D. Un hombre se casa por segunda vez sin haberse separado previamente de su primera esposa.

E. Una mujer que ha sido maltratada por su marido durante años, un día lo mata con un cuchillo.

F. Un turista compra una cerámica muy antigua y la saca del país.

G. Una empleada de supermercado al final de la tarde llena su cesta de alimentos y no pasa por caja.

HABLAR

5. En grupos de tres. De los delitos que siguen, decidid primero cuáles son más graves o menos. Luego pensad qué penas merecen. Las penas pueden ser expresadas en multas, prisión u otro tipo de castigo. A continuación, poned en común con toda la clase vuestra clasificación.

A. Una adolescente roba un par de zapatillas deportivas en una tienda.

B. Un constructor paga varios millones de euros a un alcalde para que este le permita construir pisos al lado de la playa.

C. Un carterista roba tres carteras en una tarde a varias personas.

GRAMÁTICA

SIEMPRE QUE Y MIENTRAS (QUE)

- Unas veces introducen oraciones con valor temporal. Se construyen con **indicativo** o **subjuntivo**.

  Siempre que venía de un viaje, mi padre me traía un regalito.

  Mientras hay vida, hay esperanza.

  Mientras haya vida, habrá esperanza.

  Mientras abrían la puerta, Carlos se arregló el nudo de la corbata.

- Otras veces introducen oraciones condicionales. Se construyen con **subjuntivo**.

  Hoy saldremos antes del trabajo, siempre que el director nos dé permiso (= si el director nos da permiso).

  Mientras no termines los deberes, no saldrás a jugar.

10 A

6. Relaciona las dos partes.

1. Siempre que necesites un amigo,	e
2. Mientras no hagas ruido,	☐
3. Mientras se dirigían desde la cárcel al juzgado,	☐
4. Siempre que llamaba	☐
5. Mientras no llueva,	☐
6. Siempre que salgas,	☐
7. Mientras le durara el enfado	☐

a. dos presos lograron escapar del furgón.

b. puedes jugar a lo que quieras.

c. no podemos sembrar maíz.

d. no volvería a hablar con sus padres.

e. llámame o ven a mi casa.

f. preguntaba por su hermano gemelo.

g. cierra la puerta con llave.

B. Me han robado la cartera

1. ¿Conoces la expresión "in fraganti"?

2. Relaciona las dos columnas. Para ayudarte, mira en el artículo en qué contexto aparecen.

1. absolver	a. juez
2. vulnerar	b. coincidir
3. revocar	c. declarar inocente
4. percibir	d. entrar
5. concurrir	e. cobrar
6. acceder	f. sentencia
7. magistrado	g. violar
8. fallo	h. anular

3. Lee detenidamente el artículo y luego señala V o F.

Un juez absuelve a la dueña de un taller ilegal porque la policía entró sin orden judicial.

La Audiencia de Tarragona *ha absuelto* a la propietaria de un taller ilegal de confección que funcionaba en un garaje de un barrio porque la policía accedió sin orden judicial de registro y *vulneró su derecho* constitucional a la inviolabilidad del domicilio. La sentencia *revoca la decisión* del Juzgado de lo Penal número 1, que había dictado una resolución pionera en España al condenar a la dueña de esta industria a cuatro años de cárcel por "esclavizar" a sus empleados, dado que en esa vivienda trabajaban nueve personas indocumentadas, con jornadas laborales de catorce horas diarias, sin *percibir sueldo* alguno.

Los magistrados de la Sección Primera consideran que en el taller clandestino de Tarragona no se estaba cometiendo un delito flagrante de acuerdo con los requisitos que exige la jurisprudencia del Tribunal Supremo para poder acceder sin permiso judicial.

El *fallo* subraya que la policía, acompañada de una inspectora de trabajo, entró en el taller aprovechando que desde el interior abrieron la puerta a una persona, sin que tuvieran un conocimiento fundado de que en esos momentos se estuviese llevando a cabo una acción delictiva o que la comisión del delito fuese evidente. "El tribunal advierte de que, al no existir una situación de *flagrancia delictiva*, la policía debió acudir previamente a la autoridad judicial para obtener el correspondiente mandamiento porque no concurrían los requisitos del delito *in fraganti*".

1. Un juez ha absuelto a la propietaria de un taller de confección. **[V]**
2. La empresaria había sido condenada a varios años de cárcel por abusar de sus empleados. ☐
3. La nueva sentencia argumenta que en el momento en que entró la inspectora en el taller se estaba cometiendo un delito. ☐
4. Para entrar en un lugar privado es necesario que la policía tenga un poder judicial. ☐
5. Para poder entrar en un lugar privado sin permiso judicial es necesario que se cometa un delito *in fraganti*. ☐

HABLAR

4. Comenta con tus compañeros.

- ✓ ¿Te parece justa la sentencia?
- ✓ Si tú fueras juez, ¿qué habrías decidido?

ESCUCHAR

5. Escucha las noticias sobre unos robos y responde a las preguntas. **26**

A

1. ¿Dónde robaba el ladrón detenido?
2. ¿Por qué se inició la investigación?
3. ¿Cómo describen al ladrón?
4. ¿Qué tenía en su poder en el momento de la detención?

B

1. ¿Cuál ha sido la condena del ladrón del chalé?
2. ¿Dónde ocurrió el robo?
3. ¿Cuáles son los delitos que se le imputan?
4. ¿Tendrá que indemnizar a alguien?

ESCRIBIR

6. En parejas. Escribe con tu compañero una noticia de unas 60 palabras sobre un delito de los que aparecen en el periódico o en la televisión de tu país habitualmente.

GRAMÁTICA

> **ORACIONES DE RELATIVO. INDICATIVO O SUBJUNTIVO**
>
> Las oraciones de relativo pueden llevar el verbo en indicativo o subjuntivo.
>
> **Indicativo**
> • Cuando el hablante habla de algo concreto e identificado, que sabe que existe.
>
> *Mañana te traeré la bicicleta que me pediste.*
>
> **Subjuntivo**
> • Cuando el hablante habla de algo no identificado o dice que no existe.
>
> *Te traeré la bicicleta que me pidas.*
> *No hay nadie que haga la paella como mi mujer.*
>
> • Cuando el hablante pregunta por la existencia de alguien o algo.
>
> *¿Conoces un abogado que sea bueno?*

presente con presente

7. Elige la opción más adecuada.

1. No encontraron a nadie que *quisiera / quería* testificar contra el presunto homicida.
2. Han sido detenidos los hombres que *robaron / robaran* varios chalés en la zona de la Costa Brava.
3. Están buscando a la mujer que *ha cometido / haya cometido* varios hurtos en los supermercados del barrio de Vistalegre.
4. Una familia ofrece una recompensa de 12.000 € a quien le *dé / diera* información sobre el paradero de su hijo desaparecido.
5. El jefe de la policía cree que los delitos que se *cometen / cometan* últimamente son más sangrientos que antes.
6. El propietario de un bar ha denunciado a una vecina que cada noche tiraba agua por la ventana a los clientes que *entraran / entraban* y *salieran / salían* de su local.
7. La ley del carné por puntos multará con penas de hasta 2 años de cárcel a quien *conduce / conduzca* bebido.
8. Cuando la policía entró en el local, no vio a nadie que se *pareciera / parecía* al criminal.

porque no existe

8. Termina las frases con los elementos del recuadro. Hay varias opciones.

10 B

> • saber bailar estupendamente
> • servir de recuerdo
> • vivir por encima de sus posibilidades
> • comprender bien su problema
> • contaminar poco

1. Rafa encontró por fin un psicólogo que *comprendía bien su problema.*
2. Deberías buscar un psicólogo que _____
3. A esa discoteca iba para _____
4. En Ibiza conocimos a mucha gente que _____
5. Le han regalado algo que _____
6. No había nadie que _____
7. Me gustaría regalarle algo que _____
8. Miguel me dijo que quería conocer a gente que _____
9. Quiere comprarse un coche que _____
10. ¿Conoces alguna industria que _____?

C. se me ha estropeado el coche

1. ¿Crees que vale la pena tener coche en una ciudad grande con problemas de tráfico y aparcamiento?

2. Mira el dibujo y escribe el número correspondiente.

a. volante   **3**

b. intermitentes   ___

c. faros   ___

d. neumáticos   ___

e. carrocería   ___

f. maletero   ___

g. limpiaparabrisas   ___

h. depósito de gasolina   ___

i. ruedas   ___

j. cinturón de seguridad   ___

k. guantera   ___

l. ventanilla   ___

HABLAR Y ESCRIBIR

3. En parejas. ¿Qué es necesario tener en cuenta cuando uno tiene que hacer un viaje largo en coche? Haz una lista de consejos con tu compañero.

ANTES DE SALIR DE VIAJE

Hay que revisar los neumáticos.

_____

_____

_____

_____

_____

_____

COMUNICACIÓN

ACONSEJAR

*Si tienes problemas con el coche, **tráelo** a nuestro taller, te lo dejaremos nuevo.*

*Antes de pagar la reparación **tienes que comprobar** que el coche funciona perfectamente.*

***No te olvides de** llenar el depósito de gasolina antes de salir de viaje.*

4. Lee ahora los consejos que dan en una revista. ¿Coinciden con los que tenéis?

El coche: puesta a punto

Si quiere viajar seguro, compruebe siempre el estado general de su coche antes de salir. ¡No tenga prisa! Si no tiene tiempo o conocimientos suficientes, acuda a un taller mecánico. Ellos se encargarán de todo.

✔ Para empezar, compruebe la presión de las ruedas y el estado de los frenos.

✔ ¡Cuidado con el nivel de aceite y con los filtros del aceite y del aire!

✔ En invierno, no olvide el anticongelante.

✔ El líquido de frenos y la batería tienen que estar a punto.

✔ Supervise el funcionamiento y reglaje de las luces y lleve siempre repuestos: recuerde que la ley le obliga.

✔ No debe pasar por alto el estado de la correa del ventilador. Conviene cambiarla cada 70.000 kilómetros.

✔ Aunque no llueva, acuérdese de revisar el estado de los limpiaparabrisas y de llenar el depósito de agua.

✔ Vigile los amortiguadores. Viajará más seguro y cómodo y protegerá su carrocería.

10
C

5. Haz la lista de las palabras o expresiones relacionadas específicamente con el coche que aparecen en el texto anterior.

Líquido de frenos…

6. Escribe frases utilizando el vocabulario aprendido.

Tengo que llevar el coche al taller porque un intermitente no funciona.

ESCUCHAR

7. Vas a oír dos conversaciones en un taller de coches. Escucha la *grabación* y señala *V* o *F*. Cuando sea *F*, corrige la información. **27** 🔘

A

~~1.~~ La clienta tiene un problema con la gasolina. ☐ *aire acondicionado*

2. La reparación le saldrá por unos 90 €. ☑

3. La clienta traerá el coche una hora más tarde. ☐ *por la mañana 8.30*

B

4. La reparación correrá a cargo de la compañía de seguros. ☒

5. El cliente frenó porque el coche de detrás le dio un golpe. *F* ☑

6. El mecánico tiene bastante trabajo. ☑

7. El cliente deja el coche para que se lo arreglen. ☑

HABLAR

8. Imagina que tienes un problema con el coche y tienes que ir al taller. Escribe una conversación con tu compañero. Representadla ante el resto de la clase.

COMUNICACIÓN

EXPRESAR INVOLUNTARIEDAD EN LA ACCIÓN

• En español usamos una estructura compuesta de dos pronombres + algunos verbos (*romper, estropear, perder*) cuando queremos expresar que la acción denotada por el verbo es involuntaria.

***Se me** ha caído el vaso y **se me** ha roto.*

*A mi padre **se le** ha quemado otra vez la comida y tenemos que comer bocadillos.*

9. Forma frases siguiendo el ejemplo.

1. quemar / la comida. (a mí)
   Se me ha quemado la comida.
2. estropear / la caldera de la calefacción. (a mí)
3. ¿perder / las llaves? (a ti)
4. Pedro / olvidar / la cartera en casa. (a él)
5. Rafa y Mayte / escapar / el tren. (a ellos)
6. perder / el perrito. (a nosotros)
7. ¿olvidar / que mañana es el cumpleaños de Victoria? (a vosotros)

10. En los diálogos que siguen hemos suprimido los pronombres correspondientes. Escríbelos donde correspondan.

1. A. Roberto, ¿puedes prestarme un cartucho de tinta para la impresora? Es que ha acabado la mía y no tengo repuesto.

2. A. ¿Qué te pasa, Ana? ¿Qué haces de rodillas?
   B. Es que ha caído un pendiente y estoy buscándolo.

3. A. ¿A quién llamas ahora por teléfono?
   B. Al fontanero, ha estropeado el grifo de la ducha y no puedo cortar el agua.

4. A. ¿Sabes qué le ha pasado a Sebastián?
   B. No, ni idea.
   A. Pues que olvidó incluir unos ingresos en la declaración de la renta y ahora tiene que pagar una multa.
   B. Pues vaya faena.

5. A. ¡Mamá, a Pablo y a mí ha ocurrido una idea!
   B. ¡Ah, sí! ¿Cuál?
   A. Hemos pensado que, si no tienes ganas de cocinar, podemos pedir una pizza por teléfono.

10
C

D. Escribe

UN INFORME DE UN ACCIDENTE

1. ¿Has tenido que escribir un informe alguna vez? ¿Para qué?

2. A continuación hay un parte de un automovilista que tuvo un accidente. Léelo y contesta.

¿A quién va dirigido el escrito?   *¿Qué objetivo tiene?*   *¿Qué puedes decir del estilo?*

"MM MUTUAMADRILEÑA **"**
Sociedad de Seguros

P.º de la Castellana, 33. 28046 Madrid
Tel.: 91 557 82 00. www.mutua-mad.es

DECLARACIÓN DE ACCIDENTE SIN CONTRARIO
IMPORTANTE:
ESTA DECLARACIÓN PUEDE PRESENTARSE DIRECTAMENTE EN EL TALLER CONCERTADO

Nº de póliza	Matrícula	Marca y modelo	Color	Metalizado
				SÍ ☐ NO ☐

Asegurado:
Conductor: _____ N.I.F.: _____ Fecha 1ª exp. Carnet Conducir: _____ Edad: ____

FECHA Y LUGAR DEL ACCIDENTE	**TIPO DE SINIESTRO**
Día: _____ Mes: _____ Año: _____ Hora: _____ Calle/Lugar: _____ P. kilométrico: _____ Ciudad: _____ Provincia: _____	Aparcamiento ☐ Intento de robo ☐ Luna ☐ Incendio ☐ Robo ☐

Describa la forma en que se produjo el accidente:

El pasado 15 de septiembre a las diez y media de la mañana, iba de viaje por la carretera E-4 en dirección a Sevilla. Mi velocidad era de 115 kilómetros por hora, dentro de los límites establecidos en esa zona. A la altura de Valdepeñas, un perro se cruzó delante de mi coche y no tuve más remedio que dar un frenazo para no atropellarlo. A consecuencia de mi frenazo, el coche que venía detrás, un Ford Focus, tuvo que frenar, pero su distancia con mi coche era insuficiente y me dio un fuerte golpe. Aunque nadie resultó herido, los daños en ambos coches fueron de cierta consideración.

Describa de forma detallada cada pieza dañada y señálelas en el gráfico:

-Puerta del maletero hundida.
-Parachoques trasero roto.
-Luces traseras del lado derecho (intermitente, luces de posición) rotas.

Taller reparador: _____

En _____ a _____ de _____ de 20 ___

El Asegurado (*)

Un informe tiene como objetivo presentar información relevante sobre un hecho a fin de que el destinatario pueda tomar una decisión sobre lo informado.

El estilo debe ser claro y conciso, sin adjetivaciones, y debe presentar los hechos de forma objetiva, con los datos necesarios para facilitar la labor del lector.

En la vida laboral es muy frecuente escribir informes por diferentes razones:

- ➡ Para justificar un gasto en una empresa.
- ➡ Para explicar los resultados de una investigación científica.
- ➡ Para dar cuenta de una beca.
- ➡ Para evaluar las necesidades de un centro: escuela, hospital, edificio.

3. Elige una de las tareas.

A
Imagina que tu escuela te ha concedido una beca para estudiar español en España durante un mes y tienes que escribir un informe para justificar el importe de la beca. Escribe un informe después de haber realizado el curso.

B
Imagina que has tenido un pequeño accidente con el coche. Escribe un informe para la compañía de seguros.

LA CULTURA MAYA

1. ¿Qué sabes de los mayas? Coméntalo con tus compañeros.

2. Lee el texto y completa los huecos con las palabras del recuadro.

> parte de – El mayor apogeo – la más desarrollada – todavía – el inicio – tan importantes
> se extendió – se mezclan

Los mayas

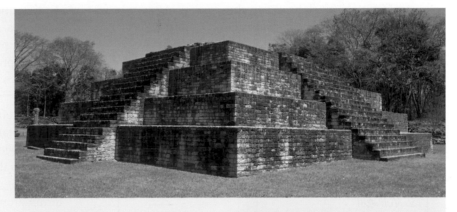

El pueblo maya (1)*se extendió* por los actuales estados mexicanos de Yucatán, Campeche, Quintana Roo, Chiapas y Tabasco, y los países centroamericanos de Belice y (2)_____ Guatemala y Honduras. Pero en sentido estricto, se da hoy este nombre sólo a los miembros de este pueblo que ocuparon la península de Yucatán.

Se suele fechar (3)_____ de la cultura maya hacia el 250. En esa fecha aparecieron el calendario maya, la escritura y diversas innovaciones artísticas que alcanzaron un gran apogeo.

La cultura maya es (4)_____ de toda la América Latina. Fue un pueblo con muchos contactos comerciales con otras culturas, lo que propició un enriquecimiento de influencias mutuas.

(5)_____ de la cultura maya se dio entre 290 y 900. En ese periodo la civilización maya logró alcanzar un grado de desarrollo que, en algunos aspectos, sobrepasó los conocimientos de las culturas contemporáneas europeas, aunque careció de elementos culturales (6)_____ como la rueda y la metalurgia.

Las realizaciones más sobresalientes de los mayas fueron:

✱ La elaboración de un complicado y exacto cálculo del tiempo con dos tipos de calendarios el lunar y el solar.

✱ Un sistema numeral basado en puntos y rayas.

✱ Un sistema de escritura propio. En la escritura maya (7)_____ elementos silábicos, idiográficos y fonéticos. Los grifos mayas son numerosísimos y (8)_____ no se han descifrado en su totalidad.

✱ **La astronomía.** Sus conocimientos astronómicos eran muy amplios. Se conserva un importante *Códice de Dresde*, donde en seis páginas se detalla el ciclo del planeta Venus y se hacen observaciones sobre los movimientos de otros planetas.

El maya

La lengua maya comprende los dialectos *huastecos* (con unos 50.000 hablantes en el estado de Veracruz) y una compacta agrupación de lenguas en el estado de Yucatán (más de 30.000 hablantes). Las lenguas mayas más importantes son la *quiché* y la *maya* propiamente dicha.

Transcritas en caracteres latinos, se conservan la cosmogonía quiché, conocida como *Popol Vuh* (s. xvi), y las crónicas y profecías mayas de *Chilam Balam*. También se conservan tres manuscritos en su escritura ideográfica con elementos fonéticos que todavía se están descifrando.

3. Responde a las preguntas.

1. ¿Cuándo se considera que comenzó la cultura maya como tal?
2. ¿Cuáles fueron las carencias principales de la cultura maya?
3. Enumera los logros principales de los mayas.

4. En grupos de tres o cuatro. Elaborad un texto similar al anterior sobre una cultura próxima a la vuestra.

1. Elige la opción correcta.

1. Es obligación de todo ciudadano *cumplir / vulnerar* las leyes.
2. Ahora estoy leyendo un libro que se titula "Todos *cometemos / cumplimos* errores".
3. La policía *cumplió / vulneró* un derecho al entrar en un domicilio particular sin mandato judicial.
4. El magistrado *absolvió / revocó* la sentencia anterior porque no se ajustaba al derecho.
5. El juez *ha acusado / ha condenado* a dos años de cárcel a la mujer que atropelló a un anciano y se dio a la fuga.
6. El Tribunal *ha absuelto / ha vulnerado* a los acusados del fraude del aceite de oliva.

2. Relaciona cada término con el grupo correspondiente.

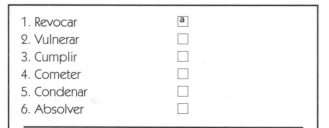

1. Revocar ……… a
2. Vulnerar ……… ☐
3. Cumplir ……… ☐
4. Cometer ……… ☐
5. Condenar ……… ☐
6. Absolver ……… ☐

---

a. una sentencia, un permiso, una ley, una resolución.
b. al culpable, a prisión, a muerte.
c. un delito, un robo, un crimen, un error.
d. de un pecado, de culpa, de un delito.
e. una orden, las normas, las leyes, las obligaciones.
f. un derecho, un secreto, un tratado, una ley.

3. Completa la tabla

VERBO	PARTICIPIO	NOMBRE
condenar	condenado	condena
absolver		
sentenciar		
detener		
	acusado	
violar		
		juez
	denunciado	

4. Escribe el verbo en la forma adecuada.

1. Mientras que no *cambies* de hábitos, no mejorarás la salud.
2. No te escucharé mientras no me _____ que a partir de ahora vas a tomarte en serio los estudios. (prometer)
3. Mis padres iban a ver a los abuelos siempre que _____ un par de días libres. (tener)
4. A mi vecina no le importa quedarse con mis hijos pequeños, siempre que _____ bien. (portarse)
5. Pepa es una pesada, siempre que _____ el más mínimo problema, nos llama a nosotros. (tener)
6. Tú puedes llamarnos siempre que _____. (querer)
7. Hay un refrán que dice: "mientras _____ vida, hay esperanza". (haber)
8. Roberto siempre dice: "Mientras _____ salud, seguiré trabajando". (tener)
9. Mientras _____ los invitados, los anfitriones terminaron de preparar la mesa. (llegar)
10. Mientras que no _____ mucho, puedes quedarte aquí conmigo. (molestar)

5. Completa los nombres de partes del coche.

1. Sirve para guardar algunas cosas dentro del coche.
   G_ _ _ _ _ _ _
2. Para guardar el equipaje.
   M_ _ _ _ _ _ _
3. Foco que ilumina.
   F _ _ _
4. Es redondo y sirve para controlar los movimientos del coche .
   V _ _ _ _ _ _ _
5. Lo necesitamos cuando llueve.
   L _ _ _ _ _ _ _ _ _ _ _ _ _ _ _ _
6. Cubre todo el coche y es de chapa.
   C _ _ _ _ _ _ _ _ _
7. Son redondas y muy importantes.
   R _ _ _ _ _
8. Luces para indicar el cambio de dirección
   I _ _ _ _ _ _ _ _ _ _ _ _

10
E

6. Completa las frases con el verbo en la forma adecuada.

> compensar – maltratar – dar – abusar
> atender – parecer

1. Aquella noche no había nadie que *atendiera* las llamadas de urgencia.
2. La policía identificó a los que _____ a una joven en la puerta de la discoteca.
3. Ya hemos presentado la denuncia contra la empresa que _____ de sus empleados
4. La madre a la que habían retirado el hijo cuando era un bebé comentó que no había dinero que - _____ el sufrimiento que había pasado.
5. El testigo declaró que cuando llegó a su casa no había visto nada que le _____ fuera de lo normal.
6. Lorenzo abrió la carpeta que le _____ su jefa.

7. En las conversaciones siguientes hemos omitido 10 pronombres. Escríbelos en su sitio.

1.
A. Hola, Rosa, ¿qué tal te va?
B. Bien, ¿y tú?
A. Bueno, la verdad es que estoy algo preocupada por Andrés.
B. ¿Y eso?
A. Pues mira, resulta que últimamente le olvida todo. Yo digo las cosas, y él dice que no se he dicho, así que estamos todo el día discutiendo. Este mes se han perdido las llaves del coche y las de casa. El mes pasado le perdió una carpeta con documentos.
B. Vaya, ¿y qué vas a hacer?
A. Pues he pedido hora al neurólogo y vamos a ir mañana, a ver qué dice.
B. Bueno, espero que no sea nada.

_____

2.
A. ¿A quién le ha ocurrido la gran idea de venir hoy a la playa, con el frío que hace?
B. Me ha ocurrido a mí, la próxima vez haremos lo que te ocurra a ti, a ver si piensas algo mejor.

_____

3.
A. ¿Qué tal tu padre, le ha pasado la pena por la muerte de tu madre?
B. Hombre, del todo no se va a pasar nunca, pero vaya, está algo mejor.

8. En la noticia que sigue hemos borrado algunos términos fundamentales para entenderla. Reescríbela colocando las palabras del recuadro en el hueco correspondiente.

> inicio – cuenta bancaria – prisión – el acceso
> un delito – aportaciones – la víctima – titular
> condenado – juzgado

Condena de cárcel por apropiación de página "web"

Un (1) *juzgado* de Sevilla ha condenado a dos años de (2)_____ por (3)_____ de descubrimiento de secreto de empresas a un *hacker* que se apoderó de una página especializada en el Festival de Eurovisión y desde donde pedía (4)_____ voluntarias de dinero. El (5)_____, propietario de una tienda de informática de Coria (Sevilla) y que había sido empleado de (6)_____, se dirigió al proveedor de acceso a la citada página haciéndose pasar por su (7)_____ y solicitó nuevas claves para controlar (8)_____ a la página propiedad de la víctima. Tras obtenerlas, sustituyó la página de (9)_____ por otra en la que, sobre un fondo blanco, se indicaba que el portal estaba desactivado por problemas económicos. Y, para volver a ponerla en marcha, se pedían aportaciones voluntarias a los seguidores del festival, indicando un número de (10)_____.

(Adaptado de *El País*)

 Soy capaz de…

 Hablar de delitos y penas.

 Utilizar oraciones de relativo con indicativo y subjuntivo.

Hablar de averías y reparaciones del coche.

 Expresar involuntariedad en la acción.

Escribir un informe de accidente de coche.

10
E

A. Animales

1. ¿Te gustan los animales? ¿Tienes alguno en tu casa? ¿Vas mucho al zoo? Coméntalo con tus compañeros.

VOCABULARIO

2. Relaciona cada animal del recuadro con su descripción.

> canario – cerdo – pingüino – cebra – lagartija

1. Ave de dorso oscuro y vientre blanco, incapaz de volar por tener alas adaptadas a la natación. Viven en el hemisferio sur. *pingüino*
2. Mamífero con aspecto similar al del caballo, pero con un rayado de bandas negras sobre fondo blanco o parduzco. *cebra*
3. Ave común de colores verdes, amarillos y grisáceos. Introducidos en la península Ibérica después de la conquista de Canarias. Es conocido por la belleza de su canto. *canario*
4. Reptil de coloración muy variable y de tamaño pequeño. Tiene la cabeza alargada y la cola muy puntiaguda. Viven debajo de las piedras y en las rocas. *lagartija*
5. Mamífero doméstico de piel gruesa, cubierta de pelos largos y duros, que recubre una capa de grasa también muy gruesa. Extremidades muy cortas con cuatro dedos y una cola corta y delgada que se arrolla en espiral. *cerdo*

3. Intenta completar con el nombre de un animal.

Duerme como un _Lirón_ _hibernar_   Habla como un _loro_

Tiene memoria de _pez elefante_

VOCABULARIO. Expresiones idiomáticas

4. Termina la frase con la expresión correspondiente.

1. Cree que no le han dicho la verdad y por eso **b**
2. Esta noche he descansado de maravilla, **c**
3. Mi sobrina tiene tres años. Está muy graciosa y **a**
4. A pesar de sus 82 años, mi abuela puede coser sin gafas, **d**
5. Creo que he comprado todo lo que me pediste, pero **i**
6. Este niño es bobo, sólo a él se le ocurre escribir su nombre en la pared. **f**
7. Ha ganado varios concursos de preguntas culturales de la tele, **j**
8. Tiene mucho éxito entre los chicos. Hay que reconocer que **g**
9. No gana mucho dinero a pesar de que **e**
10. El niño de Mayte come muy bien y no se pone nunca enfermo. Está **h**

a. habla como un loro.
b. está muy mosqueado.
c. he dormido como un lirón.
d. tiene una vista de lince.
e. trabaja como una mula.
f. tiene menos seso que un mosquito. *inteligente*
g. es bastante mona.
h. fuerte como un toro.
i. por si las moscas, revisaré la lista.
j. tiene una memoria de elefante.

mono = lindo

Tiene una vista de _lince_ / _águila_

Es fuerte como un _toro_

HABLAR

5. En parejas. Describe una situación para que tu compañero adivine a qué expresión te refieres.

A: *No estoy seguro de haber dejado claro a qué hora empieza la fiesta. Tengo que llamarle.*

B: *¿Podría ser: por si las moscas voy a llamarle?*

6. En grupos de cuatro, inventa descripciones de otros animales, para que los adivinen tus compañeros.

ESCUCHAR

7. Vas a oír una entrevista con motivo de una Expo Dinosaurios. Escucha y contesta las preguntas. **28**

1. ¿Cómo tenía la cabeza el tyrannosaurus?
2. ¿Y los dientes?
3. ¿De qué se alimentaba?
4. ¿Dónde habitaban los dinosaurios más grandes, recientemente descubiertos?
5. ¿Qué podemos ver en la Expo Dinosaurios?

8. Lee el siguiente texto y reconstrúyelo incluyendo cada fragmento en su lugar.

A. comprender su parloteo
B. por lo menos no como nosotros
C. que se extiende a nuestro alrededor
D. del canto de los ratones
E. los que nos sorprenderán
F. ha pasado a los simios
G. lo hizo en sentido figurado
H. que se coordinan a kilómetros de distancia
I. se mantiene firme en un punto

11
A

¿De qué hablan los animales?

Los animales invierten mucho tiempo y energía comunicándose entre sí y, en ocasiones, intentando hacerlo con nosotros. Una fenomenal algarabía (1) _C_ y de la que ni nos percatamos. Los especialistas comienzan a desvelar el enigma.

Los animales no saben hablar, (2) _B_; sin embargo, a nuestro alrededor, miles de especies charlan animadamente. Entender lo que se dicen tiene intrigada a la humanidad, aunque hasta no hace mucho (3) _A_ quedaba reservado a figuras míticas como el rey Salomón o San Francisco de Asís. Hoy, gracias a científicos empeñados en descifrar hasta el más opaco de los códigos, nuestra curiosidad empieza a verse satisfecha.

Años de minuciosas observaciones están sacando a la luz los curiosísimos modos desarrollados por las especies para enviarse mensajes, a menudo con sonidos para nosotros inaudibles. Tal es el caso de los elefantes, (4) _H_ mediante infrasonidos sólo perceptibles para sus grandes orejas. Las hembras, por su parte, los emiten a fin de dar su ubicación e informar de que han entrado en celo.

Más sorprendente resulta el descubrimiento (5) _D_. Cuando Kafka escribió su cuento *Josefina la cantora o el pueblo de los ratones,* (6) _G_: en aquel entonces no se pensaba que tales roedores pudieran cantar. Estudios recientes han detectado que lo hacen mediante ultrasonidos, posiblemente como parte del rito de cortejo. En las últimas décadas, la fama de parlanchines (7) _F_. Cada especie utiliza un gran número de llamadas,

expresiones faciales y gestos corporales. El grito más impresionante lo lanza el orangután: un rugido audible en dos kilómetros a la redonda. Con su vozarrón, el macho anuncia su presencia, reclama un territorio y llama a las hembras.

Por lo pronto, el consenso científico (8) _I_: el lenguaje humano trasciende en complejidad la comunicación animal más sofisticada: los animales más avanzados no superan las habilidades expresivas de un niño de dos años.

No nos extrañemos si esas certezas deben revisarse en un futuro no muy lejano; posiblemente serán los delfines y las ballenas (9) _E_ con sus sistemas de comunicación más globales y complejos.

PABLO FRANCESCUTTI, *EPS*

B. El clima

1. Mira el mapa de España y los signos del tiempo. Con tu compañero, repasa el vocabulario referido al tiempo atmosférico.

Viento, lluvia, tiempo soleado, tormentoso…

2. Escucha las predicciones meteorológicas para la próxima jornada. Completa la información.
29

1. En Galicia y en el Cantábrico predominarán _____.

2. En Extremadura, Andalucía y Canarias tendrán _____.

3. En las Baleares y en la costa de Cataluña los cielos estarán _____.

4. En Castilla-La Mancha, Valencia, Navarra y Aragón habrá _____, durante las primeras horas del día.

5. En el interior de Galicia, el norte de Castilla y León, Cantabria y Asturias se producirán _____.

6. En el Cantábrico, la Rioja y Navarra habrá _____.

7. En Aragón y Castilla y León soplarán _____.

8. Se producirá una importante bajada de temperaturas en _____.

HABLAR

3. En parejas. Lee las afirmaciones siguientes y discute si son verdaderas o falsas.

1. Las estadísticas sobre el cambio de clima no son fiables. ☐
2. La causa principal del calentamiento global es el sol. ☐
3. Siempre ha habido desastres como sequías, inundaciones, huracanes, etcétera. ☐
4. No se puede predecir con seguridad el clima. ☐

4. Lee el artículo siguiente y confirma si vuestra opinión coincide con el autor del mismo.

La rebelión del clima

El año 2005 entrará con mayúsculas en los anales del clima. Fue, según la NASA, el más cálido desde que se tienen registros fiables (1890). La inmensa capa del hielo ártico se redujo a su mínima extensión y el número de huracanes superó su récord histórico. Hubo tantos que, por primera vez en la historia, el alfabeto latino no fue suficiente para nombrarlos y hubo que recurrir al viejo alfabeto griego. La Tierra ha sufrido terribles sequías (en España no hay precedentes de la actual escasez de lluvia), insólitas tormentas tropicales que llegan a Canarias, enormes glaciares que se funden y temperaturas en continuo ascenso (9 de los 10 años más cálidos jamás registrados se han dado desde 1995).

Todos estos fenómenos extremos, tomados por separado, no se pueden atribuir al cambio climático producido por la emisión de gases de efecto invernadero. Siempre ha habido sequías, años calurosos o huracanes especialmente destructivos. Pero todos ellos, vistos en conjunto, forman un panorama que los científicos comienzan a achacar directamente al *calentamiento global*. Hay un dato esclarecedor: los científicos predijeron hace décadas el deshielo masivo en el polo y el aumento de temperaturas por los gases del efecto invernadero. El británico Philip Jones, que coordina un grupo de científicos que estudia el cambio climático, es de los más claros: "Con un 99% de probabilidades estamos ante un cambio climático inducido por el hombre". Así mismo, el catedrático de la Universidad de Alcalá de Henares, Antonio Ruiz de Elvira, nos dice: "Hay una serie de ciclos en el clima. El ciclo natural en el que estamos es un viaje hacia el frío y los datos indican que hemos invertido nosotros, no la naturaleza, ese ciclo".

Predecir el clima para el año que viene es jugar a brujo. Sólo se pueden hacer predicciones a largo plazo, donde se puede aplicar la estadística. Y en ese plazo, todos los expertos coinciden: calor y fenómenos extremos.

Rafael Méndez
Extracto de *El País*.

5. Lee otra vez el texto y contesta las preguntas.

1. ¿Cuándo se empezaron a realizar las primeras mediciones climatológicas?
2. ¿Qué dos fenómenos climáticos dieron la alerta en el año 2005?
3. ¿En qué punto coinciden la mayoría de los científicos al analizar los motivos del cambio climático?
4. Según Philip Jones, ¿quién es el máximo causante del calentamiento global?
5. ¿A qué se refiere Antonio Ruiz de Elvira cuando habla de la inversión del ciclo natural del clima?

GRAMÁTICA

ORACIONES CONCESIVAS

Indicativo

- Cuando son hechos que el hablante estima que son ciertos.

  Aunque estaba nublado, nos fuimos al campo.

  Aunque está nublado, iremos al campo.

  A pesar de que hacía mucho calor, nadie se quejó.

Subjuntivo

- Cuando hablamos de hipótesis más o menos probables o hechos no constatados por el hablante.

  ▸ Hipótesis probable

  Aunque esté nublado, iremos al campo.

  Por mucho que llueva, la situación no va a mejorar.

  ▸ Hipótesis poco probable

  Aunque estuviera nublado, iríamos al campo.

6. Completa las frases con el verbo en la forma adecuada. A veces hay varias opciones adecuadas.

1. Aunque (comer) *comiera* muchísimo, Concha nunca sería una persona gruesa.
2. Por más consejos que le (dar) _dieron_ sus padres, siempre hizo lo que quiso. ✓
3. A pesar de todo lo que me (decir, ellos) ~~dijeron~~ *han dicho* / *digan* sigo sin entender cuál es el problema.
4. Aunque Marisa (poder) _pudiera_ cambiar de trabajo, seguiría en la misma empresa. ✓
5. A pesar de que el niño (estar) _está_ ✓ muy alto, sigue creciendo.
6. Aunque (salir, nosotros) ~~saliéramos~~ *hubiéramos salido* a las diez en punto, no habríamos llegado a tiempo.
7. Por mucho que (querer, ellos) _quieran_ / *quisieran*, no tendrían posibilidad de ir.
8. Por más seria que (ponerse) ~~se ponga~~ *ponga* / *pone* la profesora, los alumnos seguirán sin estudiar.
9. Aunque (ir, él) _vaya_ / *va* en avión, tardará casi un día en llegar.
10. Por más que (llover) _lloviera_, la situación no mejoraría
11. Por más que (trabajar, él) _trabajó_ toda su vida, nunca ahorró lo suficiente para comprar un piso.
12. Aunque (estar, tú) _estés_ / *estés* harta, debes seguir adelante. ✓

7. Construye oraciones concesivas con los siguientes datos.

1. vivir en la ciudad / no ir al teatro (yo):

   A pesar de que vivía en la ciudad, no iba mucho al teatro.

   A pesar de que vivo en la ciudad, no voy mucho al teatro.

   Aunque viva en la ciudad, no iré mucho al teatro.

   Aunque viviera en la ciudad, no iría mucho al teatro.

2. (yo) tener las vacaciones en agosto / no viajar a la playa.
3. (nosotros) estar muy concentrado / conseguir entenderlo.
4. (él) decir la verdad / (yo) no fiarse.
5. (ellos) ganar mucho / no estar contentos.
6. (yo) no ser muy aficionado al fútbol / ver el Mundial.

11 B

c. desastres naturales

sequía   incendio   inundación   terremoto

VOCABULARIO

1. Hablamos de desastre natural cuando ocurre un fenómeno terrible de la naturaleza, con resultado de muerte, destrucción y sufrimiento.

2. ¿Qué desastre natural corresponde a cada una de las siguientes descripciones?

1. El viento arrastró el coche hasta que lo vimos desaparecer calle abajo. *huracán*
2. Había por lo menos dos metros de profundidad y numerosos muebles flotando en el agua. _____
3. La hierba estaba completamente amarilla y la mayoría de las cosechas se echaron a perder por el calor. _____
4. Las paredes empezaron a moverse y se abrieron enormes grietas en el suelo. _____
5. Podíamos ver las llamas avanzando hasta la casa. Ardió todo en menos de dos horas. _____
6. La malaria se extendió rápidamente entre la población centroafricana. _____

3. Completa las frases con los verbos relacionados con los desastres naturales.

> barrer – asolar – morir de hambre
> sacudir – sufrir

1. El año pasado miles de personas _____ a consecuencia de la sequía.
2. Ayer, un gran terremoto _____ el norte del país.
3. Un huracán _____ anoche la costa oeste de la isla.
4. En 2005, España _____ la peor sequía de la última década.
5. El verano pasado un terrible incendio _____ el bosque de pinos.

4. Lee el siguiente texto y elige la opción más adecuada.

Volcanes

El sábado 22 de octubre de 2005, el volcán Sierra Negra, en las islas Galápagos, tras 27 años de inactividad, comenzó a disparar cenizas y gases. Tres días después la lava comenzó a fluir. Éste, sin embargo, no ha sido el único ejemplo eruptivo del año. Una semana antes, un grupo de observadores de El Salvador anunció que la columna de gases del volcán Santa Ana era muy débil y difusa. Tres horas después era ya de 300 metros. Las piedras y cenizas que expulsó el Santa Ana mataron a dos personas. Desde el mes de junio se había intensificado su vigilancia debido a que se habían registrado microsismos de mayor intensidad de los que suele mostrar ese volcán.

Estas han sido dos de las cinco erupciones volcánicas de este año. En los últimos 10.000 años se han activado 1.415 volcanes en el mundo. Una de las peores fue la del año 1815, cuando el Tambora, en Indonesia, mató a más de 92.000 personas.

Más cerca en el tiempo fue la explosión del Pinatubo, en Filipinas, que acabó con la vida de 800 personas. Algunos, como éste, entran en erupción cuando ya nadie se lo espera. Otros, como el Estrómboli, el Etna o los de Hawai, se activan con frecuencia.

¿Pero qué ocurre en las entrañas de la Tierra? Sucede que nuestro planeta se comporta como un alto horno; a unos 100 kilómetros de profundidad, las rocas se funden para formar el magma, que tiene tendencia a ascender hacia la superficie y escapar aprovechando las zonas más frágiles de la corteza terrestre.

Muy Interesante

huracán epidemia

1. El volcán Sierra Negra… ☐
 a. erupciona cada 27 años.
 b. llevaba 27 años sin erupcionar.
 c. ha erupcionado dos veces en los últimos 27 años.

2. El volcán Santa Ana llevaba siendo observado desde hacía varios meses porque… ☐
 a. estaba emitiendo columnas de gases.
 b. estaba expulsando piedras y cenizas.
 c. se habían registrado ciertos microsismos.

3. El volcán Pinatubo, en Filipinas… ☐
 a. entró en erupción de forma imprevista.
 b. erupciona con relativa frecuencia.
 c. no ha entrado últimamente en erupción.

HABLAR

5. En grupos de cuatro, comenta con tus compañeros.

> • ¿Cuál es tu reacción ante las noticias sobre desastres naturales: escepticismo, indiferencia, fatalidad, incredulidad, angustia, apatía, sorpresa? ¿Por qué?
>
> • ¿Has vivido alguna vez de cerca algún desastre natural (incendio, huracán, terremoto)? ¿Cómo fue? Cuéntaselo a tus compañeros.
>
> • ¿Qué crees que deberían hacer las autoridades, por ejemplo, el ministro de Medio Ambiente de tu país?

GRAMÁTICA

SUFIJOS DIMINUTIVOS

Los sufijos diminutivos añaden diferentes valores emocionales a la expresión. Aunque en principio son para hablar de cosas pequeñas, también tienen funciones afectivas y apreciativas.

• Los principales sufijos diminutivos son:

-ito (-cito, -ecito), -ico (-cico, -ecico), -illo (-ecillo), -ín / ina, -uelo / uela.

casa: *casita, casilla*
sol: *solecito*
amigo: *amiguito, amiguete*
ladrón: *ladronzuelo*
pequeño: *pequeñín, pequeñito*

• Muchos de estos diminutivos han perdido su valor connotativo y han adquirido un significado propio:

Mesilla, caseta, casilla, cartilla, maletín…

11
C

6. Completa las siguientes frases con el diminutivo de las palabras del recuadro.

> mosca – amigo – ladrón – silla – coche – ojos
> poco – lenteja – estrecho – ratón

1. La niña tenía unos *ojitos* azules preciosos.
2. Un _____ blanco muy pequeño apareció en la despensa.
3. Estoy llena de picaduras de _____.
4. Nos atracaron unos _____ que no tendrían más de trece años.
5. Llevaba un bonito traje de noche con _____.
6. Sus padres le han regalado un _____ para sacar a pasear al bebé.
7. Se estaba muy bien en ese restaurante porque había muy _____ gente.
8. Apenas cabe un coche; es una calle muy _____.
9. Se fue con sus _____ a celebrar la despedida de soltero.
10. No llegaba a los pedales; tuve que bajar el _____ de la bicicleta.

D. Escribe

CARTAS FORMALES

1. Lee las siguientes cartas.

A

Toledo, 3 de marzo de 2007

Señor director:

Me dirijo a usted para comunicarle que a partir del próximo mes realizaré a cargo de mi cuenta n.º: 21004772003, que tengo abierta en la entidad bancaria que usted dirige, una serie de pagos a favor de la empresa Materiales Digitales, S. A.

Le ruego sean abonados todos los pagos facturados por parte de dicha empresa. Atentamente, le saluda

Pedro L

Fdo.: Pedro López

B

Secretaría de Alumnos
Facultad de Filología
Universidad Complutense de Madrid

Turín, 4 de mayo de 2007

Estimado señor/a:

Me llamo Mario Aldana y soy un estudiante de español en la Universidad de Salerno (Italia) que el próximo año cursará estudios en su Facultad con el proyecto Erasmus.

Me gustaría pedirle la siguiente información:

- Información sobre el currículo de las asignaturas que he solicitado cursar.

- Posibilidades de alojamiento que ofrece su universidad.

Les rogaría que se pusieran en contacto conmigo lo antes posible.

Agradeciéndole por adelantado su atención, me despido atentamente.

Marco Aldana

Fdo.: Marco Aldana
marcoaldana@teleco.es

2. Localiza la siguiente información en las cartas anteriores.

Carta A
1. ¿Qué motivo le lleva a ponerse en contacto con el director del banco?
2. ¿Qué solicita de dicha entidad?

Carta B
1. ¿A quién dirige Marco su carta?
2. ¿Cuál es el motivo de su carta?
3. ¿Cuáles son sus datos personales?

En las cartas formales, como en todo escrito, es necesario organizar la información en párrafos.

PÁRRAFO 1: explica el motivo de la carta: qué solicitas, dónde has encontrado la información...

PÁRRAFO 2: aporta tu información personal: experiencia profesional, datos personales...

PÁRRAFO 3: si lo consideras necesario, solicita una ampliación de la información sobre el tema motivo de la carta.

Y, sobre todo, el tipo de lengua debe ser más cuidado y abstracto que en otros escritos.

3. En las cartas anteriores, subraya las expresiones que caracterizan al escrito formal.

4. Elige uno de los siguientes temas para redactar una carta formal.

A: En una revista universitaria has leído un anuncio sobre unas becas convocadas para unos cursos de español en la Universidad de Granada. Escribe una carta solicitando una plaza.

B: Has leído en internet un anuncio de unos grandes almacenes solicitando dependientes para la venta de juguetes durante la campaña de Navidad. Escribe una carta solicitando el empleo.

La familia de Carlos IV (Museo del Prado)

FRANCISCO DE GOYA

1. ¿Has oído alguna vez hablar de este célebre pintor español? ¿Conoces alguno de sus cuadros?

2. Lee la biografía de Goya y di si las siguientes afirmaciones son verdaderas o falsas. Corrige la información falsa.

FRANCISCO DE GOYA Y LUCIENTES (1746-1828). Pintor y grabador español.

DESPUÉS DE HABER realizado su aprendizaje artístico en Zaragoza y haber viajado a Italia, donde obtuvo el segundo premio de pintura de la Academia de Parma, se instaló en Madrid (1775), donde vivió el periodo más feliz de su vida. Durante esta etapa hizo una serie de cartones para tapices (Museo del Prado) y retratos. En 1789 fue nombrado pintor de cámara de Carlos IV, del que realizó diversos retratos oficiales. Su fama no dejó de crecer, hasta que en 1792, a consecuencia de una enfermedad, quedó sordo. Fruto de esta profunda crisis interna es su colección de aguafuertes *Los caprichos*, en uno de los cuales escribió la razón de su surrealismo: *El genio de la razón engendra monstruos*. También pertenecen a esta época varios retratos, escenas de la vida madrileña, (como *El entierro de la sardina*, en el que el carnaval dieciochesco adquiere un aire alucinante y romántico) y las célebres *Maja vestida* y *Maja desnuda*. En 1798, recuperado en parte de su enfermedad, pintó los frescos de la ermita de San Antonio de la Florida. En 1800 pintó el retrato colectivo de *La familia de Carlos IV* (Museo del Prado). Sus retratos de este periodo cuentan entre los más sensibles de toda su producción: *La condesa de Chinchón, La duquesa de Alba*, etc. La guerra de la Independencia suspendió estas actividades e inspiró a Goya otra serie de aguafuertes geniales, los *Desastres de la guerra*. A la misma etapa pertenecen sus cuadros *El Dos de Mayo* y *Los fusilamientos de la Moncloa* (Museo del Prado), en los que el pueblo aparece como protagonista de la historia y del arte.

A la época más amarga de su vida pertenecen una serie de composiciones alucinantes calificadas de "pinturas negras" (1821-22, Museo del Prado), en las que las supersticiones y brujerías encarnan el carácter siniestro de la tradición española. En 1824 hubo de exiliarse a Burdeos, donde murió cuatro años más tarde, después de haber producido unas litografías de tema taurino que cuentan entre las obras maestras de esta técnica de grabado, por entonces recién inventada. El estilo agudo y poderoso de Goya constituye un precedente directo del impresionismo del s. XIX y del expresionismo del s. XX, sobre los cuales su influencia fue decisiva.

La Duquesa de Alba

1. Goya realizó su obra más importante en Zaragoza. ☐
2. Goya realizó muchos retratos de la nobleza y la monarquía española. ☐
3. En 1792, a causa de una serie de problemas de salud, perdió la vista. ☐
4. Su ceguera le provocó una gran depresión que le llevó a iniciar su periodo surrealista. ☐
5. Podemos ver sus cuadros más importantes en Madrid. ☐
6. Goya se inspiró para la realización de su obra pictórica en los grandes pintores impresionistas y expresionistas. ☐

E. Autoevaluación

1. Relaciona el principio de cada frase con su final.

1. A pesar de que ganaba poco	**e**
2. Por mucho que madrugues	☐
3. Aunque estaba lloviendo	☐
4. A pesar de vivir en un quinto piso	☐
5. Por muy caro que parezca	☐
6. Aunque lleva todo el año estudiando	☐
7. Aunque canta bien	☐
8. Por más rico que sea	☐
9. Por mucho que entrenes	☐
10. A pesar de ser muy serio	☐

a. salimos de excursión.
b. nunca sabrá disfrutar de la vida.
c. es la mejor oferta que tenemos.
d. no aprobará las oposiciones.
e. vivía mejor que nadie.
f. no ganarás la carrera.
g. no llegarás a tiempo.
h. no formará parte del coro.
i. siempre sube andando.
j. sus amigos le quieren mucho.

2. Transforma las frases siguiendo el modelo.

Por más que le doy, nunca tiene bastante.
Por más que le dé, nunca tendrá bastante

1. Por más que ahorro, nunca puedo comprarlo.

2. Por más que se lo explico, nunca consigue entenderlo.

3. Por más que le dicen que se calme, él siempre está nervioso.

4. Por mucho que come, nunca engorda.

5. Aunque es muy alto, nunca juega al baloncesto.

3. Relaciona cada palabra con su definición.

sequía – huracán – incendio – riada – terremoto

1. Sacudida violenta de la tierra. _____
2. Viento superior a los 118 km por hora. _____
3. Crecida de aguas. _____
4. Fuego grande que destruye lo que no debería quemarse. _____
5. Tiempo seco de larga duración. _____

4. Completa las siguientes frases, utilizando la expresión correspondiente en su forma correcta.

trabajar como una mula – estar muy mosqueada
tener menos seso que un mosquito
tener una vista de lince – dormir como un lirón
estar muy mona – por si las moscas
hablar como un loro – correr como una liebre
tener una memoria de elefante

1. Vio el número del autobús a una enorme distancia; *Tiene una vista de lince*
2. Llevaba toda la documentación en orden, pero la revisó _____
3. Su novio no la llama desde que se ha ido de viaje; _____
4. Nadie recordaba el teléfono de Ana. Tuvimos que preguntarle a Ángel que _____
5. A pesar de estar lesionado, _____ _____ y ganó la carrera.
6. No necesita somníferos. _____
7. Aunque el vestido le costó muy barato, el día de la fiesta _____
8. No dice más que tonterías; _____
9. Se va de casa a las ocho de la mañana y no vuelve hasta las diez de la noche. _____
10 ¡Qué pesada! Me pone dolor de cabeza. _____

5. Completa las frases con el diminutivo apropiado de las palabras del recuadro.

bolso – chico – despacio – nieto – préstamo
guapo – pera – cerca – taza – años
calle – ojos

1. ¿Me podrías hacer un *prestamito* hasta que cobre?
2. Tiene aspecto de joven, pero debe tener sus _____.
3. Es un bebé _____ con unos _____ preciosos.
4. Vete _____; no corras tanto.
5. Era una abuela feliz. Estaba tan contenta con su _____.
6. Vive muy _____: en la _____ del fondo.
7. Le sienta muy bien la _____.
8. Guárdate esas monedas en el _____.
9. Hace mucho calor. Me apetece una _____ de gazpacho.
10. Aunque no tiene muy buen tipo, es muy _____ de cara.

11
E

6. Lee el texto y contesta las preguntas.

La década desastrosa (1995-2005)

Los fenómenos naturales extremos han devastado amplias zonas de la Tierra a lo largo de los tiempos, pero en estos últimos diez años han aumentado tanto que los científicos se preguntan qué está cambiando en el planeta.

El número de desastres naturales ha aumentado de forma dramática –hasta un 55%– en los últimos cinco años. Desde 1995 hasta ahora se han contabilizado casi un millón de personas muertas a consecuencia de estos fenómenos de mayor o menor intensidad.

A la vez, otro estudio de la ONU ha estimado que dentro de cinco años habrá 50 millones de personas huyendo del deterioro del medio ambiente. La mitad de ellas tendrá que abandonar sus hogares por culpa, entre otras cosas, de las sequías y las inundaciones.

En plenas Navidades de 2004, nos despertábamos con la noticia de que un terremoto de 9 grados en la escala de Ritcher había originado un tsunami de extraordinarias proporciones en el océano Índico, desde Asia hasta África. A lo largo del año los fenómenos extremos no han dejado de repetirse: riadas en Afganistán, Argelia, Francia...; incendios en Australia, Canadá, Portugal, España...; olas de calor en la India; terremotos en Indonesia, Irán, Chile, Pakistán; sequías en África del Sur... La lista es interminable.

Ante estas circunstancias es fácil hacerse una pregunta: ¿Qué está pasando? ¿Hay más desastres o es que tenemos más información sobre ellos? Antonio Mestre, jefe del Instituto Nacional de Meteorología de España, afirma que suceden ambas cosas: "En los últimos años se detecta una tendencia al aumento de ciertos fenómenos meteorológicos extremos, como olas de calor o inundaciones. Pero también la explosión de las telecomunicaciones logra que nos llegue mucha más información que hace 30 o 40 años, cuando estos fenómenos pasaban más desapercibidos".

Esta tendencia al incremento de sucesos catastróficos, en concreto los meteorológicos, muestra que, a pesar de los avances técnicos, el hombre sigue siendo incapaz de controlarlos. Por otro lado, el mayor número de incidentes extremos podría guardar relación con el indiscutible aumento generalizado de las temperaturas, aunque esto último no está comprobado.

Eulalia Sacristán, *Muy Interesante*

11 E

1. ¿Qué les hace plantearse a los científicos que algo grave está pasando en la Tierra?

2. ¿Qué estimación ha realizado la ONU sobre las consecuencias que podrán tener las catástrofes naturales en los próximos años?

3. ¿Cuál fue la causa del tsunami de 2004?

4. ¿Qué otros desastres tuvieron lugar a lo largo del año?

5. ¿Qué opina Antonio Mestre sobre la cantidad de desastres que están sucediendo en los últimos años?

6. ¿Es el *calentamiento global* la causa fundamental de todos estos fenómenos?

😃 😐 ☹️ *Soy capaz de...*

☐ ☐ ☐ *Definir algunas características de los animales.*

☐ ☐ ☐ *Hablar de cambios climáticos.*

☐ ☐ ☐ *Hablar de desastres naturales.*

☐ ☐ ☐ *Utilizar diminutivos y aumentativos.*

☐ ☐ ☐ *Escribir cartas formales.*

A. Ficciones

1. ¿Te gusta leer novelas? ¿Qué autores hispanos conoces?

2. A continuación encontrarás un fragmento de *Cien años de soledad*, una de las obras más importantes de la literatura hispanoamericana del siglo XX. Antes de empezar a leer el texto, mira en tu diccionario estas palabras, si aún no las conoces.

custodiar – carpa – torso – cofre – crepúsculo
aliento – júbilo – apetito – témpano – testimonio

3. Lee el texto y responde a las preguntas, luego, debate con tus compañeros.

1. ¿Cómo se describe el bloque de hielo?
2. ¿Por qué José Arcadio dice que era el diamante más grande del mundo?
3. ¿Qué sentía José Arcadio mientras tocaba el hielo?
4. ¿Qué sienten los hijos?
5. ¿Por qué piensa José Arcadio que es tan importante el hielo?
6. ¿Es real o fantástico lo que describe García Márquez?

CARLOS FUENTES

MARIO VARGAS LLOSA

ISABEL ALLENDE

Tanto insistieron, que José Arcadio Buendía pagó los treinta reales y los condujo hasta el centro de la carpa, donde había un gigante de torso peludo y cabeza rapada, con un anillo de cobre en la nariz y una pesada cadena de hierro en el tobillo, custodiando un cofre de pirata. Al ser destapado por el gigante, el cofre dejó escapar un aliento glacial. Dentro sólo había un enorme bloque transparente, con infinitas agujas internas en las cuales se despedazaba en estrellas de colores la claridad del crepúsculo. Desconcertado, sabiendo que los niños esperaban una explicación inmediata, José Arcadio Buendía se atrevió a murmurar:

—Es el diamante más grande del mundo.

—No —corrigió el gitano—. Es hielo.

José Arcadio Buendía, sin entender, extendió la mano hacia el témpano, pero el gigante se la apartó. "Cinco reales más para tocarlo", dijo. José Arcadio Buendía los pagó, y entonces puso la mano sobre el hielo, y la mantuvo puesta por varios minutos, mientras el corazón se le hinchaba de temor y de júbilo al contacto del misterio. Sin saber qué decir pagó otros diez reales para que sus hijos vivieran la prodigiosa experiencia. El pequeño José Arcadio se negó a tocarlo. Aureliano, en cambio, dio

un paso hacia delante, puso la mano y la retiró en el acto. "Está hirviendo", exclamó asustado. Pero su padre no le prestó atención. Embriagado por la evidencia del prodigio, en aquel momento se olvidó de la frustración de sus empresas delirantes y del cuerpo de Melquíades abandonado al apetito de los calamares. Pagó otros cinco reales, y con la mano puesta en el témpano, como expresando un testimonio sobre el texto sagrado, exclamó:

—Este es el gran invento de nuestro tiempo.

GABRIEL GARCÍA MÁRQUEZ,
Cien años de soledad

4. Busca en el texto los adjetivos que significan:

1. Con mucho pelo. *peludo*
2. Afeitado _____
3. Helado _____
4. Traslúcido _____
5. Innumerables _____
6. Sorprendido _____
7. Sobrenatural _____
8. Ebrio _____
9. Místicas _____

ESCUCHAR

5. Escucha este programa de radio sobre el auge de la novela hispanoamericana de la segunda mitad del s. XX. Toma nota y haz un resumen del contenido de la lección. Te damos los puntos que debes tratar. **30**

1. Factores que influyeron en el auge de la novela hispanoamericana.
2. Rasgos que caracterizan la nueva corriente novelística.
3. Nombres de algunos autores.

GRAMÁTICA

nada mejor existe

LAS PREPOSICIONES *POR* Y *PARA*

6. Relaciona cada frase con el valor que aporta la preposición *por* dentro de ella. Dos ejemplos comparten el mismo valor.

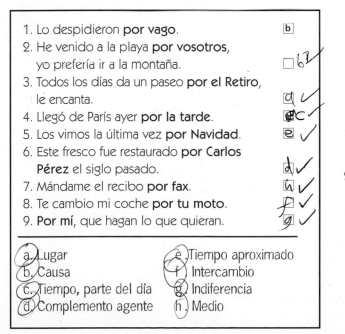

1. Lo despidieron **por vago**.	b
2. He venido a la playa **por vosotros**, yo prefería ir a la montaña.	b?
3. Todos los días da un paseo **por el Retiro**, le encanta.	a
4. Llegó de París ayer **por la tarde**.	c
5. Los vimos la última vez **por Navidad**.	e
6. Este fresco fue restaurado **por Carlos Pérez** el siglo pasado.	d
7. Mándame el recibo **por fax**.	h
8. Te cambio mi coche **por tu moto**.	f
9. **Por mí**, que hagan lo que quieran.	g

- a. Lugar
- b. Causa
- c. Tiempo, parte del día
- d. Complemento agente
- e. Tiempo aproximado
- f. Intercambio
- g. Indiferencia
- h. Medio

Por / Para

7. Relaciona cada frase con el valor que aporta la preposición *para* dentro de ella.

1. Este artefacto no sirve **para nada**.	e
2. Hemos venido **para acompañarte**.	c
3. Ahora vamos **para Francia** y, luego, ya veremos.	b
4. Me han dicho que tendrán el coche arreglado **para el lunes**.	a
5. **Para mí**, son unos ignorantes, no saben nada de nada.	d

- a. Tiempo.
- b. Lugar (dirección hacia…)
- c. Finalidad
- d. Opinión
- e. Utilidad

8. Elige la preposición adecuada

1. *Para* / por llegar hasta el restaurante tienes que pasar *por* / para un puente romano.
2. Federico está en la cárcel *por* / para defraudar a Hacienda.
3. Jorge, toma, ha llegado esta carta *para* / por ti.
4. *Para* / Por él, como la tortilla de patatas no hay nada.
5. Todo el mundo sabe que Maribel se fue a Australia *por* / para Pedro.
6. Yo creo que *para* / por agosto ya habrán terminado las obras ¿no?
7. *Por* / para mí no os preocupéis, yo iré más tarde a la playa, cuando pueda.
8. ¿*Para* / por cuándo me traerán el sofá?
9. Está loco *por* / para casarse con Marta.
10. Para / *por* fin de año volverá Mayte. *Both*
11. Dicen que no hay amor más grande que dar la vida *por* / para un amigo. *POR* — *give your life = intercambio*
12. El chalé de Ramiro queda *por* / para allá, más o menos.
13. Rafa, ¿puedes ir tú *por* / para mí a la reunión? No me encuentro muy bien.
14. Los invitados le dieron a Juan las gracias *por* / *para* la cena. *gracias par*

9. Completa las preguntas con la preposición más adecuada, *por* o *para*.

1. ¿*Para* qué has llamado a Santi?
2. ¿_____ dónde quieres ir hoy al río?
3. ¿_____ dónde va este autobús, hacia el sur o el norte?
4. ¿_____ quién preguntaron ayer?
5. ¿_____ cuándo llega tu prima de Lima?
6. ¿_____ cuánto te ha salido el piso?
7. ¿_____ qué utilizas esta herramienta?

12 A

B. Turismo cultural

1. Mira las fotos, ¿conoces los monumentos? ¿Sabes de qué estilo son?

1. Moderno ☑   2. Árabe ☐   3. Gótico ☐   4. Románico ☐

2. Lee los textos y relaciónalos con el monumento correspondiente.

A

D

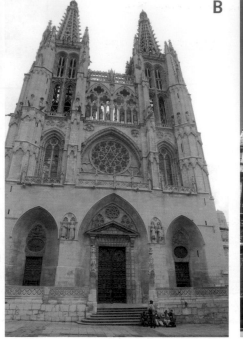

1 La catedral de Burgos es uno de los más bellos monumentos del arte gótico español. Se empezó a construir en el año 1221, bajo el reinado de Fernando VII el Santo, y fue consagrada en 1260.
Posteriormente fue ampliada y embellecida con un grandioso claustro y numerosas capillas, entre las que destacan la de los Condestables (s. XV) y la de Santa Tecla. También son de admirar las esbeltas agujas de la fachada principal (s. XV) y el espléndido cimborrio del crucero (s. XVI). ☐

2 El Museo de las Ciencias Príncipe Felipe, ubicado al final del conjunto arquitectónico de la Ciudad de las Artes y las Ciencias de Valencia, tiene una forma parecida al esqueleto de un dinosaurio. Es un museo interactivo de ciencia que ocupa alrededor de 40.000 m² repartidos en tres pisos. Fue inaugurado en 2000, diseñado por el arquitecto valenciano Santiago Calatrava. ☐

3 La torre de la Giralda es el minarete de la antigua mezquita sobre la que se construyó la catedral de Sevilla. Mide 97,5 metros y consta de varios cuerpos. El cuerpo musulmán fue construido en 1184 por orden del emperador de Marruecos, Abu Yacub Yusuf. El arquitecto realizó dos torres, una dentro de la otra, y el hueco entre ellas está ocupado por una rampa, de forma que el sultán podía subir a la torre montado a caballo. Sobre el cuerpo musulmán se construyó en el s. XVI el cuerpo de campanas, obra del cordobés Hernán Ruiz. Y por encima aún hay otros cuerpos de arquitectura renacentista, coronados por una estatua de mujer con vestidura clásica romana, que representa la fe. Como la figura es giratoria, se le dio el nombre de Giralda, tanto a la veleta como a la propia torre. ☐

4 En pleno Camino de Santiago se encuentra la iglesia de San Martín, en la localidad palentina de Frómista, ejemplo del más puro románico español (siglo XII). Fue mandada construir por Doña Mayor, viuda de Sancho Mayor, rey de Navarra. Fue restaurada a finales del s. XIX por don Manuel Aníbal Álvarez, escritor y arquitecto. Consta de tres naves y una más de crucero. Las bóvedas son de cañón y los arcos de medio punto. En la cabecera tiene tres ábsides semicirculares. Los pilares son cruciformes y medias columnas. En la fachada principal tiene dos torrecillas con escaleras interiores. ☐

3. Lee otra vez y di a qué monumento se refiere.

1. Se encuentra en Palencia y fue construida en el s. XII.
   Iglesia de San Martín.
2. Se puede subir por ella a caballo.
3. Tiene forma de esqueleto de dinosaurio.
4. Está coronada por una figura de mujer que da vueltas.
5. Es del siglo XIII.
6. Son destacables las agujas de su fachada principal.
7. Tiene bóvedas de cañón y arcos de medio punto.
8. Se encuentra en Valencia.

ESCRIBIR Y HABLAR

4. Con tu compañero, elabora la descripción de algún monumento de tu ciudad o país.

ESCUCHAR

5. Un guía nos describe la iglesia de San Francisco el Grande en Madrid. Escucha y señala si las afirmaciones siguientes son verdaderas o falsas. Corrige la información incorrecta. Antes de escuchar, comprueba que conoces el significado de las palabras del recuadro. **31** 🔘

> ermita – convento – rotonda – cúpula – lienzo
> capilla – plateresco – cordón – trono – chaleco
> virtud – altar – mayólica

1. La iglesia de San Francisco el Grande fue contruida por San Francisco de Asís. ☐
2. Fue reconstruida en el siglo IX. ☐
3. La rotonda tiene unos 33 metros de diámetro. ☐
4. Alrededor de la rotonda hay seis capillas de planta cuadrada. ☐
5. Existe un lienzo donde podemos ver a Francisco de Goya. ☐
6. Hay un lienzo pintado por Diego de Silva y Velázquez. ☐

GRAMÁTICA

LA VOZ PASIVA

- La voz pasiva se forma con el verbo **ser** conjugado y el participio en el género y número del sujeto.

  *Las obras del templo de San Francisco **fueron dirigidas** durante siete años por Francisco Cabezas.*

- En textos históricos y descriptivos, se alterna el uso de la voz pasiva con la forma impersonal con *se*. Se prefiere este uso cuando no se conoce el sujeto agente.

  *En 1617 **se efectuaron** importantes trabajos de renovación, pero a mediados del s. XVIII **fue derribado** el edificio debido a algunos defectos de construcción.*

- Con la pasiva con **estar** se expresa el resultado de un proceso.

  *Este edificio no se puede restaurar porque **está** totalmente **destruido**.*

6. Completa las frases con la forma pasiva (*ser* + participio).

> interrumpir – llevar a cabo – perdonar
> reconstruir – destruir

1. El templo *fue destruido* por las bombas durante la última guerra.
2. El rey no _____ por sus súbditos y acabó en la guillotina.
3. El Monasterio de los Dominicos _____ hace diez años por expertos de varios países y ahora está como nuevo.
4. La reforma de la capilla _____ por los discípulos de Cabezas.
5. Las obras de ampliación de la autovía _____ a causa de las protestas de los ecologistas.

c. ¿Sigues pintando?

echarse a = reír, llorar, dormir
specific verbs go with echarse
echar a = correr, andar

1. Mira las imágenes. Completa las conversaciones con las formas del recuadro.

> viene a costar – acaba de terminar – volver a trabajar en – lleva ... exponiendo
> tiene vendidos – empezó a pintar – debe de tener – se echó a reír

ser una caradura
↞ no tener vergüenza

(1.) A. ¿Y tu marido, a qué se dedica últimamente?
B. Pues, acaba de terminar un encargo muy importante para un coleccionista japonés y piensa *volver a trabajar en* un proyecto antiguo que tiene a medias.

have started but not finished

(2.) Fíjate, esta pintora *empezó a pintar* muy joven: *debe de tener* más de diez años *lleva exponiendo* en varios países.

(3.) Pablo cuando vio esta escultura *se echó a reír*, no sabe por qué, le pareció cómica.

(4.) Sí, Rafael ha tenido mucho éxito, ya *tiene vendidos* casi todos los cuadros.

(5.) A. ¿Son muy caras esas esculturas?
B. Bueno, depende de lo que busques. Esta, por ejemplo, *viene a costar* unos quinientos euros.

GRAMÁTICA

PERÍFRASIS VERBALES

Son agrupaciones verbales que funcionan como una sola forma verbal.

- Continuidad

  Lleva exponiendo este cuadro desde hace diez años.

  Guillermo es y *seguirá siendo* un artista comprometido.

- Interrupción y terminación

  María Luisa *ha dejado de ir* a clase de pintura porque no avanzaba.

  Rafael ya *lleva vendidos* más de cinco cuadros.

- Obligación o necesidad

  Su hijo *debe estudiar* más si quiere aprobar.

  Clara, *tienes que hacer* tu cama.

  Antes *había que trabajar* más manualmente y menos con máquinas.

- Probabilidad o suposición

  Este hombre *debe de ser* muy rico, mira qué coche lleva.

- Repetición

  Álvaro *ha vuelto a tener* un accidente con el coche.

- Aproximación

  Este pintor *viene a ganar* veinte mil euros en cada exposición.

2. Elige la opción más adecuada.

1. En cuanto llegó *a* ordenar la habitación, que los niños habían desordenado.

   a. se puso a   **b.** tuvo   **c.** debió a

2. Eugenia ___ estar muy enamorada para casarse con Carlos, ¿no?

   a. debe de   **b.** viene a   **c.** vuelve a

3. Luis, ¿sabes a quién ___ de ver en la escalera?, a tu primo Jorge. Dice que ya no quiere volver a Francia, se queda aquí.

   a. vengo   **b.** dejo   **c.** acabo

4. Si su hija quiere aprobar todo el curso ___ estudiar mucho más de lo que estudia.

   a. tiene que   **b.** debe de   **c.** viene a

5. Laura, ___ salir con ese chico, no te conviene nada.

   a. tienes que   **b.** volver a   **c.** deja de

3. Completa con una perífrasis.

> seguir cantando – volver a ver – venir a sacar
> llevar corregido – deber de tener – llevar diciendo

1. A. Qué raro, no veo al pintor Rafael Espinosa, que expone tres cuadros.

   B. A lo mejor no puede venir por los achaques, *debe de tener* más de 90 años, ¿no?

2. A. ¿Sabes algo de Eduardo?

   B. ¡Qué va! No lo _he vuelto a ver_ desde que se casó con Paula.

3. A. ¿Qué tal lo llevas?

   B. Bastante bien, ya _llevo corregidos_ más de la mitad de los exámenes.

4. A. ¿Todavía _sigue cantando_ tu marido en el coro aquel?

   B. Sí, ya lleva casi veinte años. Está muy contento.

5. A. ¿Qué tal le va a Carlos en su trabajo nuevo?

   B. Bien, no es para hacerse rico pero entre unas cosas y otras _viene a sacar_ dos mil euros al mes.

6. A. ¿Te has enterado de que el vecino está en la cárcel por fraude?

   B. No me extraña, hace tiempo que _llevo diciendo_ que ese no es trigo limpio.

4. Con la información que damos, construye oraciones con perífrasis.

1. Le dijeron que su padre había fallecido y no pudo evitar las lágrimas.

   Le dijeron que su padre había fallecido y se echó a llorar.

2. Ángel tocaba el violín hace 10 años y ahora también toca el violín.

3. Mi madre se operó de la rodilla izquierda en 1996 y ahora se ha operado otra vez.

4. No sé cuánto cuesta ese chalé, es posible que cueste más de un millón de euros.

5. Si el gobierno quiere acabar con la corrupción, es necesario que tome medidas efectivas ya.

6. Mayte empezó a dormir a las doce de la noche. Son las nueve de la mañana y está durmiendo todavía.

ESCRIBIR Y HABLAR

5. En parejas. Escribe cinco ejemplos de oraciones con las perífrasis aprendidas. Intercámbialas con tu compañero y entre los dos comentad su valor y corregid los posibles errores.

**12
C**

D. Escribe

UNA DESCRIPCIÓN

1. Mira la foto de este cuadro de Velázquez. ¿Te gusta? ¿Qué te sugiere? Coméntalo con tu compañero.

2. Lee ahora la descripción del cuadro.

3. Para describir, los adjetivos son importantes. Lee otra vez el texto y busca los adjetivos que se han utilizado.

4. Busca un cuadro que te guste especialmente y descríbelo en unas 150 palabras. Para ayudarte piensa en preguntas como éstas:

- ¿Qué representa?
- ¿Por qué lo has escogido?
- ¿Qué adjetivos necesitas para describirlo?
- ¿De qué época y estilo es?
- ¿Puedes relacionarlo con otras obras del mismo autor o de otro distinto?

Vieja friendo huevos, 1618
(Óleo sobre lienzo, 99 x 169 cm.)
National Gallery of Scotland
(Edimburgo)

Este cuadro de estilo barroco se caracteriza por el claroscuro, un foco de luz que viene desde la izquierda ilumina una parte del cuadro, dejando oscurecido el resto. En este caso el claroscuro es muy intenso, tanto que es difícil apreciar la pared que se encuentra al fondo del cuadro. Podemos identificarla porque en ella se encuentra colgada una cesta

El realismo es casi fotográfico, Velázquez se esmera porque los objetos destaquen: platos, vasijas, cubiertos, cacerolas, morteros, jarras. Destaca el brillo especial del cristal y el reflejo de la luz en el melón que lleva el muchacho. Parece, incluso, que el aceite donde se fríen los huevos está hirviendo.

Los pies y las manos son las partes más expresivas del cuerpo. Merecen especial atención las manos de la vieja que está friendo los huevos. Podemos apreciar que el artista ha trabajado en ellas con esmero. Lo mismo sucede con las manos del chico que la acompaña en la sala sujetando el melón o apretando la vasija de cristal.

El uso de personajes populares se hace frecuente en los cuadros de Velázquez en su primera época, llegando a pintar modelos de contorno familiar en muchos de los casos, ya que la mujer que aparece en el cuadro también lo hace en otra de sus obras (*Cristo en casa de Marta y María*).

MIGUEL DE CERVANTES

1. ¿Qué sabes de *El Quijote* y de su autor, Miguel de Cervantes?

2. Lee el texto

MIGUEL DE CERVANTES
El manco de Lepanto

Miguel de Cervantes Saavedra nació en Alcalá de Henares hacia el 29 de septiembre de 1547. Su padre era cirujano barbero, es decir, llevaba una vida errante por las distintas ciudades castellanas.

La familia Cervantes se afincó en Madrid en 1566, y su nombre aparece en 1568 al pie de unas composiciones a la muerte de Isabel de Valois, tercera esposa de Felipe II.

Se sabe que en 1569 se encontraba en Italia, y que en 1571 luchó en la famosa batalla de Lepanto, donde la Santa Alianza venció a los turcos y en la que el escritor perdió la mano izquierda. Desde entonces se le conoció por el sobrenombre de "el manco de Lepanto"

A la vuelta a España, la nave en que viajaba fue asaltada por unos corsarios berberiscos y fue hecho prisionero y llevado a Argel. Los secuestradores pidieron un alto rescate, que la familia no logró reunir hasta cinco años más tarde.

Volvió a España y se casó ya con treinta y seis años con Catalina Salazar y Palacios, que contaba con dieciocho.

Por entonces había acabado de escribir *La Galatea*, una novela pastoril que le reportó algunos ingresos. Decidió dedicarse a escribir comedias, que parecía lo más rentable en aquel momento, pero aunque escribió bastantes (unas treinta) tuvo que buscarse otro empleo. Fue nombrado recaudador de impuestos, pero quebró el banquero a quien había entregado algún dinero y lo mandaron a prisión, donde estuvo cinco meses. Se cree que allí empezó a escribir *El Quijote*.

El Quijote

A principios de 1605 apareció en Madrid *El ingenioso hidalgo don Quijote de la Mancha*. Tuvo un éxito inmediato, pero sin efectos económicos notables para el escritor, que seguía escribiendo sin parar otras obras.

En 1614 apareció una segunda parte de *El Quijote* escrita por un tal Avellaneda que decía ser la continuación del primero. Y Miguel de Cervantes, ya enfermo, se vio obligado a escribir una segunda parte de su Quijote para acallar la versión apócrifa. La segunda parte de *El Quijote* auténtico salió en 1615.

Prácticamente siguió escribiendo hasta el día de su muerte, el 23 de abril de 1616 en su casa de Madrid.

El Hidalgo Don Quijote de la Mancha

Narra la historia de un hidalgo que se volvió loco de tanto leer novelas de caballerías. Se creía que era un caballero y salió con su caballo viejo y su amigo Sancho Panza a resolver problemas de la gente que encontraba y, sobre todo, a combatir la injusticia. Sus éxitos los dedicaba a su dama, Dulcinea del Toboso. Durante su periplo, corre muchas aventuras y conoce bastantes sinsabores. Casi siempre acaba apaleado y malherido, como ocurre en la aventura de los molinos, que él cree que son gigantes enemigos con los que se enfrenta. Después de muchas peripecias, don Alonso Quijano regresa a morir a su casa, junto a los suyos.

3. En parejas, preparad diez preguntas sobre *El Quijote* y Cervantes para hacérselas a otra pareja de compañeros. Responded con el libro cerrado.

12 D

E. Autoevaluación

1. Completa este cuento con los verbos del recuadro en la forma adecuada.

EL ALACRÁN
Cuento popular mexicano

> ser – haber ayudar – estar – vivir – decir
> morir – dejar – tener (x 2)

Pues cuentan que (1) _había vivió / vivía_ una vez un hombre bondadoso y sencillo que (2) _tenía_ una gran fortuna, pero un día la mala suerte le alcanzó y perdió hasta la última moneda que (3) _tenía_ . El hijo, que (4) _estaba_ de viaje, tuvo un accidente y murió, y la mujer, que no pudo soportar tanto dolor, (5) _murió_ al poco tiempo. Así que enseguida tuvo este hombre una ruina completa, y hasta los amigos (6) _dejaron_ de visitarle.

Entonces, el hombre vendió hasta su casa y se quedó en la miseria total. Un día se dirigió a una cueva donde (7) _había_ un ermitaño, que (8) _dijo_ que (9) _era_ sabio y (10) _ay_ a todo el mundo.

> saber – estar – ir – prestar – ser (x 2)
> comenzar – poder – tener – echar

El ermitaño, que (11)_____ aún más pobre que el hombre, le invitó a un trago de agua y escuchó lo que (12)_____ a contarle.

El hombre le contó todas sus penas y le preguntó si (13)_____ de alguien que le (14)_____ un poco de dinero, pues con él (15)_____ pagar algunas deudas y comenzar de nuevo. El ermitaño estaba muy apenado por la historia, pero (16)_____ evidente para el hombre que poco podría hacer. En esto un alacrán (17)_____ a subir por la pared, y el ermitaño lo recogió con cuidado, lo envolvió en un trapo y le dijo:

"Es lo único que (18)_____, hermano. Llévalo al prestamista, a ver cuánto te dan por ello".

El hombre, que (19)_____ muy desesperado, lo aceptó y fue a la casa del prestamista. Allí, temeroso de que le (20)_____ inmediatamente por llevar un alacrán vivo, le sorprendió la exclamación que hizo el prestamista al abrir el envoltorio. Pues en el interior había un alacrán de fino oro, con filigranas y adornos de esmeraldas, rubíes y diamantes.

> volver – comenzar – bastar – olvidar – abrir
> coger (x 2) – seguir – ir

Esto (21)_____ para cancelar sus deudas y reanudar su vida, consiguiendo incluso volver a tener una considerable fortuna. Pero no (22)_____ al solitario ermitaño, ni siquiera ahora que (23)_____ a tener muchos amigos. Así que un día (24)_____ a la casa del prestamista, recuperó la joya y llegó hasta la cueva del ermitaño para devolverle el regalo.

El ermitaño (25)_____ con cuidado el envoltorio, (26)_____ al alacrán y, depositándolo en el mismo sitio de donde lo (27)_____, dijo:

"(28)_____ tu camino, criaturita de Dios".

Y el precioso animal, convertido de nuevo en un vulgar alacrán, (29)_____ a caminar lentamente.

Cuentos y leyendas hispanoamericanos, Ed. Anaya, 2005

2. Completa con el verbo entre paréntesis, en la forma adecuada.

❄ *La sombra del viento* ❄

Todavía recuerdo aquel amanecer en que mi padre me (LLEVAR) _llevó_ (1) por primera vez a visitar el Cementerio de los Libros Olvidados. (DESGRANAR) _Habían desgranado_ (2) los primeros días del verano de 1945 y (CAMINAR, nos.) _Caminábamos_ (3) por las calles de una Barcelona atrapada bajo cielos de ceniza y un sol de vapor que (DERRAMARSE) _se derramaba_ (4) sobre la Rambla de Santa Mónica en una guirnalda de cobre líquido.

–Daniel, lo que vas a ver hoy no se lo puedes contar a nadie –(ADVERTIR) _advirtió_ (5) mi padre–. Ni a tu amigo Tomás. A nadie.

–¿Ni siquiera a mamá –(INQUIRIR) _inquirí_ (6) yo, a media voz.

Mi padre (SUSPIRAR) _suspiró_ (7), amparado en aquella sonrisa triste que le (PERSEGUIR) _perseguía_ (8) como una sombra por la vida.

–Claro que sí –(RESPONDER) _respondió_ (9) cabizbajo–. Con ella no tenemos secretos. A ella puedes contárselo todo.

Poco después de la guerra civil, un brote de cólera (LLEVARSE) _se llevó_ (10) a mi madre. La enterramos en Montjuïc el día de mi cuarto cumpleaños. Solo (RECORDAR) _recuerdo_ (11) que

(LLOVER) _llovió_ (12) todo el día y toda la noche, y que cuando le (PRE-GUNTAR) _pregunté_ (13) a mi padre si el cielo (LLORAR) _lloraba_ (14) le faltó la voz para responderme. Seis años después, la ausencia de mi madre (SER) _es/era_ (15) para mí todavía un espejismo, un silencio a gritos que aún no (APRENDER) _aprendí/había aprendido_ (16) a acallar con palabras. Mi padre y yo (VIVIR) _vivíamos_ (17) en un pequeño piso de la calle Santa Ana, junto a la plaza de la iglesia. El piso (ESTAR) _estaba_ (18) situado justo encima de la librería especializada en

ediciones de coleccionista y ediciones usadas heredadas de mi abuelo, un bazar encantado que mi padre (CONFIAR) _confiaba_ (19) en que algún día pasaría a mis manos. Yo (CRIAR-SE) _me crié_ (20) entre libros, haciendo amigos invisibles en páginas que se deshacían en polvo y cuyo olor aún (CONSERVAR) _conservo_ (21) en las manos. De niño (APRENDER) _aprendí_ (22) a conciliar el sueño mientras le (EXPLICAR) _explicaba_ (23) a mi madre en la penumbra de mi habitación las incidencias de la jornada, mis andanzas en el colegio, lo

que (APRENDER) _aprendí_ (24) aquel día... No (PODER) _podía_ (25) oír su voz o sentir su tacto, pero su luz y su calor (ARDER) _ardían_ (26) en cada rincón de aquella casa y yo, con la fe de los que todavía (PODER) _podíamos_ (27) contar sus años con los dedos de la mano, (CREER) _creía_ (28) que si (CE-RRAR) _cerraban/cerraba_ (29) los ojos y le (HA-BLAR) _hablaba_ (30), ella (PODER) _podía_ (31) oírme desde donde (ESTAR) _estaba_ (32). A veces, mi padre me (ESCUCHAR) _escuchaba_ (33) desde el comedor y (LLO-RAR) _lloraba_ (34) a escondidas.

Carlos Ruiz Zafón, *La sombra del viento*

---

3. Elige la opción más adecuada.

Preámbulo a las instrucciones para dar cuerda al reloj

   Piensa en esto: cuando te regalan un reloj te regalan un pequeño infierno florido, una cadena (1)_____ rosas, un calabozo de aire. No te dan (2)_____ el reloj, que los cumplas muy felices y esperamos que te (3)_____ porque es de buena marca, suizo con áncora de rubíes; no te regalan solamente (4)_____ menudo picapedrero que te atarás a la muñeca y pasearás contigo. Te regalan –no lo saben, lo (5)_____ es que no lo saben– te regalan un nuevo pedazo frágil y precario de (6)_____ mismo, algo que es tuyo pero no es tu cuerpo, que hay (7)_____ atar a tu cuerpo con su correa como un bracito desesperado colgándose de tu (8)_____. Te regalan la necesidad de darle (9)_____ todos los días, la obligación de darle cuerda para que siga siendo un reloj; te regalan la obsesión de atender a la hora (10)_____ en las vitrinas de las joyerías, en el (11)_____ por la radio, en el servicio telefónico. Te regalan el miedo de (12)_____, de que te lo roben, de que (13)_____ caiga al suelo y se rompa. Te regalan su marca y la seguridad de que es una marca mejor que las otras, te regalan la tendencia a comparar tu reloj (14)_____ los demás relojes. No te regalan (15)_____ reloj, tú eres el regalado, a ti te ofrecen para el cumpleaños del reloj.

Julio Cortázar,
Historias de cronopios y de famas. Edhasa, 1988

1. a. de
   b. con
   c. a

2. a. verdadera-
      mente
   b. único
   c. solamente

3. a. gusta
   b. va bien
   c. dure

4. a. un
   b. el
   c. ese

5. a. bueno
   b. terrible
   c. divertido

6. a. ti
   b. tú
   c. él

7. a. de
   b. a
   c. que

8. a. mano
   b. brazo
   c. muñeca

9. a. tiempo
   b. cuerda
   c. ritmo

10. a. exacta
   b. primera
   c. temprana

11. a. aparato
   b. consejo
   c. anuncio

12. a. tenerlo
   b. perderlolo
   c. darlo

13. a. se te
   b. se le
   c. se lo

14. a. con
   b. a
   c. de

15. a. el
   b. un
   c. ese

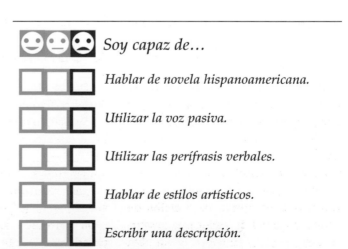

Soy capaz de...

Hablar de novela hispanoamericana.

Utilizar la voz pasiva.

Utilizar las perífrasis verbales.

Hablar de estilos artísticos.

Escribir una descripción.

12
E

SGEL

ele

Español Lengua Extranjera

Diplomas de
Español como
Lengua
Extranjera

Modelo de Preparación al DELE Intermedio

Este examen sigue el modelo propuesto por el Instituto Cervantes en sus exámenes oficiales.

■■■ **PRUEBA 1. COMPRENSIÓN DE LECTURA**

■■■ **PRUEBA 2. EXPRESIÓN ESCRITA**

■■■ **PRUEBA 3. COMPRENSIÓN AUDITIVA**

■■■ **PRUEBA 4. GRAMÁTICA Y VOCABULARIO**

PRUEBA 1. COMPRENSIÓN DE LECTURA

A continuación le presentamos una serie de textos breves. Conteste a las preguntas que se le hacen.

TEXTO 1

¿POR QUÉ ME CANSO?

Hace 50 años, cuando alguien estaba cansado, lo más normal era que tuviera una enfermedad infecciosa, por ejemplo, tuberculosis. Hoy suele ser un síntoma trivial, aunque es de lo que más nos quejamos. Dos de cada tres españoles reconocen cansarse más de lo habitual. Pero, ¿por qué nos cansamos?

Las últimas investigaciones incorporan un enfoque novedoso: quizá el agotamiento esté sólo en nuestra cabeza. Hasta ahora se creía que la fatiga se originaba en los propios músculos, es decir, que nos cansamos cuando éstos alcanzan un límite físico: se quedan sin combustible. Pero unos profesores de la Universidad del Cabo (República Sudafricana) no están totalmente de acuerdo con esta explicación. En su opinión, la fatiga no tiene nada que ver con las señales de agotamiento de los músculos, sino que es una respuesta emocional que empieza en el cerebro. Según ellos, el cerebro, por medio de una combinación de pistas fisiológicas, subconscientes y conscientes, ajusta el ritmo de trabajo de los músculos para mantenerlos por debajo del límite del agotamiento. Cuando el cerebro decide que hay que abandonar la tarea, crea esa sensación de cansancio que interpretamos como una fatiga muscular insoportable.

Timothy Noakes empezó a desarrollar su teoría al participar en un maratón. A 20 kilómetros de la meta, al dar una curva, vio una pronunciada pendiente, cuya existencia ignoraba. El efecto fue inmediato: antes de empezar a subirla, comenzó a sentirse terriblemente cansado. La carrera le hizo plantearse una pregunta: ¿por qué sólo de pensar en ella se había cansado tanto? Si los niveles de glucosa y oxígeno en la sangre de dos personas son normales, ¿por qué una se cansa y otra no? La respuesta que dan es parcial.

Puede decirse que hay algo en la configuración cerebral de unas personas que las predispone al cansancio más que a otras. Entre las personas sin ansiedad, la actividad metabólica del cerebro se mantiene equilibrada entre hemisferios derecho e izquierdo, pero en personas ansiosas, el hipocampo de un lado empieza a funcionar de forma descompensada.

Las personas ansiosas son más vulnerables al estrés, y tienen más dificultad para metabolizar los corticosteroides que éste estimula, de manera que les provocan una reacción desproporcionada: se altera la tensión arterial, aparece la sensación de agobio, la incapacidad para afrontar problemas y la sensación de debilidad; es decir, el cansancio. Si a esta situación de estrés se le une una personalidad frágil e insegura, el resultado es una bajada de resistencia; la persona con estas características se agota mucho antes que el resto.

Elija la opción adecuada, según el texto.

1. El origen del cansancio está en el agotamiento muscular.
Verdadero ☐
Falso ☐

2. El profesor Timothy Noakes se cansó sólo de ver una pendiente.
Verdadero ☐
Falso ☐

3. En las personas ansiosas, la actividad del cerebro es más equilibrada que en las inseguras.
Verdadero ☐
Falso ☐

TEXTO 2

Regalos

Una de las costumbres universales es obsequiarnos los unos a los otros con regalos, aprovechando cualquier motivo: cumpleaños, aniversarios, casamientos, nacimientos y muchas más cosas que nos inventamos con tal de sorprender a las personas que nos rodean, algunas muy amadas y otras no tanto.

Los primitivos obsequiaban a los dioses para tenerlos de su lado y aplacar sus posibles iras. Aquellos dioses han ido pasando, pero parece que la costumbre arraigó tanto que todavía hoy, y de manera mucho más sofisticada, el regalo permanece como objeto de culto todo el año.

La persona que compra el regalo obtiene una cierta paz interior, y la que lo recibe se siente halagada por un lado —si el regalo le gusta— y, por el otro, queda en deuda otra vez con la obsequiante, en un sentimiento contradictorio de gratitud e incomodidad. Es más difícil recibir que dar.

También hay una guerra de gustos. Es difícil acertar en los regalos cuando la persona no nos es afín. Me explicaba una florista de La Rambla (de Barcelona) que una pareja celebraba sus treinta años de casada, y que el hombre le envió a su mujer treinta ramos de flores, todos distintos, cada diez minutos. Casi como un bombardeo intensivo, sólo que con flores. Es como para pedir el divorcio por intento de asfixia. Porque uno de los problemas de los regalos es la mesura. Considerando que el que recibe debe quedar en una situación de profundo agradecimiento, cuanto más recibe, menos campo le queda para seguir siendo libre para, por ejemplo, enfadarse si le es necesario.

De cualquier modo, el sentido del regalo sigue siendo el mismo, aplacar las posibles iras ancestrales. Como ejemplo tenemos el día de Reyes; reconozcamos que, al margen de las sorpresas recibidas con los obsequios, terminamos el día rendidos. Y es que los sentimientos contradictorios desvelados por tanta gratitud generan un estrés del que, irónicamente, solamente nos salva la rutina del trabajo.

No tenemos recursos para tanto agradecimiento masivo. Lo que parece desagradecimiento no es más que reconocer los límites que guardan nuestra idiosincrasia. Como decía Oscar Wilde: "No hay quien pueda resistir tres días maravillosos".

Remei Margarit. *La Vanguardia* (26-11-1998)

Elija la opción adecuada, según el texto.

4. a) Regalamos siempre que queremos obtener algo de otra persona.
b) La persona que recibe el regalo tiene que devolverlo inmediatamente.
c) Los regalos se hacen por múltiples motivos.

5. a) Muchas veces no se acierta con el regalo adecuado.
b) Cuanto más caro es el regalo, mejor para el que lo recibe.
c) Si te regalan algo no puedes enfadarte con la persona que te lo regala.

6. a) Buscar regalos para el día de Reyes es agotador.
b) Recibir muchos regalos es estresante.
c) Los regalos nos salvan de la rutina laboral.

TEXTO 3

AGUAS QUE MOVIERON PIEDRAS
Excursión al Arroyo de la Garita

Mucha gente piensa que los pueblos de la sierra de Madrid han sido lugares exclusivamente ganaderos, pero la realidad es otra. Hace 30 años estos pueblos estaban rodeados por completo de cultivos, campos de trigo que no han dejado huella sobre el terreno, pero sí en los nombres de éste: "linares" (de lino), "tercios", "quiñones", "eras" y "molino".

El molino solía pertenecer al ayuntamiento y se lo alquilaba a un molinero que se comprometía a moler el grano de todo el pueblo y pagar una parte de su ganancia al ayuntamiento. En el arroyo de la Garita había antiguamente cuatro molinos, y a visitarlos (lo que queda de ellos) vamos a dedicar hoy el día.

En el pueblo de Prádena nos echamos a andar por la calle del Pez, bordeando el precioso templo románico y luego bajamos por la del Carbón, que más adelante se llama camino del Molino. Al final de éste tomamos otro caminejo que baja al río Cocinillas, lo cruza por un puente de cemento y muere ante el ruinoso molino de Prádena, el cual mira por una ventana este precioso rincón.

Sin dejar este lado, avanzamos aguas arriba pasando de largo otro puente y unas minas. Así, a la media hora del inicio, llegamos al punto donde se unen el río Cocinillas y el arroyo de la Garita. Subimos paralelamente a éste hasta ver un tercer puente y allí mismo estaba el molino de la Garita, del que no queda ni una piedra. Sí hay un camino que lleva en una hora hasta Horcajuelo, otro pueblo admirable por su arquitectura y su museo etnográfico.

Nuestra excursión prosigue saliendo de Horcajuelo por otro camino, una pista asfaltada que muere en el molino de Horcajuelo. Este molino fue el más útil y utilizado de la zona: el único que molía en pleno verano. Por eso, seguramente, sigue estando en pie y de buen ver.

Extracto de *El País*
(Andrés Campos, 28-03-2003)

Elija la opción adecuada según el texto.

7. a) Antiguamente en la sierra de Madrid no había más que ganadería.
b) El molino era del pueblo y se alquilaba a una persona que lo explotaba.
c) Los campos siguen cultivándose actualmente de cereales.

8. a) El objetivo del texto es informarnos de una excursión para ver unos molinos en funcionamiento.
b) Para llegar al molino de Prádena hay que atravesar un puente romano.
c) El molino de la Garita ya no existe.

9. a) Desde Prádena hasta Horcajuelo hay una hora de camino.
b) El molino de Horcajuelo funciona actualmente.
c) El molino de Horcajuelo sólo funciona en verano.

TEXTO 4

Los celosos

¿Adónde iría Irma por la tarde? Salía con prisa y volvía escondiéndose. Resolvió seguirla. Es bastante difícil seguir a una mujer que se fija en todo lo que la rodea. Fracasó varias veces en sus intentos, porque se interceptó entre él y ella un automóvil, un colectivo, unas personas y hasta una bicicleta. Logró por fin seguirla hasta Córdoba y Esmeralda, donde tomó un taxi hasta la casa del dentista. Ahí bajó y entró sin que él supiera a qué piso iba. No había ninguna chapa indicadora. Esperó en la planta baja, fingiendo leer un diario. Subía y bajaba el ascensor. Se sentó en un escalón de mármol de la escalera.

Aquella tarde en que se aproximaba la primavera, el dentista acompañó a Irma hasta la puerta del ascensor. Al pasar junto a los vidrios pintados de las ventanas, el odontólogo murmuró:

−¿No sería lindo pasear por estos paisajes?

A Irma le pareció que la abrazaba en una cama de hotel. Se ruborizó y, al entrar en el ascensor, no dijo adiós.

−¿Está enojada? ¿Le hice doler? Sonría. Muéstreme mi obra de arte −exclamó el odontólogo, asustado.

El ascensor se llevaba a la paciente entre sus rejas como a una prisionera.

Afuera llovía; ya estaba su marido apostado con un paraguas cerrado en la mano. Había oído las frases pornográficas pronunciadas por esa voz de barítono sensual. Ciego de rabia blandió el paraguas, y al asestar a Irma un golpe en la cabeza, le rompió el premolar recién colocado y simultáneamente se le cayeron los cristales de contacto, las pestañas, los postizos de su peinado; las sandalias altas fueron a parar debajo de un automóvil. No la reconoció.

−Discúlpeme, señora. La confundí. Creí que era mi esposa −dijo perturbado−. Ojalá fuese como usted; no sufriría tanto como estoy sufriendo.

Apresurado se alejó, sintiéndose culpable por haber dudado de la integridad de su mujer.

Silvina Ocampo,
Cuentos de amor con humor. Editorial Popular, Madrid

Elija la opción correcta, según el texto.

10. a) Irma fue al dentista.
b) El marido no pudo seguirla porque había demasiado tráfico.
c) El marido sabía que Irma iba al dentista.

11. a) El dentista invita a Irma a pasear.
b) El dentista piensa que quizás le haya hecho daño al atenderla.
c) El dentista es, obviamente, el amante de la mujer.

12. a) El marido le da un golpe en la cabeza a su mujer con el paraguas.
b) La mujer no era la esposa del hombre del paraguas.
c) La mujer era realmente bella.

PRUEBA 2. EXPRESIÓN ESCRITA

Parte número 1: Carta personal

Instrucciones

Redacte una carta de 150-200 palabras. Escoja sólo una de las dos opciones que se proponen.
Comience y termine la carta como si fuera real.

Lea atentamente el siguiente planteamiento.

Ha estado de vacaciones recientemente en casa de un amigo. El día de su regreso le informan que por un problema de "over-booking" en su vuelo, su billete de avión queda invalidado para ese día, proponiéndole la compañía la posibilidad de un nuevo billete para el día siguiente. Por cuestiones laborales, necesita llegar ese mismo día a su ciudad de origen, con lo cual la única solución que le queda es coger el tren. Desafortunadamente no lleva suficiente dinero encima y su amigo se ofrece a prestárselo. Al llegar a su casa decide escribir dos cartas:

Opción 1

Escriba una carta de agradecimiento a su amigo, invitándole a pasar unos días en su casa. En ella deberá:

- explicarle los motivos de la carta,
- ofrecerle las fechas más apropiadas para su visita,
- informarle sobre las distintas actividades que podrán realizar durante su estancia,
- pedirle que confirme su llegada.

Opción 2

Escriba una carta a la compañía aérea que le había vendido el billete. En ella deberá:

- presentarse,
- explicar el motivo de su queja,
- comunicar los perjuicios que le ha ocasionado,
- exigir una compensación por los problemas causados.

Parte número 2: Redacción

Instrucciones

Escriba una redacción de 150-200 palabras. Escoja sólo una de las dos opciones que se proponen.

Opción 1

Imagine que es usted profesor de secundaria o padre con hijos adolescentes. Ha visto una película que le ha parecido que puede resultar interesante para sus alumnos o hijos. Escriba una redacción en la que exponga:

- qué película ha visto,
- de qué se trataba,
- por qué le gustó
- por qué la considera adecuada para los adolescentes.

Opción 2

"Cada vez hay más personas que deciden dedicar parte de su tiempo de ocio a hacer deporte". Elabore una redacción en la que deberá:

- exponer su opinión a favor o en contra,
- dar ejemplos que justifiquen su opinión,
- hablar de su experiencia personal,
- elaborar una breve conclusión.

PRUEBA 3. COMPRENSIÓN AUDITIVA

Parte número 1

ESCUCHAR

Instrucciones

Escuche la siguiente entrevista radiofónica y señale la opción adecuada. **32** 🎧

CAPITÁN ALATRISTE, UNA PELÍCULA

PREGUNTAS

1. Arturo Pérez-Reverte es el director de la película.
Verdadero ☐
Falso ☐

2. Viggo Mortensen es español.
Verdadero ☐
Falso ☐

3. Las instituciones españolas no han participado económicamente en la película.
Verdadero ☐
Falso ☐

Parte número 2

Instrucciones

Escuche la siguiente noticia radiofónica y señale la opción adecuada. **33** 🎧

LA SOLUCIÓN ESTÁ EN EL HOMBRE

PREGUNTAS

4. Más de 25.000 personas contestaron a la pregunta del sabio inglés:
   a) porque les pareció una pregunta muy interesante,
   b) porque querían participar en un concurso,
   c) por el honor de comunicarse con un científico tan importante.

5. La respuesta seleccionada como la más brillante estaba firmada por:
   a) un científico demente,
   b) una persona que firmó con un nombre imaginario,
   c) una persona que firmó con su propio nombre.

6. El autor de la respuesta seleccionada afirma:
   a) que en la actualidad existen algunos peligros graves,
   b) que el ser humano siempre se ha enfrentado a los mismos peligros,
   c) que los nuevos peligros no son demasiado graves para la humanidad.

Instrucciones

Escuche el siguiente programa radiofónico y señale la opción adecuada. **34**

EL MÓVIL: OBJETO IMPRESCINDIBLE

PREGUNTAS

7. Desde que Lucía tiene móvil:
    a) tiene más problemas con sus hijos,
    b) puede comunicarse más fácilmente con sus hijos,
    c) no lo usa para nada.

8. Marcos:
    a) utiliza su móvil para hacer fotos,
    b) no usa su móvil con mucha frecuencia,
    c) utiliza su móvil para ponerse en contacto con sus amigos.

9. Elena:
    a) no utiliza el móvil,
    b) lo usa para comunicarse con sus alumnos,
    c) lo utiliza cuando sale a la calle.

Instrucciones

Escuche la conversación entre Enrique y la funcionaria de la biblioteca y señale la opción adecuada. **35**

EN LA BIBLIOTECA

PREGUNTAS

10. Enrique va a la biblioteca para:
    a) sacar un libro en préstamo,
    b) para consultar un libro,
    c) para pedir información para hacerse socio.

11. El ser socio de una biblioteca pública da derecho a:
    a) leer libros de forma gratuita,
    b) consultar Internet previo pago,
    c) llevarse la prensa diaria a casa.

12. La biblioteca:
    a) está abierta los días laborables durante doce horas,
    b) de lunes a viernes, cierra a mediodía,
    c) está abierta los sábados por la tarde.

PRUEBA 4. GRAMÁTICA Y VOCABULARIO

Parte número 1: Texto incompleto

Instrucciones

Complete el siguiente texto eligiendo para cada uno de los huecos una de las opciones que se le ofrecen.

CINCO EUROS POR UN VISTAZO AL FUTURO

En el centro comercial Plaza de Armas se celebra el VII Certamen de Ciencias Ocultas, donde seis expertos en tarot, baraja española y quiromancia _____ (1) a disposición de los ciudadanos.

No son videntes, pitonisos ni adivinos. Simplemente tienen una _____ (2) especial para percibir cosas cuando una persona se _____ (3) pone delante. A partir de esa "sensación interior", _____ (4) explican, su trabajo consiste en poner sobre aviso a los interesados ante aquellas situaciones que, a su juicio, es probable que se les _____ (5) en el futuro. _____ (6), al tener presente de antemano los cambios que pueden experimentar sus vidas, las personas se sienten más seguras y tienen la oportunidad de meditar y elegir qué camino quieren tomar.

Hasta el _____ (7) día 25, los seis miembros de la empresa Meigas Gallegas abrirán sus cabinas en el centro comercial Plaza de Armas, donde se celebra el VII Certamen de Ciencias Ocultas. Durante siete horas _____ (8) día, Lola y sus compañeros estarán a disposición de todo aquel que, por el módico precio de cinco euros, quiera echar un pequeño vistazo a su futuro.

"La gente _____ (9) por aquellas cuestiones que pueden afectar a su estabilidad emocional", explicaba ayer Lola. "_____ (10) que hay que tener presente siempre es que el destino no existe, nadie es una marioneta; lo único que _____ (11) escrito es el principio y el final de la vida, pero lo que ocurra en ese intervalo es responsabilidad de cada uno", añadió la vidente. Defensora

_____ (12) ultranza del libre albedrío, Lola comentó que no existe un perfil determinado de persona que consulta. En general, los hombres acuden a ellos en _____ (13) número que las mujeres y las personas mayores lo hacen _____ (14) como las jóvenes.

Juan, de 24 años, _____ (15) trabajando en este mundo desde hace ocho. "Cuando tenía siete años, un día _____ (16) con mi tía a las cartas y me _____ (17) cuenta que podía ver en ellas determinados aspectos de su vida", explicó. Este descubrimiento _____ (18) llevó a interesarse por el mundo de la adivinación, con el que ahora se gana la vida _____ (19) de una variedad del tarot _____ (20) Symbolom.

Diario de Sevilla (10-03-2006)

OPCIONES:

1.	a) paran	b) están	c) son	d) existen
2.	a) capacidad	b) revelación	c) visión	d) prevención
3.	a) la	b) le	c) les	d) los
4.	a) ellos	b) se	c) según	d) no
5.	a) presentarán	b) presentaran	c) presentan	d) presenten
6.	a) De esta forma	b) Sin embargo	c) Por eso	d) Aunque
7.	a) pasado	b) siguiente	c) próximo	d) futuro
8.	a) por	b) al	c) en el	d) para
9.	a) demanda	b) cuestiona	c) pregunta	d) pide
10.	a) Lo	b) Eso	c) El	d) Esto
11.	a) es	b) estuvo	c) fue	d) está
12.	a) o	b) en	c) a	d) hacia
13.	a) mejor	b) más	c) igual	d) tan
14.	a) tan	b) tanto	c) tantas	d) igual
15.	a) está	b) llegó	c) lleva	d) sigue
16.	a) estuve jugando	b) jugaba	c) jugué	d) estaba jugando
17.	a) he dado	b) di	c) daba	d) había dado
18.	a) se	b) les	c) la	d) le
19.	a) según	b) por	c) mediante	d) a través
20.	a) escrita	b) denominada	c) dicha	d) nombrada

EJERCICIO 1

Instrucciones

En cada una de las frases siguientes se ha marcado con letra negrita un fragmento. Elija, entre las tres opciones de respuesta, aquella que tenga un significado equivalente al del fragmento marcado.

21. A. José, ¿quieres que vayamos al cine?
B. No, lo siento, ya **he quedado** con Lucía.

    a) he estado
    b) he hablado
    c) tengo una cita

22. A. Por favor, ¿puede decirme cuánto **se tarda** en llegar desde el centro a la plaza de Castilla?
B. Unos veinte minutos.

    a) se dura
    b) tiempo que se necesita
    c) se espera

23. Mira, este detergente sí que **elimina** bien las manchas.

    a) borra
    b) remueve
    c) conserva

24. A. Hola, Alex, ¿qué tal te encuentras en España?
B. Bien, pero **echo de menos** a mi familia.

    a) escribo menos
    b) oigo menos por teléfono
    c) recuerdo con nostalgia

25. A. ¿Puede darme una entrada para el concierto de mañana?
B. Lo siento, **están agotadas.**

    a) no quedan
    b) no están numeradas
    c) saldrán más tarde

26. María, por fin han abierto el supermercado nuevo, ¿vamos a **echar un vistazo**?

    a) comprar algo
    b) ver la mercancía
    c) mirar un poco

27. A. ¿Tú crees que tus padres nos **dejarán** el dinero que necesitamos para el piso?
B. Sí, yo creo que sí.

    a) darán
    b) quitarán
    c) prestarán

28. En el Banco de la esquina, si haces una **imposición** de mil euros, te regalan una vajilla.

    a) un ingreso
    b) un reintegro
    c) un gasto

29. A. ¡Qué raro que Rafa y Mayte no hayan llegado todavía!, son muy puntuales.
B. **A lo mejor** no encuentran aparcamiento.

    a) Lo bueno es que
    b) Probablemente
    c) Evidentemente

30. A. ¿Quieres que te ayude en la traducción?
B. No, gracias, **no hace falta.**

    a) no es necesario
    b) no tengo ganas
    c) no voy a hacerla

EJERCICIO 2

Instrucciones

Complete las frases siguientes con el término adecuado de los dos o cuatro que se le ofrecen.

31. A. ¿Sabías que Manuel es concejal de su pueblo?
B. No, _____
  a) no lo sabía
  b) ya lo sabía

32. A. ¿Por qué no vino Javier a la reunión de ayer?
B. Porque _____ mal.
  a) se encontraba
  b) se encontró

33. A. ¿A qué hora salimos mañana?
B. _____ mí, a la que os vaya bien.
  a) Por
  b) Para

34. A. ¿Qué _____ si _____ bastante rico?
B. Seguramente pondría un negocio.
  a) harás … serás
  b) harías … fueras

35. A. ¿Quieres que te _____ a preparar el examen?
B. Sí, gracias.
  a) ayudo
  b) ayude

36. A. ¿Por qué no vamos a tomar un café?
B. No puedo, _____ demasiado tarde, no tengo tiempo.
  a) es
  b) está

37. A. Adiós, Juan, y gracias _____ todo.
B. De nada.
  a) por
  b) para

38. A. ¿Has ido ya a ver la exposición de Picasso?
B. No, iré a verla en cuanto _____ una tarde libre.
  a) tengo
  b) tenga

39. El niño, en cuanto vio a su madre, _____ a correr hacia ella.
  a) echó
  b) hizo

40. A. ¿Cuánto tiempo _____ la niña tocando el piano?
B. Media hora.
  a) está
  b) lleva

41. A. ¿No te parece ilógico que los precios de los pisos _____ por las nubes?
B. Sí, pero parece que nadie puede hacer nada.
  a) están   c) estén
  b) son   d) sean

42. A. ¿Cuánto tiempo _____ esta película?
B. Creo que una hora y media, como todas.
  a) lleva   c) tarda
  b) dura   d) está

43. A. Olga, ¿qué haces?
B. Estoy buscando un pendiente que _____ ha caído.
  a) me se   c) se la
  b) se me   d) mi se

44. A. ¿Va a venir tu novio este fin de semana?
B. Ojalá _____, pero no puede, tiene que terminar un trabajo.
  a) viniera   c) viene
  b) venga   d) vendrá

45. A. Bueno, mamá, adiós, me voy.
B. Bueno, hijo, pero no corras _____ como otras veces.
  a) mucho   c) más
  b) tanto   d) nada

46. A. ¿Puedes prestarme un CD de Enrique Iglesias?
B. Lo siento, no tengo _____

    a) alguno   c) ninguno
    b) ningún   d) uno

47. A. Carlos, tenemos que terminar este proyecto antes de que _____ el jefe de la reunión.
B. Vale.

    a) sale   c) salga
    b) saldrá   d) saliera

48. A mí me parece que conducir bien no _____ tan difícil como piensan algunos.

    a) sea   c) está
    b) es   d) esté

49. Elena lleva varios días buscando un carpintero que le _____ una librería para el salón.

    a) hizo   c) hará
    b) haga   d) hacía

50. A. Anoche te llamé a las 11 y no me abriste la puerta.
B. Lo siento, a esa hora ya _____

    a) estuve durmiendo   c) estaba durmiendo
    b) me dormía   d) dormí

51. A. ¿Es verdad que Rosalía se va a otra empresa?
B. No creo que _____ de aquí. Gana bastante dinero.

    a) se haya ido   c) se vaya
    b) se iré   d) se va

52. A. He llamado a mi madre varias veces y no contesta al teléfono, ¿dónde estará?
B. No te preocupes, _____ a comprar algo.

    a) saldrá   c) saldría
    b) ha salido   d) habrá salido

53. A. ¿Sabes que mi hermano ha ganado un premio de Poesía?
B. ¡Qué bien!, no sabía que tu hermano _____ poesías.

    a) escribió   c) ha escrito
    b) escriba   d) escribía

54. A. Jorge, ¿has mandado las estadísticas al departamento comercial?
B. Todavía no, _____ mandaré esta tarde, cuando lo termine.

    a) las se   c) se lo
    b) se las   d) le las

55. A. ¿Sabes que Roberto se ha comprado un cuatro por cuatro?
B. Sí, últimamente _____ los estudiantes tienen un cuatro por cuatro.

    a) hasta   c) de
    b) en   d) desde

56. A. Eduardo es un antipático.
B. ¿Por qué lo dices?
A. El otro día lo vi en una exposición y él hizo _____ no me viera.

    a) que   c) si
    b) como si   d) para que

57. A. Mamá ¿puedo poner la tele?
B. Sí, _____ hayas acabado los deberes.

    a) como   c) siempre que
    b) si   d) en caso de

58. A. ¿Para qué _____ ayer por teléfono a Nicolás?
B. Para pedirle el libro de Economía, lo necesito para hacer un trabajo.

    a) llamaste   c) llames
    b) has llamado   d) llamaras

59. Clara, ven aquí, _____ no vengas te castigaré.

    a) si   c) con tal de que
    b) en caso de   d) como

60. A. ¿Sabes que David está saliendo con otra chica?
B. _____ mí, como si sale con tres a la vez. No me importa un pimiento.

    a) Por   c) Para
    b) A   d) Sin

Referencia gramatical

UNIDAD 1

1. Interrogativos.

Invariables

¿Qué ha dicho la profesora?

¿Dónde has puesto mis papeles?

¿Cómo vas a volver a casa?

¿Cuándo piensas acabar el trabajo?

Variables

¿Quién me llamó ayer?

¿Quiénes son esos que llegan?

¿Cuánto te ha costado el reloj nuevo?

¿Cuánta carne compro?

¿Cuántos (invitados) van a venir a la cena?

¿Cuántas sillas hacen falta?

¿Cuál prefieres? (De estos libros)

¿Cuáles te faltan? (De los fascículos de la enciclopedia)

▶ Los interrogativos llevan siempre tilde, tanto en preguntas directas como indirectas.

No tengo ni idea de cuántas personas vendrán a la cena.

- *Cuál / Cuáles* se usa para preguntar por la elección entre una serie de cosas.

- *Qué* se usa para hacer preguntas generales. Si no va acompañado de un nombre, significa exactamente, "¿qué cosa?".

  ¿Qué es mejor para la salud: nadar o caminar?

  ¿Qué deporte es más sano, el ciclismo o la natación?

▶ En Latinoamérica es normal el uso de *Cuál* + nombre, pero en España no se considera correcto.

¿Cuál coche te gusta más? / ¿Qué coche te gusta más?

2. Uso del pretérito indefinido.

- Se utiliza para hablar de acciones puntuales y realizadas en un momento determinado del pasado.

  La película empezó a las siete y terminó a las 10, duró tres horas.

- También se utiliza para hablar de acciones repetidas o durativas, con los marcadores temporales adecuados. El hablante utiliza este tiempo cuando sabe que la actividad (sea repetida o durativa) terminó.

  La semana pasada fui al cine tres veces.

  Roberto estudió pintura y escultura en la Academia de Bellas Artes desde 2001 hasta 2005.

3. Uso del pretérito perfecto.

▶ En algunas ocasiones, se utiliza para hablar de actividades acabadas recientemente.

Últimamente he visto mucho cine.

Jorge ya ha hecho la comida, vamos a comer.

▶ También se utiliza para hablar de eventos o experiencias que pertenecen a un pasado no determinado. Pueden referirse a un hecho puntual o a toda una vida.

Paloma ha abierto una tienda de regalos muy moderna en su barrio.

Mi tía Enriqueta nunca ha querido explicarnos qué le pasó a su marido en la guerra.

4. Uso del pretérito imperfecto.

▶ El pretérito imperfecto expresa principalmente acciones inacabadas, vistas en su desarrollo. Se usa para hablar de descripciones y hábitos en el pasado.

Hace cien años las mujeres españolas no trabajaban fuera de casa, salvo si vivían en el campo.

▶ También se usa para describir las circunstancias o las causas de la acción principal.

A. *¿Qué tal el fin de semana?*

B. *Bien, como no **tenía** ningún plan especial, me dediqué a limpiar la casa y ordenar papeles.*

UNIDAD 2

1. Tiempos del futuro.

IR		
	Futuro imperfecto	**Futuro perfecto**
Yo	iré	habré
Tú	irás	habrás
Él/ella/Vd.	irá	habrá
Nosotros/as	iremos	habremos
Vosotros/as	iréis	habréis
Ellos/as/Vds.	irán	habrán

Futuro imperfecto

▶ Se utiliza para hablar sobre el futuro con marcadores temporales como *mañana, luego, esta noche*. También se usa para hacer predicciones y promesas.

*El jueves **estaré** en Bruselas.*

*La semana que viene **subirán** las temperaturas.*

*Te **regalaré** un equipo nuevo para tu cumpleaños si traes buenas notas.*

Futuro perfecto

▶ Se utiliza para hablar de una acción del futuro ya acabada en un momento del futuro del que se habla.

*Cuando volvamos a Madrid se **habrán terminado** las obras, creo yo.*

Otro uso del futuro: futuro de probabilidad

▶ Las dos formas de futuro (perfecto e imperfecto) nos sirven para expresar probabilidad. Con el futuro imperfecto hacemos suposiciones sobre el presente y el futuro. Con el futuro perfecto hacemos suposiciones sobre el pasado reciente o indeterminado.

A. *¿**Estará** Ana en casa?*

B. *Sí, ya **habrá llegado** porque son las 8.*

▶ Para hacer una conjetura sobre un hecho pasado (ayer, el domingo pasado) se utiliza la forma del condicional.

A. *Ayer te llamé y no me contestaste.*

B. ***Estaría** en la cocina y por eso no oí el teléfono.*

2. Subjuntivo con verbos de sentimiento.

▶ En las oraciones que dependen de verbos que expresan sentimiento (como *gustar, molestar, poner nervioso*), y que además siguen la estructura pronominal (*me, te, le, nos, os, les*), se utiliza el verbo en infinitivo cuando el sujeto lógico de ambos verbos es el mismo, o subjuntivo en caso de que sean diferentes.

*De pequeña **me encantaba hacer** castillos en la arena, y ahora **me gusta** mucho **andar** por la playa al atardecer.*

*En cambio, a mi hermano no **le gustaba** nada **que le obligaran** a ir a la playa. Prefería bañarse en la piscina.*

▶ Si el verbo principal está en presente o pretérito perfecto, el verbo subordinado puede estar en presente, pretérito perfecto o pretérito imperfecto de subjuntivo.

*Me da pena que **se acaben** las vacaciones.*

*Me molesta que no me **haya llamado** Ernesto.*

*No me ha gustado que **hablaras** con Pepe.*

▶ Si el verbo principal está en pretérito indefinido o imperfecto, el verbo subordinado estará en pretérito imperfecto o pluscuamperfecto de subjuntivo.

*Me dio pena que **dejaras** los estudios de Medicina.*

*Le molestaba mucho que no le **pidiéramos** permiso para salir.*

UNIDAD 3

1. Oraciones temporales.

▶ Como regla general para las oraciones subordinadas temporales:

• En las oraciones que expresan futuro:

> Cuando
> En cuanto
> Tan pronto como   + subjuntivo
> Hasta que
> Siempre que
>
> Cuando **hayan pasado** veinte minutos, el arroz estará listo.
>
> Tan pronto como **llegue** Luis, dile que me llame.
>
> Dijo que saldría en cuanto **terminara** el trabajo.

● En las oraciones que expresan presente o pasado:

> Cuando
> En cuanto
> Tan pronto como   + indicativo
> Hasta que
> Siempre que
>
> Cuando nos **reunimos** lo **pasamos** muy bien.
>
> Siempre que nos **juntábamos**, recordábamos nuestra infancia.
>
> En cuanto **llegó**, se puso a hacer la comida.

Antes de (que) + infinitivo / subjuntivo

▶ **Infinitivo.** Cuando el sujeto de las dos oraciones es el mismo.

*Carlos, no bebas tanto antes de **comer**.*

▶ **Subjuntivo.** Cuando el sujeto es diferente.

*Apaga el fuego antes de que se **queme** la comida.*
*Ayer nos fuimos de la oficina antes de que el jefe nos **reuniera** otra vez.*

2. Oraciones condicionales.

Condicionales probables

▶ Se utiliza **si + presente de indicativo** para expresar una condición que nos parece probable de cumplir.

*Si **vienes** pronto, **iremos** al cine.*

▶ El verbo de la oración principal puede ir en:

● **presente de indicativo**
*Si no trabajas, **salimos** el sábado.*

● **futuro**
*Si me ayudas, **acabaremos** enseguida.*

● **imperativo**
*Si tienes frío, **cierra** la ventana.*

● *ir + a + infinitivo:*
*Si no comes bien, **vas a ponerte** enfermo.*

Condicionales poco probables o hipotéticas

▶ Expresamos condiciones poco probables con la estructura *si* + **verbo en pretérito imperfecto + verbo en forma condicional.**

*Si me **tocara** la lotería, **viviría** en el campo.*

▶ Esta misma estructura se utiliza para dar consejos.

*Si yo **fuera** tú (yo que tú), la **llamaría** por teléfono.*

Condicionales imposibles

PRETÉRITO PLUSCUAMPERFECTO DE SUBJUNTIVO		
Yo	hubiera	
Tú	hubieras	
Él/ella/Vd.	hubiera	+ ido
Nosotros/as	hubiéramos	
Vosotros/as	hubierais	
Ellos/as/Vds.	hubieran	

CONDICIONAL PERFECTO		
Yo	habría	
Tú	habrías	
Él/ella/Vd.	habría	+ ido
Nosotros/as	habríamos	
Vosotros/as	habríais	
Ellos/as/Vds.	habrían	

▶ Se llaman imposibles porque se refieren a condiciones que no se cumplieron en el pasado, en el presente o en el futuro. Tienen la siguiente estructura: *Si* + pret. **pluscuamperf. subjun. + condicional perfecto / pret. imper. subjun.**.

*Si **hubieras estado** en Canarias, **habrías visto** / **hubieras visto** el eclipse de luna.*

▶ En otros casos, se habla de las consecuencias actuales si se hubiera cumplido la acción pasada.

*Si **hubieras ido** al dentista cuando te los dije, no **te dolería** ahora la muela.*

UNIDAD 4

1. Formación de palabras. La sustantivación.

▶ Para formar nombres abstractos derivados de verbos o adjetivos, los sufijos más frecuentes son:

> *-ción/-sión: invención, perfección, concesión, digestión.*
> *-dad/-tad: brevedad, dificultad, sanidad, libertad.*
> *-eza: extrañeza, pereza, belleza.*
> *-ismo: budismo, socialismo.*
> *-ncia/-nza: experiencia, paciencia, confianza, enseñanza.*
> *-miento/-mento: aburrimiento, sentimiento, salvamento, fundamento.*
>
> *La **experiencia** es la madre de la ciencia.*
> *No fui a verte porque llovía mucho y me dio **pereza** salir.*
> *Los equipos de **salvamento** han salido hoy otra vez en busca del montañero extraviado.*

2. Relativos con preposición.

▶ En las oraciones de relativo que precisan preposición, ésta va antes del relativo.

> *Mira, éste es el libro **del que** te hablé.*

▶ Generalmente es necesario incluir el artículo entre la preposición y el pronombre relativo, pero en algunos casos se suele suprimir, sobre todo en la estructura *en que*.

> *Recuerdo perfectamente el día **en que** nos conocimos y la calle **en que** tú vivías.*

▶ Aunque en la lengua hablada no es frecuente el uso del relativo *el/la cual* y *los/las cuales*, es habitual encontrarlo detrás de algunas preposiciones de más de una sílaba, de locuciones preposicionales y, sobre todo, detrás de *según*.

> *El empresario **para el que** / **el cual** / **quien** trabajaba Óscar ha muerto hace poco.*
> *Hay una nueva teoría **según la cual** las enfermedades cardiovasculares tendrían origen en el tiempo de formación del feto.*

▶ La conjunción de relativo más frecuente es *que*. El uso de *quien/quienes* (para personas) y *el/la cual* y *los/las* cuales le da al escrito o al discurso hablado un tono algo más formal y culto.

Artículo neutro *lo*

▶ Sirve para nominalizar un adjetivo, un adverbio, un pronombre o una frase completa. Suele referirse a un concepto o afirmación anterior que no poseen género ni masculino ni femenino.

> ● **Lo + adjetivo**
> *Mira **lo alta** que está Julita.*
> ***Lo mejor** de mi trabajo son las vacaciones.*
>
> ● **Lo + adverbio**
> *Mira **lo bien** que viven Juan y Ana.*
> *No te imaginas **lo lejos** que está eso.*
>
> ● **Lo + de + nombre**
> *¿Te has enterado de **lo de Fernando**?*
> *Jorge ya me ha contado **lo de la herencia**.*
>
> ● **Lo + que + frase**
> *No oí bien **lo que** dijo Cristina.*

UNIDAD 5

1. Estilo indirecto.

▶ El estilo indirecto se utiliza para repetir una información (o una petición) de forma no textual.

> *Ana: "No te preocupes, yo te presto el dinero que necesitas para el coche nuevo".*
> *Ana me <u>dijo</u> que me **prestaba** el dinero que necesitaba para el coche nuevo.*

▶ Si el verbo introductor (*decir, contar, preguntar, responder*) está en presente, el tiempo en la oración subordinada no varía.

> *Ana <u>dice</u> que me **presta** el dinero que necesito.*

▶ Cuando el verbo introductor está en pasado (excepto pretérito perfecto), el tiempo de la oración subordinada cambia según el siguiente cuadro.

Estilo directo *(Dijo:)*	Estilo indirecto *(Dijo que)*
Presente Pret. imperfecto • *Javier **es** muy rico.* • *Manu no **estudiaba** nada en la escuela.*	Pret. imperfecto • *Javier **era** muy rico.* • *Manu no **estudiaba** nada en la escuela.*
Pret. perfecto Pret. indefinido • *El jefe no **ha venido** hoy.* • *Óscar no **fue** ayer a trabajar.*	Pret. pluscuamperfecto o indefinido • *El jefe no **había venido** hoy.* • *Óscar no **había ido** ayer a trabajar.*
Pret. pluscuamperfecto • *A las nueve y cuarto los obreros no **habían venido** aún.*	Pret. pluscuamperfecto • *A las nueve y cuarto los obreros no **habían venido** aún.*
Futuro • *Olga no **irá** a clase.*	Condicional • *Olga no **iría** a clase.*
Presente de subjuntivo • *Espero que Susana **venga** pronto.*	Pret. imperfecto de subjuntivo • *Esperaba que Susana **viniera** pronto.*
Imperativo • *Trabaja duro.*	Pret. imperfecto de subjuntivo • *Que trabajara duro.*

• Además de los cambios que se producen en el verbo, hay que hacer otros cambios que afectan sobre todo a los pronombres, posesivos y expresiones espaciales, temporales y verbos como *ir / venir, traer / llevar*. Esto es así debido a la traslación que hacen los hablantes de lugar y tiempo.

Celia: *"¿Vienes mañana conmigo de compras?".*

Julia: *"Mamá, Celia me preguntó si iba hoy con ella de compras, ¿puedo ir?".*

Pablo: *"Papá, ¿me prestas tu coche? El mío está estropeado".*

Padre: *"Carmen, Pablo me ha pedido el/mi coche porque el suyo está estropeado. ¿Se lo dejo?".*

▶ Hay que distinguir entre verbos de "lengua" o "comunicación", como *decir, afirmar, explicar, comentar, preguntar, responder,* que, por su significado mismo (repetir la información que ha dado un tercero), introducen oraciones en modo indicativo y, por otro lado, verbos llamados de "influencia" como *decir* (en el sentido de ordenar), *sugerir, ordenar, mandar, recomendar, advertir, pedir, rogar, aconsejar,* que introducen oraciones subordinadas en modo subjuntivo. En estos últimos, el hablante tiene la intención de transmitir una "petición", sugerencia, prohibición, etc., no sólo una información.

Padre: *"Te he dicho que no salgas de casa después de las ocho".*

*Mi padre me <u>ha prohibido</u> que **salga** de casa después de las ocho.*

*Ayer mi padre me prohibió que **saliera** de casa después de las ocho.*

▶ En la lengua cotidiana, ambas funciones (informar y ordenar) aparecen mezcladas con múltiples valores e intenciones. Uno de los más habituales es el reproche o la queja, como se mostraba en la unidad.

Tú me aconsejaste que <u>fuera</u> a esa peluquería, que la peluquera <u>era</u> muy buena, sin embargo, mira cómo me ha dejado el pelo.

("Deberías ir a mi peluquería, la peluquera es estupenda").

2. Formación de palabras: sufijos de formación de adjetivos.

▶ Los sufijos más frecuentes para formar adjetivos en español son:

-able/-ible-(es)	*-ico/a/os/as*
soci**ables**	est**ético**
palp**able**	socioló**gicos**
previs**ible**	esf**érica**

-al/-ales	*-oso/a/os/as*
trimestr**al**	gener**oso**
caus**al**	fam**osa**
person**ales**	ruid**osas**

-ivo/a/os/as	*-nte/es*
pasiva	penetra**nte**
afectivo	causa**nte**
efectivos	pensa**nte**

-dor/a
ahorra**dor**
encanta**dor**
calcula**dora**

UNIDAD 6

1. Oraciones finales.

▶ Las oraciones finales pueden ser introducidas por *para (que), con el fin de (que), con el objeto de (que), que, a.*

  • llevan el verbo en infinitivo cuando el sujeto de los dos verbos es el mismo:
  *Tenemos que trabajar este fin de semana para **terminar** (nosotros) el trabajo en la fecha prevista.*

  • llevan el verbo en subjuntivo cuando el sujeto es diferente.
  *Estúdiatelo (tú) a fondo para que te **pongan** (ellos) una buena nota.*

▶ Las oraciones finales introducidas por *que* son muy coloquiales y en la oración principal suele haber un imperativo.

  *Clara, ven **que** te lave la cabeza*

▶ Las oraciones finales introducidas por *a* se utilizan habitualmente con verbos de movimiento: *ir, venir, acudir, acercarse, correr, salir.*

  *Los chicos salieron corriendo de clase **a** ver al campeón de la etapa ciclista.*

2. Conectores del discurso.

▶ Los conectores son aquellos elementos lingüísticos que nos sirven para organizar las ideas cuando hablamos o escribimos un texto. Se suelen distinguir varios tipos.

  a) **Conectores aditivos:** utilizamos la conjunción *y* para unir frases con un mismo sentido, pero también podemos utilizar *además* e *incluso*.
  *Un blog es fácil de crear y **además** es fácil de usar.*

  b) **Conectores consecutivos:** presentan una idea como consecuencia de la anterior. Los más usados son *por eso, de ahí que* y *por lo tanto*.
  *El blog es un espacio para las reflexiones, **por eso** se parece a un diario.*

  c) **Conectores contraargumentativos:** introducen una idea de contraste con la información anterior: *en cambio, al contrario, no obstante, sin embargo, aunque, a pesar de.*
  *Mucha gente los conoce, **aunque** los definen de distintas maneras.*
  *No estoy enfadada contigo, **al contrario**, tengo ganas de hacer cosas juntos y de que hablemos*

  d) **Conectores causales:** para presentar la causa utilizamos *porque, como, a causa de, por.*
  Como son fáciles de crear, su número de usuarios crece.

  e) **Estructuradores de la información:** para ordenar las ideas utilizamos *en primer lugar, en segundo lugar, por un lado, por otro lado, finalmente.*
  En primer lugar, me gustaría que se castigase a los conductores que no cumplen las normas.

UNIDAD 7

1. Indicativo o subjuntivo con verbos de opinión, percepción o afirmación.

Verbos de opinión
Creer, imaginar, opinar, parecer, pensar, suponer.

Verbos de percepción física o mental
Constar, comprender, dudar, entender, darse cuenta de, ignorar, recordar, notar, percibir, ver.

Verbos de afirmación, lengua o comunicación
Afirmar, contar, comentar, confesar, decir, declarar, explicar, manifestar.

▶ Las oraciones dependientes de verbos como los anteriores, llamados de opinión, percepción o comunicación, pueden llevar el verbo en indicativo o subjuntivo.

Indicativo
  • Cuando el verbo principal es afirmativo.
  *Cristina se imaginó que **estábamos** en la piscina y no llamó más.*

- **Cuando el verbo principal es imperativo negativo.**

  No pienses que mis padres nos van a prestar el dinero que necesitamos.

- **Cuando la oración principal es negativa e interrogativa.**

  ¿No crees que Alberto es un caradura? Nunca paga una ronda.

Subjuntivo

- **Cuando la oración principal es negativa.**

  No imaginaba que los padres de adolescentes tuvieran tantos problemas con los hijos.

  – No obstante, en algunos casos, se utiliza el modo indicativo en la oración subordinada si el hablante está seguro o habla de un hecho constatado.

  ¿Sabes? Rafael no se cree que hemos comprado un chalé en Marbella.

  María no recordaba que ya habíamos estado una vez en su casa.

  – Otras veces, el uso del indicativo o subjuntivo en la oración subordinada depende del compromiso del hablante ante la veracidad de la afirmación.

  No quería decir que el inquilino fuera / era un ladrón, sólo que a ella le faltaba dinero de su mesita de noche.

  No sabía que tu hermano hubiera vivido / había vivido en China.

UNIDAD 8

1. Usos de *ser* y *estar*.

▶ *Ser*

Se usa para expresar identidad, origen y nacionalidad, profesión, propiedad, descripción de personas, objetos y lugares, localización en el tiempo y en el espacio, valoraciones de actividades y cualidades de las personas y para indicar cantidades.

Esto es una planta.
Este café es de Colombia, es colombiano.
Este cuadro es de Miró.
Aquel cuadro es de mi hermano, lo compró en una subasta en Londres.

Ayer fue domingo, ¿no te acuerdas?
El banquete de boda de Paloma y Jaime será en los jardines del Palacio de Godoy.
La película que vimos el sábado fue preciosa.
Elena es bastante tranquila, pero a veces se pone nerviosa.
En la reunión éramos sólo cuatro gatos: a la gente le gustan cada día menos estas reuniones.

▶ *Estar*

Se usa para expresar localización en el espacio, estados físicos y anímicos de las personas, estados de objetos y lugares y acciones en desarrollo. También se usa para hablar de una ocupación laboral más o menos temporal.

El domingo estuvimos en el zoo con los niños.
Laura ha estado callada toda la reunión.
¿Aún no está arreglado el ordenador?
Este edificio está en construcción desde hace más de tres años.
Mi marido es ingeniero, pero ahora está de comercial en un laboratorio. Es que aquí gana más.

▶ *Ser* y *estar* con adjetivos

- **Ser + adjetivo:** presenta características inherentes al sujeto, que el hablante siente como permanentes.

  Las naranjas son buenas para la salud.

- **Estar + adjetivo:** presenta características que el hablante siente como temporales o relativas.

  Las naranjas no están buenas en verano.

- Algunos adjetivos cambian de significado si se utilizan con *ser* o *estar*.

  Ese niño es muy listo; saca muy buenas notas.
  El niño ya está listo para la foto; puedes hacérsela cuando quieras.

- Con algunos adjetivos como *viudo, casado, divorciado, soltero...* se puede utilizar *ser* o *estar* indistintamente.

  María está / es soltera.

▶ *Ser* y *estar* + participio

- Con *estar* + participio expresamos el resultado de un proceso.

  Roberto Peña está acusado de corrupción.
  Roberto Peña ha sido acusado de corrupción.

Adjetivos más frecuentes que cambian de significado según se usen con *ser* o *estar*

Ser abierto = Extrovertido
Estar abierto = No estar cerrado

Ser cerrado = Reservado
Estar cerrado = No estar abierto

Ser despierto = Inteligente
Estar despierto = No estar dormido

Ser rico = Tener dinero
Estar rico = Apetitoso

Ser atento = Cortés
Estar atento = Escuchar

Ser fresco = Sinvergüenza / Reciente
Estar fresco = Frío

Ser negro = Color, raza
Estar negro = Muy enfadado

Ser bueno = Bondadoso / De calidad
Estar bueno = Apetitoso / Atractivo

Ser aburrido = Que aburre
Estar aburrido = Que no se divierte

Ser interesado = Egoísta
Estar interesado = Tiene interés en algo

Ser parado = Tímido
Estar parado = No trabaja / No se mueve

Ser verde = Color / Obsceno
Estar verde = Inmaduro

Ser vivo = Listo
Estar vivo = No estar muerto

2. Valores de los tiempos del subjuntivo.

▶ El modo subjuntivo suele aparecer en oraciones subordinadas y dependientes de una oración principal.
Son pocas las ocasiones en que aparece en una oración independiente, como las introducidas por *ojalá…*, *quizás* o en fórmulas de deseo.

*Ojalá no **sea** grave la operación de Pepe.*

*Quizás ya **haya llegado** pero no lo hemos oído.*

*¡Que **tengas** buen viaje!*

PRETÉRITO PERFECTO DE SUBJUNTIVO

Presente de subjuntivo del verbo *haber* + participio

Yo	haya	
Tú	hayas	venido,
Él/ella/Vd.	haya +	viajado,
Nosotros/as	hayamos	dormido…
Vosotros/as	hayáis	
Ellos/as/Vds.	hayan	

▶ Con el pretérito perfecto de subjuntivo nos referimos a una acción acabada recientemente, o bien a una experiencia pasada, sin especificar el contexto temporal.

*Es una lástima que mi hermana no **haya aprobado** las oposiciones.*

▶ También puede indicar tiempo futuro, según el contexto.

*No es seguro que **hayamos cobrado** la herencia a final del año próximo.*

Presente de subjuntivo

▶ Nos referimos a acciones presentes o futuras.

*Es una pena que Ángel no **tenga** trabajo.*

*No creo que Pablo **se case** con Lorena.*

Pretérito imperfecto de subjuntivo

▶ Tiene dos formas: las terminadas en *-ra* y las terminadas en *-se*. La elección de una u otra viene determinada por factores como el registro, el origen del hablante o, simplemente, el estilo.

▶ Con este tiempo se puede hablar de acciones presentes, pasadas o futuras, dentro de estructuras sintácticas muy variadas.

*Es una pena que no **vinieras** a la fiesta, estuvo muy bien.*

*Si **tuviera** dinero, ahora mismo me compraría este aparato de música, suena estupendamente y el mío está pasado. (condición irrealizable en el presente)*

*Mis padres esperaban que **fuéramos** a verlos el próximo fin de semana.*

Pretérito pluscuamperfecto de subjuntivo

▶ Sirve para indicar tiempo pasado casi siempre.

*Si **hubieras llegado** antes, habrías visto a Pedro.*

*¡Ojalá no **hubiera dejado** el trabajo que tenía antes!, era mucho mejor que este.*

3. Correlación verbal entre la oración principal y la subordinada en modo subjuntivo.

▶ Si el verbo principal está en futuro, el subordinado tiene que ser el presente o el pretérito perfecto.

*Le <u>molestará</u> que no **vayas** / **hayas ido** a verla.*

▶ Si en la principal tenemos un presente o un pretérito perfecto, en la subordinada puede aparecer cualquier tiempo del subjuntivo.

<u>Es</u> terrible que haya tanta gente pobre.

<u>Lamento</u> que hayan muerto dos personas más.

<u>No he creído</u> que Julián me <u>mintiera</u>.

Es difícil que las crías de pingüino <u>hubieran sobrevivido</u> aquí.

▶ Si el verbo principal es pretérito indefinido, pretérito imperfecto, pretérito pluscuamperfecto o condicional, el verbo de la subordinada deber ir en pasado, bien pretérito imperfecto o pluscuamperfecto.

*Ya no <u>esperaba</u> que **vinierais**.*

*<u>Era</u> difícil que **llegáramos** a tiempo.*

*<u>Me disgustó</u> mucho que no **recibiera** mi mensaje.*

4. Formación de verbos.

▶ Podemos distinguir tres mecanismos para formar verbos.

a) Por derivación directa:
   *pregunta–pregunt**ar** / caliente–calent**ar***

b) Derivación por sufijos:
   *mar–mar**ear** / canal–canal**izar** / momia–momi**ficar** / oscuro–oscur**ecer***

c) Derivación por parasíntesis:
   (prefijo + raíz + sufijo)
   *viejo–**en**vej**ecer**/ vista–**a**vist**ar** /arma–**des**arm**ar***

UNIDAD 9

1. *Como* + presente de subjuntivo.

▶ Las oraciones introducidas por:
   Como + **presente de subjuntivo** son condicionales y tienen un valor de advertencia o amenaza.

***Como** no dejes de hablar, te echaré de clase. (Si no te callas, te echaré de clase)*

▶ Si usamos el modo indicativo, la oración tiene un valor causal.

*<u>Como</u> no **podía** andar más, se quedó sentada esperando al resto del grupo.*

2. El género de los seres animados.

Casos generales

▶ El masculino termina en *-o* y el femenino en *-a*:
   hijo / hija.

▶ Formas distintas para masculino y femenino:
   hombre / mujer.

▶ Única forma para ambos géneros:
   el estudiante / la estudiante.

Nombres de profesiones

▶ Terminaciones más frecuentes:
   marinero / marinera
   conductor / conductora
   barón / baronesa
   el comandante / la comandante

▶ Algunos nombres terminados en *-nte*, tienen una forma femenina en *-nta*.
   presidente / presidenta
   dependiente / dependienta

▶ Algunas veces hay dos formas correctas para el femenino:
   la abogado / la abogada
   la juez / la jueza

▶ Algunos nombres que acaban en *-o* no cambian el femenino:
   el piloto / la piloto

3. Conectores condicionales.

▶ Aparte de la conjunción universal *si*, que sirve para introducir todo tipo de condiciones, hay una serie de conectores que pueden ser utilizados y que llevan siempre el verbo en subjuntivo: *en caso de que, a no ser que, excepto que, siempre y cuando, con tal de que...*

*Mándame un e-mail **en caso de que** no te llegue el paquete.*

- • *Con tal de que* y *siempre y cuando* introducen oraciones que expresan que el cumplimiento de la condición es indispensable para que se realice algo.

  *Haremos el trato **siempre y cuando** estés de acuerdo.*

- • *A no ser que, excepto que, salvo que, a menos que* introducen construcciones excluyentes, y equivalen a *si no*.

  *Nos mudaremos en septiembre **excepto que** haya algún contratiempo. (= si no hay ningún contratiempo)*

UNIDAD 10

1. *Siempre que* y *mientras que*.

a) Temporales

- ▶ Cuando los conectores *siempre que* y *mientras que* introducen oraciones temporales (expresando acciones paralelas), éstas pueden llevar el verbo en indicativo o subjuntivo, siguiendo la regla general.

- • **Indicativo.** Cuando se habla del presente o del pasado.

  *<u>Siempre que</u> **iba** al médico le contaba lo mismo, que se había caído de la bici.*

  *<u>Mientras</u> yo **trabajo**, Juan se queda en casa.*

- • **Subjuntivo**. Cuando nos referimos al futuro.

  *Clara, debes ponerte el casco <u>siempre que</u> **vayas** en bicicleta.*

  *No te preocupes, yo te cuidaré <u>mientras</u> **vivamos** juntos.*

b) Condicionales

- ▶ Cuando introducen oraciones con valor condicional, el verbo va en subjuntivo.

  *Saldremos de viaje el día 1 <u>siempre que</u> **encontremos** billetes. (= si encontramos billetes)*

  *<u>Mientras</u> no **cobre** no podemos comprarnos una tele nueva. (= si no cobro…)*

2. Indicativo o subjuntivo con oraciones de relativo.

- ▶ Las oraciones de relativo se suelen clasificar en dos tipos:

- a) **Especificativas o restrictivas:** las utilizamos para referirnos o identificar algo o a alguien.

  *La mesa **que compramos el año pasado** era de roble, no de pino.*

- b) **Oraciones explicativas o no restrictivas:** añaden información complementaria sobre el antecedente.

  *Una mujer, **a la que yo no conocía**, se acercó y me preguntó por mi padre.*

- ▶ Las oraciones de relativo especificativas o restrictivas pueden llevar el verbo en indicativo o subjuntivo.

- • **Indicativo.** Cuando el hablante habla de alguien o algo concreto, identificado.

  *El pastel **que hizo Diego** estaba riquísimo.*

- • **Subjuntivo.** Cuando el hablante se refiere a algo o alguien que no conoce, que no existe o que no quiere identificar específicamente.

  *La mujer **que a mí me quiera** ha de ser generosa.*

3. Expresar involuntariedad en la acción: *Se me ha caído.*

Se	+	me te le nos os les	ha roto la lavadora

► Con esta estructura, acompañada de una serie de verbos como *romper, perder, estropear, caer*, el hablante quiere expresar una actividad de la que no se siente responsable porque es involuntaria.

Se me <u>han perdido</u> los pendientes de plata.

Ya se nos <u>han acabado</u> las vacaciones, hasta el año que viene.

UNIDAD 11

1. Oraciones concesivas.

► Las oraciones subordinadas concesivas están normalmente introducidas por: *aunque, por más/mucho que* y *a pesar de (que)*. Estas oraciones pueden llevar el verbo en indicativo o en subjuntivo.

- • Se utiliza el indicativo cuando se habla de hechos ciertos y constatados por el hablante.

  <u>Aunque</u> *no me **ha confirmado** su asistencia, seguro que vendrá.*

- • Se utiliza el subjuntivo:

  Cuando el hablante se refiere a hechos que no conoce con seguridad y habla de conjeturas. <u>Por más dinero que</u> **tenga***, no parece contento de su vida.*

► No obstante, siempre es posible el uso del subjuntivo aun cuando el hablante ha constatado el hecho.

A. *¿Vas a salir? Hace mucho frío.*

B. *Bueno, me da igual, <u>aunque</u> **haga** frío voy a dar una vuelta para despejarme.*

► *A pesar de* puede ir seguido de infinitivo si el sujeto de la concesiva es el mismo que el de la oración principal.

<u>A pesar de</u> **trabajar** */ que trabaja mucho, no gana suficiente para vivir.*

► Si la conjetura que hace el hablante es muy poco probable o imposible, se utiliza el imperfecto de subjuntivo y el condicional:

<u>Por más que</u> *me lo **pidiera***, no se lo **daría**.*

► En caso de conjeturas imposibles, que no se cumplieron en el pasado, se usa el pretérito pluscuamperfecto de subjuntivo y el condicional compuesto o el pluscuamperfecto de subjuntivo.

*Aunque **hubiera hecho** buen tiempo no **habríamos ido** a la playa.*

*Aunque **hubiera hecho** buen tiempo no **hubiéramos ido** a la playa*

2. Sufijos diminutivos.

► Los sufijos diminutivos añaden diferentes valores emocionales a la expresión. Aunque los diminutivos en principio son para hablar de cosas pequeñas, la función apreciativa o afectiva es preponderante.

► Los principales sufijos diminutivos son:

-ito (-cito, -ecito), -ico (-cico, -ecico), -illo (-ecillo), -in (-ina), -uelo, -ete

casa: *casita, casilla*
sol: *solecito*
amigo: *amiguito, amiguete*
ladrón: *ladronzuelo*
pequeño: *pequeñín*

► Muchos de estos diminutivos han perdido su valor connotativo y han adquirido un significado propio.

Mesilla, caseta, cartilla, maletín...

UNIDAD 12

1. Uso de *por* y *para*.

► Se usa la preposición *por* para indicar:

a) Causa o razón.

  *Lo despidieron **por** vago.*

  *He venido a la playa **por** vosotros, yo prefería ir a la montaña.*

b) Lugar.

  *Todos los días da un paseo **por** el Retiro, le encanta.*

c) Tiempo aproximado.

  *Llegó de París ayer **por** la tarde.*

  *Los vimos la última vez **por** Navidad.*

d) Complemento agente.

  *Este fresco fue restaurado **por** Carlos Pérez el siglo pasado.*

e) Medio e instrumento.

*Mándame el recibo **por** fax.*

f) Intercambio.

*Te cambio mi coche **por** tu moto.*

g) Indiferencia.

__Por__ mí, que hagan lo que quieran.

▶ Se usa la preposición *para* para indicar:

a) Utilidad.

*Este artefacto no sirve **para** nada.*

b) Finalidad.

*Hemos venido **para** acompañarte.*

c) Lugar, dirección.

*Ahora vamos **para** Francia y luego, ya veremos.*

d) Tiempo.

*Me han dicho que tendrán el coche arreglado **para** el lunes.*

e) Opinión.

__Para__ mí, son unos ignorantes, no saben nada de nada.

Perífrasis verbales

▶ Son agrupaciones verbales que funcionan como una sola forma verbal. Suelen consistir en un verbo auxiliar que se conjuga en diferentes tiempos y un verbo auxiliado, que puede ser infinitivo, gerundio o participio.

▶ Clasificación según su significado.

● **Comienzo.**

> *Empezar a* + infinitivo
> *Ponerse a* + infinitivo
> *Echar(se) a* + infinitivo

*En cuanto llegues, **ponte a hacer** los deberes.*

● **Acción en progreso o desarrollo o transcurso.**

> *Llevar* + gerundio
> *Seguir* + gerundio
> *Ir* + gerundio

__Llevamos esperando__ a Rocío dos horas.

*¿**Seguimos llamando** a Adela, o la dejamos ya?*

*Enrique **va diciendo** por ahí que el negocio nos va mal y no es verdad.*

● **Acción acabada o "logro".**

> *Acabar de* + infinitivo
> *Dejar de* + infinitivo
> *Llegar a* + infinitivo
> *Llevar* + participio
> *Tener* + participio

__Acabo de dejar__ a tus padres en el aeropuerto, van a París.

*No **llegaron a ser** campeones del mundo por dos goles.*

*Ya **lleva redactadas** unas treinta páginas de la tesis, algo es algo.*

*Ya **tenemos colocados** a casi todos los alumnos en prácticas*

● **Obligación o necesidad.**

> *Deber* + infinitivo
> *Tener que* + infinitivo
> *Haber* + *que* + infinitivo

*No **deberías salir** más de dos noches por semana, o suspenderás otra vez Química.*

__Habría que comprar__ el pan, ¿quién va?

● **Probabilidad o suposición.**

> *Deber (de)* + infinitivo
> *Tener que* + infinitivo

*Mira qué coche tiene Jacinto, le **debe de haber costado/ tiene que haberle costado** un ojo de la cara.*

__Tuvo que haber__ sufrido mucho para hacer algo así.

● **Aproximación.**

> *Venir a* + infinitivo

*Me dijeron que **venía a costar** unos 500.000 , pero no la cifra exacta.*

● **Repetición.**

> *Volver a* + infinitivo

*Me dijeron que **volviera a llamar** por teléfono.*

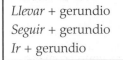

Verbos regulares e irregulares

VERBOS REGULARES

TRABAJAR

Presente ind.	Pret. indefinido	Pret. imperfecto	Futuro	Pret. perfecto
trabajo	trabajé	trabajaba	trabajaré	he trabajado
trabajas	trabajaste	trabajabas	trabajarás	has trabajado
trabaja	trabajó	trabajaba	trabajará	ha trabajado
trabajamos	trabajamos	trabajábamos	trabajaremos	hemos trabajado
trabajáis	trabajasteis	trabajabais	trabajaréis	habéis trabajado
trabajan	trabajaron	trabajaban	trabajarán	han trabajado

Pret. pluscuamperf.	Imperativo afirmativo/negativo	Presente sub.	Pret. imperfecto sub.
había trabajado	trabaja / no trabajes (tú)	trabaje	trabajara / trabajase
habías trabajado	trabaje / no trabaje (Vd.)	trabajes	trabajaras / trabajases
había trabajado	trabajad / no trabajéis (vosotros)	trabaje	trabajara / trabajase
habíamos trabajado	trabajen / no trabajen (Vds.)	trabajemos	trabajáramos / trabajásemos
habíais trabajado		trabajéls	trabajarais / trabajaseis
habían trabajado		trabajen	trabajaran / trabajasen

COMER

Presente ind.	Pret. indefinido	Pret. imperfecto	Futuro	Pret. perfecto
como	comí	comía	comeré	he comido
comes	comiste	comías	comerás	has comido
come	comió	comía	comerá	ha comido
comemos	comimos	comíamos	comeremos	hemos comido
coméis	comisteis	comíais	comeréis	habéis comido
comen	comieron	comían	comerán	han comido

Pret. pluscuamperf.	Imperativo afirmativo/negativo	Presente sub.	Pret. imperfecto sub.
había comido	come / no comas (tú)	coma	comiera / comiese
habías comido	coma / no coma (Vd.)	comas	comieras / comieses
había comido	comed / no comáis (vosotros)	coma	comiera / comiese
habíamos comido	coman / no coman (Vds.)	comamos	comiéramos / comiésemos
habíais comido		comáis	comierais / comieseis
habían comido		coman	comieran / comiesen

VIVIR

Presente ind.	Pret. indefinido	Pret. imperfecto	Futuro	Pret. perfecto
viv**o**	viv**í**	viv**ía**	viv**iré**	he viv**ido**
viv**es**	viv**iste**	viv**ías**	viv**irás**	has viv**ido**
viv**e**	viv**ió**	viv**ía**	viv**irá**	ha viv**ido**
viv**imos**	viv**imos**	viv**íamos**	viv**iremos**	hemos viv**ido**
viv**ís**	viv**isteis**	viv**íais**	viv**iréis**	habéis viv**ido**
viv**en**	viv**ieron**	viv**ían**	viv**irán**	han viv**ido**

Pret. pluscuamperf.	Imperativo afirmativo/negativo	Presente sub.	Pret. imperfecto sub.
había viv**ido**	viv**e** / no viv**as** (tú)	viv**a**	viv**iera** / viv**iese**
habías viv**ido**	viv**a** / no viv**a** (Vd.)	viv**as**	viv**ieras** / viv**ieses**
había viv**ido**	viv**id** / no viv**áis** (vosotros)	viv**a**	viv**iera** / viv**iese**
habíamos viv**ido**	viv**an** / no viv**an** (Vds.)	viv**amos**	viv**iéramos** / viv**iésemos**
habíais viv**ido**		viv**áis**	viv**ierais** / viv**ieseis**
habían viv**ido**		viv**an**	viv**ieran** / viv**iesen**

VERBOS IRREGULARES

ACORDAR(SE)

Presente ind.	Pret. indef.	Futuro	Imperativo	Presente sub.	Pret. imperfecto sub.
(me) acuerdo	acordé	acordaré	acuerda(te) (tú)	acuerde	acostara / acostase
(te) acuerdas	acordaste	acordarás	acuerde(se) (Vd.)	acuerdes	acostaras / acostases
(se) acuerda	acordó	acordará	acordad (vosotros)	acuerde	acostara / acostase
(nos) acordamos	acordamos	acordaremos	acordaos (vosotros)	acordemos	acostáramos / acostásemos
(os) acordáis	acordasteis	acordaréis	acuerden(se) (Vds.)	acordéis	acostarais / acostaseis
(se) acuerdan	acordaron	acordarán		acuerden	acostaran / acostasen

ACOSTAR(SE)

Presente ind.	Pret. indef.	Futuro	Imperativo	Presente sub.	Pret. imperfecto sub.
(me) acuesto	acosté	acostaré	acuesta(te) (tú)	acueste	acostara / acostase
(te) acuestas	acostaste	acostarás	acueste(se) (Vd.)	acuestes	acostaras / acostases
(se) acuesta	acostó	acostará	acostad (vosotros)	acueste	acostara / acostase
(nos) acostamos	acostamos	acostaremos	acostaos (vosotros)	acostemos	acostáramos / acostásemos
(os) acostáis	acostasteis	acostaréis	acuesten(se) (Vds.)	acostéis	acostarais / acostaseis
(se) acuestan	acostaron	acostarán		acuesten	acostaran / acostasen

ANDAR

Presente ind.	Pret. indef.	Futuro	Imperativo	Presente sub.	Pret. imperfecto sub.
ando	anduve	andaré	anda (tú)	ande	anduviera / anduviese
andas	anduviste	andarás	ande (Vd.)	andes	anduvieras / anduvieses
anda	anduvo	andará	andad (vosotros)	ande	anduviera / anduviese
andamos	anduvimos	andaremos	anden (Vds.)	andemos	anduviéramos / anduviésemos
andáis	anduvisteis	andaréis		andéis	anduvierais / anduvieseis
andan	anduvieron	andarán		anden	anduvieran / anduviesen

APROBAR

Presente ind.	Pret. indef.	Futuro	Imperativo	Presente sub.	Pret. imperfecto sub.
apruebo	aprobé	aprobaré	aprueba (tú)	apruebe	aprobara / aprobase
apruebas	aprobaste	aprobarás	apruebe (Vd.)	apruebes	aprobaras / aprobases
aprueba	aprobó	aprobará	aprobad (vosotros)	apruebe	aprobara / aprobase
aprobamos	aprobamos	aprobaremos	aprueben (Vds.)	aprobemos	aprobáramos / aprobásemos
aprobáis	aprobasteis	aprobaréis		aprobéis	aprobarais / aprobaseis
aprueban	aprobaron	aprobarán		aprueben	aprobaran / aprobasen

CERRAR

Presente ind.	Pret. indef.	Futuro	Imperativo	Presente sub.	Pret. imperfecto sub.
cierro	cerré	cerraré	cierra (tú)	cierre	cerrara / cerrase
cierras	cerraste	cerrarás	cierre (Vd.)	cierres	cerraras / cerrases
cierra	cerró	cerrará	cerrad (vosotros)	cierre	cerrara / cerrase
cerramos	cerramos	cerraremos	cierren (Vds.)	cerremos	cerráramos / cerrásemos
cerráis	cerrasteis	cerraréis		cerréis	cerrarais / cerraseis
cierran	cerraron	cerrarán		cierren	cerraran / cerrasen

CONOCER

Presente ind.	Pret. indef.	Futuro	Imperativo	Presente sub.	Pret. imperfecto sub.
conozco	conocí	conoceré	conoce (tú)	conozca	conociera / conociese
conoces	conociste	conocerás	conozca (Vd.)	conozcas	conocieras / conocieses
conoce	conoció	conocerá	conoced (vosotros)	conozca	conociera / conociese
conocemos	conocimos	conoceremos	conozcan (Vds.)	conozcamos	conociéramos / conociésemos
conocéis	conocisteis	conoceréis		conozcáis	conocierais / conocieseis
conocen	conocieron	conocerán		conozcan	conocieran / conociesen

DAR

Presente ind.	Pret. indef.	Futuro	Imperativo	Presente sub.	Pret. imperfecto sub.
doy	di	daré	da (tú)	dé	diera / diese
das	diste	darás	dé (Vd.)	des	dieras / dieses
da	dio	dará	dad (vosotros)	dé	diera / diese
damos	dimos	daremos	den (Vds.)	demos	diéramos / diésemos
dais	disteis	daréis		deis	dierais / dieseis
dan	dieron	darán		den	dieran / diesen

DECIR

Presente ind.	Pret. indef.	Futuro	Imperativo	Presente sub.	Pret. imperfecto sub.
digo	dije	diré	di (tú)	diga	dijera / dijese
dices	dijiste	dirás	diga (Vd.)	digas	dijeras / dijeses
dice	dijo	dirá	decid (vosotros)	diga	dijera / dijese
decimos	dijimos	diremos	digan (Vds.)	digamos	dijéramos / dijésemos
decís	dijisteis	diréis		digáis	dijerais / dijeseis
dicen	dijeron	dirán		digan	dijeran / dijesen

DESPERTAR(SE)

Presente ind.	Pret. indef.	Futuro	Imperativo	Presente sub.	Pret. imperfecto sub.
(me) despierto	desperté	despertaré	despierta (tú)	despierte	despertara / despertase
(te) despiertas	despertaste	despertarás	despierte (Vd.)	despiertes	despertaras / despertases
(se) despierta	despertó	despertará	despertad (vosotros)	despierte	despertara / despertase
(nos) despertamos	despertamos	despertaremos	despertaos (vosotros)	despertemos	despertáramos / despertásemos
(os) despertáis	despertasteis	despertaréis	despierten (Vds.)	despertéis	despertarais / despertaseis
(se) despiertan	despertaron	despertarán		despierten	despertaran / despertasen

DIVERTIR(SE)

Presente ind.	Pret. indef.	Futuro	Imperativo	Presente sub.	Pret. imperfecto sub.
(me) divierto	divertí	divertiré	divierte(te) (tú)	divierta	divirtiera / divirtiese
(te) diviertes	divertiste	divertirás	divierta(se) (Vd.)	diviertas	divirtieras / divirtieses
(se) divierte	divirtió	divertirá	divertid (vosotros)	divierta	divirtiera / divirtiese
(nos) divertimos	divertimos	divertiremos	divertíos (vosotros)	divirtamos	divirtiéramos / divirtiésemos
(os) divertís	divertisteis	divertiréis	diviertan(se) (Vds.)	divirtáis	divirtierais / divirtieseis
(se) divierten	divirtieron	divertirán		diviertan	divirtieran / divirtiesen

DORMIR(SE)

Presente ind.	Pret. indef.	Futuro	Imperativo	Presente sub.	Pret. imperfecto sub.
(me) duermo	dormí	dormiré	duerme(te) (tú)	duerma	durmiera / durmiese
(te) duermes	dormiste	dormirás	duerma(se) (Vd.)	duermas	durmieras / durmieses
(se) duerme	durmió	dormirá	dormid (vosotros)	duerma	durmiera / durmiese
(nos) dormimos	dormimos	dormiremos	dormíos (vosotros)	durmamos	durmiéramos / durmiésemos
(os) dormís	dormisteis	dormiréis	duerman(se) (Vds.)	durmáis	durmierais / durmieseis
(se) duermen	durmieron	dormirán		duerman	durmieran / durmiesen

EMPEZAR

Presente ind.	Pret. indef.	Futuro	Imperativo	Presente sub.	Pret. imperfecto sub.
empiezo	empecé	empezaré	empieza (tú)	empiece	empezara / empezase
empiezas	empezaste	empezarás	empiece (Vd.)	empieces	empezaras / empezases
empieza	empezó	empezará	empezad (vosotros)	empiece	empezara / empezase
empezamos	empezamos	empezaremos	empiecen (Vds.)	empecemos	empezáramos / empezásemos
empezáis	empezasteis	empezaréis		empecéis	empezarais / empezaseis
empiezan	empezaron	empezarán		empiecen	empezaran / empezasen

ENCONTRAR

Presente ind.	Pret. indef.	Futuro	Imperativo	Presente sub.	Pret. imperfecto sub.
encuentro	encontré	encontraré	encuentra (tú)	encuentre	encontrara / encontrase
encuentras	encontraste	encontrarás	encuentre (Vd.)	encuentres	encontraras / encontrases
encuentra	encontró	encontrará	encontrad (vosotros)	encuentre	encontrara / encontrase
encontramos	encontramos	encontraremos	encuentren (Vds.)	encontremos	encontráramos / encontrásemos
encontráis	encontrasteis	encontraréis		encontréis	encontrarais / encontraseis
encuentran	encontraron	encontrarán		encuentren	encontraran / encontrasen

ESTAR

Presente ind.	Pret. indef.	Futuro	Imperativo	Presente sub.	Pret. imperfecto sub.
estoy	estuve	estaré	está / no estés (tú)	esté	estuviera / estuviese
estás	estuviste	estarás	esté / no esté (Vd.)	estés	estuvieras / estuvieses
está	estuvo	estará	estad / no estéis (vosotros)	esté	estuviera / estuviese
estamos	estuvimos	estaremos	estén / no estén (Vds.)	estemos	estuviéramos / estuviésemos
estáis	estuvisteis	estaréis		estéis	estuvierais / estuvieseis
están	estuvieron	estarán		estén	estuvieran / estuviesen

HACER

Presente ind.	Pret. indef.	Futuro	Imperativo	Presente sub.	Pret. imperfecto sub.
hago	hice	haré	haz / no hagas (tú)	haga	hiciera / hiciese
haces	hiciste	harás	haga / no haga (Vd.)	hagas	hicieras / hicieses
hace	hizo	hará	haced / no hagáis (vosotros)	haga	hiciera / hiciese
hacemos	hicimos	haremos	hagan / no hagan (Vds.)	hagamos	hiciéramos / hiciésemos
hacéis	hicisteis	haréis		hagáis	hicierais / hicieseis
hacen	hicieron	harán		hagan	hicieran / hiciesen

HABER

Presente ind.	Pret. indef.	Futuro	Imperativo	Presente sub.	Pret. imperfecto sub.
he	hube	habré	he / no hayas (tú)	haya	hubiera / hubiese
has	hubiste	habrás	haya / no haya (Vd.)	hayas	hubieras / hubieses
ha	hubo	habrá	habed / no hayáis (vosotros)	haya	hubiera / hubiese
hemos	hubimos	habremos	hayan / no hayan (Vds.)	hayamos	hubiéramos / hubiésemos
habéis	hubisteis	habréis		hayáis	hubierais / hubieseis
han	hubieron	habrán		hayan	hubieran / hubiesen

IR

Presente ind.	Pret. indef.	Futuro	Imperativo	Presente sub.	Pret. imperfecto sub.
voy	fui	iré	ve / no vayas (tú)	vaya	fuera / fuese
vas	fuiste	irás	vaya / no vaya (Vd.)	vayas	fueras / fueses
va	fue	irá	id / no vayáis (vosotros)	vaya	fuera / fuese
vamos	fuimos	iremos	vayan / no vayan (Vds.)	vayamos	fuéramos / fuésemos
vais	fuisteis	iréis		vayáis	fuerais / fueseis
van	fueron	irán		vayan	fueran / fuesen

JUGAR

Presente ind.	Pret. indef.	Futuro	Imperativo	Presente sub.	Pret. imperfecto sub.
juego	jugué	jugaré	juega / no juegues (tú)	juegue	jugara / jugase
juegas	jugaste	jugarás	juegue / no juegue (Vd.)	juegues	jugaras / jugases
juega	jugó	jugará	jugad / no juguéis (vosotros)	juegue	jugara / jugase
jugamos	jugamos	jugaremos	jueguen / no jueguen (Vds.)	juguemos	jugáramos / jugásemos
jugáis	jugasteis	jugaréis		juguéis	jugarais / jugaseis
juegan	jugaron	jugarán		jueguen	jugaran / jugasen

✓ LEER

Presente ind.	Pret. indef.	Futuro	Imperativo	Presente sub.	Pret. imperfecto sub.
leo	leí	leeré	lee / no leas (tú)	lea	leyera / leyese
lees	leíste	leerás	lea / no lea (Vd.)	leas	leyeras / leyeses
lee	leyó	leerá	leed / no leáis (vosotros)	lea	leyera / leyese
leemos	leímos	leeremos	lean / no lean (Vds.)	leamos	leyéramos / leyésemos
leéis	leísteis	leeréis		leáis	leyerais / leyeseis
leen	leyeron	leerán		lean	leyeran / leyesen

OÍR

Presente ind.	Pret. indef.	Futuro	Imperativo	Presente sub.	Pret. imperfecto sub.
oigo	oí	oiré	oye / no oigas (tú)	oiga	oyera / oyese
oyes	oíste	oirás	oiga / no oiga (Vd.)	oigas	oyeras / oyeses
oye	oyó	oirá	oíd / no oigáis (vosotros)	oiga	oyera / oyese
oímos	oímos	oiremos	oigan / no oigan (Vds.)	oigamos	oyéramos / oyésemos
oís	oísteis	oiréis		oigáis	oyerais / oyeseis
oyen	oyeron	oirán		oigan	oyeran / oyesen

✓ PEDIR

Presente ind.	Pret. indef.	Futuro	Imperativo	Presente sub.	Pret. imperfecto sub.
pido	pedí	pediré	pide / no pidas (tú)	pida	pidiera / pidiese
pides	pediste	pedirás	pida / no pida (Vd.)	pidas	pidieras / pidieses
pide	pidió	pedirá	pedid / no pidáis (vosotros)	pida	pidiera / pidiese
pedimos	pedimos	pediremos	pidan / no pidan (Vds.)	pidamos	pidiéramos / pidiésemos
pedís	pedisteis	pediréis		pidáis	pidierais / pidieseis
piden	pidieron	pedirán		pidan	pidieran / pidiesen

PREFERIR

Presente ind.	Pret. indef.	Futuro	Imperativo	Presente sub.	Pret. imperfecto sub.
prefiero	preferí	preferiré	prefiere / no prefieras (tú)	prefiera	prefiriera / prefiriese
prefieres	preferiste	preferirás	prefiera / no prefiera (Vd.)	prefieras	prefirieras / prefirieses
prefiere	prefirió	preferirá	preferid / no prefiráis (vosotros)	prefiera	prefiriera / prefiriese
preferimos	preferimos	preferiremos	prefieran / no prefieran (Vds.)	prefiramos	prefiriéramos / prefiriésemos
preferís	preferisteis	preferiréis		prefiráis	prefirierais / prefirieseis
prefieren	prefirieron	preferirán		prefieran	prefirieran / prefiriesen

PODER

Presente ind.	Pret. indef.	Futuro	Imperativo	Presente sub.	Pret. imperfecto sub.
puedo	pude	podré	puede / no puedas (tú)	pueda	pudiera / pudiese
puedes	pudiste	podrás	pueda / no pueda (Vd.)	puedas	pudieras / pudieses
puede	pudo	podrá	poded / no podáis (vosotros)	pueda	pudiera / pudiese
podemos	pudimos	podremos	puedan / no puedan (Vds.)	podamos	pudiéramos / pudiésemos
podéis	pudisteis	podréis		podáis	pudierais / pudieseis
pueden	pudieron	podrán		puedan	pudieran / pudiesen

PONER

Presente ind.	Pret. indef.	Futuro	Imperativo	Presente sub.	Pret. imperfecto sub.
pongo	puse	pondré	pon / no pongas (tú)	ponga	pusiera / pusiese
pones	pusiste	pondrás	ponga / no ponga (Vd.)	pongas	pusieras / pusieses
pone	puso	pondrá	poned / no pongáis (vosotros)	ponga	pusiera / pusiese
ponemos	pusimos	pondremos	pongan / no pongan (Vds.)	pongamos	pusiéramos / pusiésemos
ponéis	pusisteis	pondréis		pongáis	pusierais / pusieseis
ponen	pusieron	pondrán		pongan	pusieran / pusiesen

QUERER

Presente ind.	Pret. indef.	Futuro	Imperativo	Presente sub.	Pret. imperfecto sub.
quiero	quise	querré	quiere / no quieras (tú)	quiera	quisiera / quisiese
quieres	quisiste	querrás	quiera / no quiera (Vd.)	quieras	quisieras / quisieses
quiere	quiso	querrá	quered / no queráis (vosotros)	quiera	quisiera / quisiese
queremos	quisimos	querremos	quieran / no quieran (Vds.)	queramos	quisiéramos / quisiésemos
queréis	quisisteis	querréis		queráis	quisierais / quisieseis
quieren	quisieron	querrán		quieran	quisieran / quisiesen

RECORDAR

Presente ind.	Pret. indef.	Futuro	Imperativo	Presente sub.	Pret. imperfecto sub.
recuerdo	recordé	recordaré	recuerda / no recuerdes (tú)	recuerde	recordara / recordase
recuerdas	recordaste	recordarás	recuerde / no recuerde (Vd.)	recuerdes	recordaras / recordases
recuerda	recordó	recordará	recordad / no recordéis (vos.)	recuerde	recordara / recordase
recordamos	recordamos	recordaremos	recuerden / no recuerden (Vds.)	recordemos	recordáramos / recordásemos
recordáis	recordasteis	recordaréis		recordéis	recordarais / recordaseis
recuerdan	recordaron	recordarán		recuerden	recordaran / recordasen

SABER

Presente ind.	Pret. indef.	Futuro	Imperativo	Presente sub.	Pret. imperfecto sub.
sé	supe	sabré	sabe / no sepas (tú)	sepa	supiera / supiese
sabes	supiste	sabrás	sepa / no sepa (Vd.)	sepas	supieras / supieses
sabe	supo	sabrá	sabed / no sepáis (vosotros)	sepa	supiera / supiese
sabemos	supimos	sabremos	sepan / no sepan (Vds.)	sepamos	supiéramos / supiésemos
sabéis	supisteis	sabréis		sepáis	supierais / supieseis
saben	supieron	sabrán		sepan	supieran / supiesen

SALIR

Presente ind.	Pret. indef.	Futuro	Imperativo	Presente sub.	Pret. imperfecto sub.
salgo	salí	saldré	sal / no salgas (tú)	salga	saliera / saliese
sales	saliste	saldrás	salga / no salga (Vd.)	salgas	salieras / salieses
sale	salió	saldrá	salid / no salgáis (vosotros)	salga	saliera / saliese
salimos	salimos	saldremos	salgan / no salgan (Vds.)	salgamos	saliéramos / saliésemos
salís	salisteis	saldréis		salgáis	salierais / salieseis
salen	salieron	saldrán		salgan	salieran / saliesen

SEGUIR

Presente ind.	Pret. indef.	Futuro	Imperativo	Presente sub.	Pret. imperfecto sub.
sigo	seguí	seguiré	sigue / no sigas (tú)	siga	siguiera / siguiese
sigues	seguiste	seguirás	siga / no siga (Vd.)	sigas	siguieras / siguieses
sigue	siguió	seguirá	seguid / no sigáis (vosotros)	siga	siguiera / siguiese
seguimos	seguimos	seguiremos	sigan / no sigan (Vds.)	sigamos	siguiéramos / siguiésemos
seguís	seguisteis	seguiréis		sigáis	siguierais / siguieseis
siguen	siguieron	seguirán		sigan	siguieran / siguiesen

SER

Presente ind.	Pret. indef.	Futuro	Imperativo	Presente sub.	Pret. imperfecto sub.
soy	fui	seré	sé / no seas (tú)	sea	fuera / fuese
eres	fuiste	serás	sea / no sea (Vd.)	seas	fueras / fueses
es	fue	será	sed / no seáis (vosotros)	sea	fuera / fuese
somos	fuimos	seremos	sean / no sean (Vds.)	seamos	fuéramos / fuésemos
sois	fuisteis	seréis		seáis	fuerais / fueseis
son	fueron	serán		sean	fueran / fuesen

SERVIR

Presente ind.	Pret. indef.	Futuro	Imperativo	Presente sub.	Pret. imperfecto sub.
sirvo	serví	serviré	sirve / no sirvas (tú)	sirva	sirviera / sirviese
sirves	serviste	servirás	sirva / no sirva (Vd.)	sirvas	sirvieras / sirvieses
sirve	sirvió	servirá	servid / no sirváis (vosotros)	sirva	sirviera / sirviese
servimos	servimos	serviremos	sirvan / no sirvan (Vds.)	sirvamos	sirviéramos / sirviésemos
servís	servisteis	serviréis		sirváis	sirvierais / sirvieseis
sirven	sirvieron	servirán		sirvan	sirvieran / sirviesen

TRADUCIR

Presente ind.	Pret. indef.	Futuro	Imperativo	Presente sub.	Pret. imperfecto sub.
traduzco	traduje	traduciré	traduce / no traduzcas (tú)	traduzca	tradujera / tradujese
traduces	tradujiste	traducirás	traduzca / no traduzca (Vd.)	traduzcas	tradujeras / tradujeses
traduce	tradujo	traducirá	traducid / no traduzcáis (vosotros)	traduzca	tradujera / tradujese
traducimos	tradujimos	traduciremos	traduzcan / no traduzcan (Vds.)	traduzcamos	tradujéramos / tradujésemos
traducís	tradujisteis	traduciréis		traduzcáis	tradujerais / tradujeseis
traducen	tradujeron	traducirán		traduzcan	tradujeran / tradujesen

VENIR

Presente ind.	Pret. indef.	Futuro	Imperativo	Presente sub.	Pret. imperfecto sub.
vengo	vine	vendré	ven / no vengas (tú)	venga	viniera / viniese
vienes	viniste	vendrás	venga / no venga (Vd.)	vengas	vinieras / vinieses
viene	vino	vendrá	venid / no vengáis (vosotros)	venga	viniera / viniese
venimos	vinimos	vendremos	vengan / no vengan (Vds.)	vengamos	viniéramos / viniésemos
venís	vinisteis	vendréis		vengáis	vinierais / vinieseis
vienen	vinieron	vendrán		vengan	vinieran / viniesen

Transcripciones

UNIDAD 1

B. Aprender de la experiencia

6. Pista 2

A. ¿Dónde naciste?
B. En Sevilla.
A. ¿Cuándo empezaste a bailar?
B. Cuando tenía seis años.
A. ¿Cuántas horas practicabas cada día?
B. Cada día practicaba durante cuatro horas.
A. ¿Bailaste alguna vez fuera de España?
B. Sí, dos veces.
A. ¿Ganaste algún premio?
B. Sí, gané uno el año pasado en Roma.
A. ¿Pensaste alguna vez en dejar el baile?
B. No, ni hablar, nunca lo pensé.

8. Pista 3

El pájaro azul

Un día un pájaro azul entra volando en tu habitación y queda atrapado. De alguna manera te sientes atraído por este pájaro extraviado y decides conservarlo. Pero, para tu sorpresa, ¡al día siguiente el pájaro ha cambiado de color, del azul al amarillo! Este pájaro tan especial cambia de color por la noche. Al amanecer del tercer día es de un rojo brillante, y al cuarto de un negro absoluto. ¿De qué color es el pájaro cuando te despiertas el quinto día?
1. El pájaro no cambia de color, sigue negro.
2. El pájaro vuelve a su azul original.
3. El pájaro se vuelve blanco.
4. El pájaro se vuelve dorado.

Solución

El pájaro que entró en tu habitación parecía un símbolo de la buena suerte, pero de repente cambió de color, lo cual hizo que te preocuparas al pensar que la felicidad no duraría. Tu reacción a esta situación muestra cómo reaccionas ante las dificultades e incertidumbres de la vida real.

1. Los que dicen que el pájaro continúa negro sostienen un punto de vista pesimista. ¿Tiendes a creer que cuando una situación se pone fea, nunca vuelve a la normalidad? Quizá necesites reflexionar. Si tan mala es, no podrá empeorar. Recuerda que no hay lluvia que no termine, ni noche tan oscura que no amanezca al día siguiente.

2. Los que dicen que el pájaro vuelve a ser azul son optimistas prácticos. Crees que la vida es una mezcla de bueno y malo, que no sirve de nada luchar contra la realidad. Aceptas la adversidad con calma y dejas que las cosas sigan su curso sin tensiones o preocupaciones excesivas. Este punto de vista te permite cabalgar sobre las olas de la adversidad sin ser engullido por el abismo.

3. Los que dicen que el pájaro se vuelve blanco son fríos y decididos cuando están sometidos a presiones. No pierdes el tiempo con vacilaciones o indecisiones, ni siquiera cuando estalla una crisis. Si una situación se pone muy fea, crees que lo mejor es cortar por lo sano y buscar otra ruta que conduzca a tu objetivo, antes que empantanarte en un dolor innecesario. Este abordaje proactivo significa que las cosas parecen adaptarse a tu rumbo.

4. Los que dicen que el pájaro se vuelve dorado pueden ser descritos como intrépidos. Desconoce el significado de la palabra "presión". Para ti, cada crisis es una oportunidad. Se te podría comparar con Napoleón, quien dijo: *¿Imposible? Esa palabra no es "francesa".* Pero no dejes que tu confianza ilimitada se imponga. Hay una línea muy fina entre la valentía y la temeridad.

Si te interesa la Kokología puedes consultar el libro de Tadahiko Nagao + Isamu Saito, editado por Plaza y Janés Editores, S. A. Nuevas ediciones de Bolsillo, S. L.

UNIDAD 2

A. Objetos imprescindibles

5 y **6.** Pista 4

Para algunas personas los móviles se han convertido en un instrumento indispensable para su vida diaria. Otros, sin embargo, opinan que los móviles les hacen sentirse menos libres. Oigamos las opiniones que han dejado en nuestro contestador los oyentes de nuestra sección *¿Y usted, qué opina?*

- Hola, soy Lucía. Estoy casada y tengo dos hijos. A mí el móvil me ha dado una gran tranquilidad. Mis hijos ya son adolescentes y desde que tienen móvil pueden avisarme cada vez que van a llegar tarde o les surge algún problema. Yo no lo uso mucho, pero sí me permite estar en contacto con ellos siempre que lo necesito.

- Hola, soy Marcos. Tengo veinte años y tengo que reconocer que soy un adicto al móvil. No sólo yo, sino todos mis amigos. Lo utilizamos constantemente para comunicarnos, enviándonos mensajes. Algunos de mis amigos tienen móviles muy modernos que les permiten hacer fotos, conectarse a Internet, chatear... No podría prescindir de él ahora mismo.

- Hola, soy Elena. Soy profesora de Literatura y tengo que admitir que soy enemiga de los móviles. No soporto cuando el móvil de uno de mis alumnos suena en clase. Yo, personalmente, me niego a usarlos. Si alguien quiere hablar conmigo que me llame a casa. Cuando estoy de paseo o trabajando me molesta muchísimo tener que estar pendiente de que alguien me llame por teléfono.

B. La casa del futuro

5. Pista 5

SUSANA GRISO:
Valoro que sea una vivienda de una sola planta porque he pasado mucho tiempo residiendo en adosados de dos alturas y ahora agradezco tener todo a mano sin necesidad de subir escaleras. Otra de las cosas que valoro es que es una casa muy luminosa, es que soy como las plantas, necesito mucha luz.

El salón y la cocina, porque es donde pasamos la mayor parte del tiempo. Soy de las que les gusta cocinar con gente alrededor. Y el salón, además de comedor y punto de reunión y encuentro, acaba siendo también la sala de juegos de los niños, el lugar de lectura, el despacho para trabajar…

Agradecería tener una habitación más para los invitados o para usarla como cuarto de juegos de los niños. Eso sí lo echo en falta. Bueno, puestos a pedir…, que fuesen dos dormitorios más.

IKER CASILLAS:
Me encanta mi salón. Es muy acogedor. Nada suntuoso. Mi familia ha colaborado mucho conmigo a la hora de decorar la casa y lo ha hecho pensando en mis gustos. En el salón puedo pasarme horas y horas. Bien viendo un partido, bien jugando con la Play Station o de reunión con mis amigos. Disfruto mucho de él. Lo ideal para una persona que pasa tanto tiempo fuera es tener una casa en la que se sienta el calor familiar.

Es mi particular sala de trofeos. En una de las habitaciones tengo un mueble donde guardo todos los trofeos, medallas y demás premios, que he ido logrando en mi carrera deportiva. También guardo allí recortes de prensa, fotos curiosas y otros objetos relacionados con mi profesión.

Me gustaría que tuviera más terraza. Me encantan las casas con grandes espacios al aire libre. Quizás sea eso lo que echo más en falta.

C. Me pone nerviosa que Luis no sea puntual

5. Pista 6

SARA: Ahora que estoy organizando las vacaciones con mis hijos, me acuerdo mucho de cuando iba de vacaciones con mis padres.
ANDRÉS: Ya hace años, ¿eh? ¿Y adónde ibais?
SARA: Normalmente íbamos de *camping*. A mi padre le gustaba que pusiéramos la tienda delante de una buena playa. No le importaba que hiciera bueno o malo. Lo que no soportaba era que el *camping* estuviera muy lleno. Le sacaba de quicio que los vecinos fueran ruidosos. Sin embargo a mi madre le daba un poco de pena que sus hijos durmieran tantos días en el suelo y todos los años intentaba cambiar el plan de vacaciones. Pero nosotros lo pasábamos estupendamente.
ANDRÉS: Nosotros siempre íbamos al mismo hotel. Lo que no me gustaba era que tuviéramos que comer todos los días en el mismo sitio y a la misma hora. Pero me encantaba conocer a gente nueva cada año y siempre me daba mucha pena que se acabaran las vacaciones.
SARA: Ahora con mis hijos son más variadas. Ellos deciden si quieren playa o montaña y aunque a veces vamos de *camping*, otras veces les gusta que vayamos de hotel.
ANDRÉS: En cualquier caso siempre son unos días inolvidables.

B. Cocinar

3. Pista 9

TARTA DE PUERROS, PANCETA Y QUESO
Picar los puerros y la panceta. Rallar el queso gruesamente. Batir los huevos con la crema y condimentar a gusto.
Rehogar los puerros con la panceta y distribuir sobre la masa de la tarta. Encimar el queso, echar el batido de huevos y crema, y hornear hasta que esté dorado. ¡Buen provecho!

PESCADO EN SALSA VERDE
Poner en una sartén el aceite, la cebolla y los ajos picados. Pochar todo y añadir la harina, el perejil, la sal y el vino. Remover hasta que se consiga una salsa compacta y evitar que se pegue. Añadir el pescado con la piel hacia arriba, dar un hervor y luego dar la vuelta con cuidado de no romper los trozos.
Si decidimos acompañar el guiso con unos espárragos, huevos duros y guisantes, cuando pongamos el pescado añadiremos el caldo de los espárragos. Hervir todo junto con los guisantes. En cuanto esté el pescado en su punto, añadiremos los huevos duros troceados. Listo para comer.

7. Pista 10

Hijo de cocineros, Miguel aprendió en el negocio familiar. Sus padres tenían un asador en el centro de San Sebastián, donde los hijos aprendieron el arte de la cocina tradicional vasca, a principios de los años 80.

¿Qué tipo de cocina hace?
Hacemos cocina vasca actual, puesta al día, pero siempre respetando los orígenes: sobre todo la materia prima, porque es lo más importante, sin esto es imposible avanzar y conseguir unos parámetros dignos de calidad.

¿Cómo es el proceso de creación?
El proceso creativo está más relacionado con el propio trabajo que con la inspiración. Yo, en principio, desconfío de las ideas maravillosas que se dan a la primera. Un plato, además de ser divertido y original, tiene que estar muy rico y ser comercial, porque hay que venderlo. Si tú tienes una idea maravillosa, pero la gente no la entiende o no la acepta, y no se vende, algo falla ahí; entonces no es tan maravillosa. Y si además tienes que llevar un plato a un evento para 500 personas, a esa receta que has creado hay que darle una segunda vuelta para que sea adaptable en cuanto a producción y a puesta en escena.

¿Cómo se organiza?
Unas veces las ideas surgen solas y, otras, por necesidad. A partir del mes de septiembre preparamos las novedades del año siguiente: pruebas, costes, puesta en marcha, ya que el mismo producto puede ser desarrollado de formas distintas. En los restaurantes se funciona con cartas estacionales, con productos de temporadas, y hay que adelantar bastante las ideas.

¿Cuál es vuestra especialidad?
Nosotros y nuestros clientes tenemos bastante predilección por los pescados y verduras. De alguna forma hay que especializarse y, sobre todo, hacer una cocina que tenga alma, que tenga sentido. Esto se ve cuando coges la carta de un restaurante, tiene que estar definida y compensada. Observando nuestra carta se ve que es cocina vasca, que es lo que sabemos hacer y lo que llevamos dentro, en algunos casos con puntos tradicionales y en otros con toques modernos, con una puesta en escena actual. Procuramos hacer una cocina honesta.

(Extraído de la revista *Psychologies*)

UNIDAD 4

A. ¿Con quién vives?

2 y **3.** Pista 11

PABLO

Pablo, ¿con quién vives?
Pues con un amigo de toda la vida, que se llama Alberto, y con Martín, que es amigo de Alberto.

¿Por qué tomaste la decisión de marcharte de casa de tus padres? ¿Estabas mal?
No, qué va, lo que pasa es que yo quería conocer lo que es vivir solo, valerse por sí mismo. Y también me atraía la idea de compartir experiencias con mis amigos.

¿Llevas mucho tiempo viviendo así?
No, unos siete meses.

¿Y qué tal va la experiencia?
Pues bien, es una experiencia muy positiva… Yo creo que estoy aprendiendo a conocerme, a comprender mejor a los demás. También esto ayuda a ser más tolerante: intento que las cosas que antes me molestaban ya no me molesten tanto. Por ejemplo, no debes enfadarte si uno no friega un día los platos.

Entonces, ¿no tenéis conflictos?
No, la verdad es que no, yo creo que los tres somos respetuosos y tenemos gustos parecidos: a todos nos gusta comer de todo, hacemos la compra juntos, incluso compartimos el mismo gel de baño.

¡Qué bien! ¿Tenéis turnos de limpieza?
No, no, cada uno lo hace cuando quiere; como la casa es tan pequeña, la parte que no es privada (el dormitorio) se limpia enseguida. En cambio, conozco unas amigas que llevan cuatro meses compartiendo piso y les va fatal, yo creo que no van a durar mucho, se crea mucha tensión. Una de ellas dice que necesita descansar y que después de las diez y media no quiere que vaya nadie a casa…, en fin.

OLALLA

¿Con quién vives, Olalla?
Con mi pareja desde hace 3 años.

¿Por qué no te has casado?
Porque creemos que no es necesario. A pesar de que el matrimonio nos saldría más rentable fiscalmente, en este momento no nos aporta ningún beneficio extra. Ya tenemos una hipoteca en común, que nos une un montón. Quizás el día que tengamos hijos nos planteemos la boda.

¿Cómo es tu experiencia de convivencia?
Aunque no hemos tenido ningún problema grave, sí hemos pasado un tiempo de adaptación por los hábitos que traíamos o por el carácter de cada uno. Por ejemplo, en nuestro caso, yo me considero muy ordenada, en cambio David es un poco menos ordenado, vaya, que no valora el orden. Así que hemos tenido algunos choques. Pero creo que los choques nos llevan al aprendizaje del otro, nos obligan a ser más flexibles.

¿Cómo repartís las tareas?
En nuestro caso no ha habido muchos problemas, porque David ya había vivido solo antes y tiene cierta habilidad. Nos las repartimos de forma bastante igualitaria: cada uno hace aquello que más le va, hay algunas tareas que a él le gustan y a mí no, y al revés.

JOAQUÍN

Joaquín, ¿por qué vives solo?
Vivo solo porque me divorcié hace unos años.

¿Qué tal la experiencia?
Pues tienes ventajas e inconvenientes. La principal ventaja es la independencia, claro. El vivir solo me permite desarrollar actividades que a lo mejor viviendo en compañía no puedes hacer, como participar en una ONG o dedicar mucho tiempo a las aficiones de tiempo libre. Al no tener hijos, puedes disponer del tiempo de ocio muy libremente, sin limitaciones. Por otro lado mis actividades me permiten conocer y relacionarme con gente variada, de diversas procedencias.

¿Cómo te las arreglas con las tareas cotidianas?
Soy profesor y tengo horario de tarde, así que las mañanas las dedico a preparar las clases y organizar un poco lo mínimo de la casa. Hay una señora que viene un día a la semana a hacer la limpieza y la plancha, con lo cual me deja el fin de semana libre para otras actividades más lúdicas. Para comer, como no soy buen cocinero, suelo hacer cosas sencillas, pero variadas.

¿Y las desventajas de vivir solo?
Bueno, a veces echo de menos el calor de otra u otras personas con las que compartir las vivencias cotidianas, como las preocupaciones del trabajo… A pesar de que soy bastante independiente, sí echo en falta cierta comunicación, también compartir y planear el tiempo de ocio. Como he dicho antes, suelo relacionarme mucho con la familia (madre, hermanos) y amigos que tengo de las diversas actividades que practico. Desde el punto de vista económico también es una desventaja el tener que pagar solo todos los gastos de la vivienda, claro.

B. El amor eterno

4. Pista 12

¿Quién dice que el amor eterno no existe? Dos parejas que han alcanzado medio siglo de matrimonio nos cuentan el secreto de su felicidad.

Ángel Ballesteros, 76 años, y Montse Tolsa, 76.
Nosotros teníamos muchas ganas de casarnos porque en esa época todo estaba prohibido; a las nueve teníamos que estar en casa. Si ibas al cine tenías que ir con carabina y si te dabas algún beso con el novio tenías que hacerlo a escondidas. Si nos casábamos podíamos estar juntos y hacer lo que nos diera la gana.

Como nuestros padres no podían pagarnos la boda, nos pusimos a ahorrar. Durante seis años juntamos suficiente dinero para pagar el banquete de boda y los muebles de la habitación de matrimonio. Luego vinieron los hijos, que fueron una prioridad: siempre procuramos que tuvieran una infancia y una juventud mejor que la nuestra, que estuvo marcada por la guerra y la posguerra. Trabajamos muchísimo hasta que crecieron. Después de la jubilación volvimos a tener tiempo para nosotros, aunque a menudo nos toca hacer de canguro de los nietos.

Nunca antes habíamos viajado y empezamos a hacerlo. Pero lo que más nos gusta es ir a nuestra casa de campo y cuidar del jardín.

Con el 50 aniversario tiramos la casa por la ventana. Primero organizamos una gran comida. Después nuestros hijos nos regalaron un viaje a París con toda la familia, nietos incluidos.

¿Cuál es el secreto de vuestra larga relación?
"No alargar los enfados". Cuando hay un problema, lo mejor es que no dure, que no se envenene. Hay gente que se tira varios días de morros y no vale la pena.

Damián Herrero, 75 años, y Amparo Membrado, 73.
"Los jóvenes se extrañan al ver que existen matrimonios que llevan tantos años juntos, pero a nosotros no nos sorprende", asegura Amparo. "Al principio todo es de color de rosa. Eres muy joven y lo ves todo muy bonito. Con el tiempo, al marido lo quieres de otra manera". Amparo se lamenta de que Damián de joven viviera demasiado para el trabajo y viajara mucho por

motivos laborales. A pesar de todo, ella no se queja porque actualmente todavía le dedica poemas.

¿Cuál es el secreto de vuestra buena convivencia?

"Para mí la clave está en ceder por ambas partes y, sobre todo, tenerse respeto. Ahora las parejas no aguantan nada y a la mínima se separan y eso no es bueno. También ha influido el carácter de mi marido, que tiene mucha paciencia. Él deja que hable yo, me escucha y luego dice lo que piensa.

También hemos tenido aficiones propias que hemos respetado. A él le ha gustado mucho el fútbol y yo se lo he respetado, porque yo salía con mis amigas. Creo que es muy bueno respetar lo que a cada uno le gusta hacer. Ahora él va a un centro cívico todos los días, tiene amigos allí y está encantado. Yo también tengo una vida muy activa: los lunes hago tai-chi, y dos días más voy a nadar. Y los martes salgo con mis amigas a merendar y a jugar a la petanca".

UNIDAD 5

A. La publicidad

5. Pista 15

CONCHI: Mira, Álvaro. He sacado estos tres anuncios de la revista *Muy Interesante* para el trabajo de la clase de Publicidad. ¿Qué te parecen? ¿A que no sabes lo que anuncian?

ÁLVARO: Lo que anuncian no es lo más importante, pero fíjate qué técnicas tan distintas han utilizado. Por ejemplo, en el anuncio de Emidio Tucci sólo han utilizado cuatro palabras y una frase publicitaria, y así queda claro que este anuncio va dirigido a lo que se supone que es un hombre elegante y triunfador. Por eso han elegido una imagen de un hombre tan clásico.

CONCHI: ¡Menos mal que no sois todos iguales! Supongo que anuncian el traje, pero también valdría para anunciar una colonia, un reloj... Mira este otro, mientras que el anterior utiliza una imagen clásica, sin embargo aquí, ¡qué imagen tan sorprendente!

ÁLVARO: Es verdad. Es una imagen muy chocante. Y observa la frase; te llama la atención. Las dos cosas unidas te crean la sensación de que hay un problema para resolver. No hay duda de que el problema está en tu cabeza. Nos quieren transmitir que la solución está en lo que anuncian. En comparación con el anterior, creo que este transmite un mensaje mucho más claro, menos subjetivo.

CONCHI: ¿Y este otro? Fíjate qué composición de imágenes tan curiosa: la luna y el clavo. Es muy inteligente la referencia que hace de la llegada del hombre a la luna y cómo la relaciona con su marca de ruedas.

ÁLVARO: Por otro lado, observa cómo repite la palabra neumático, para llamar nuestra atención sobre el producto que anuncia.

CONCHI: Se pueden decir muchas más cosas. Pero ya seguiré yo sola. Gracias por tu ayuda, Álvaro.

B. Dinero

4. Pista 16

ENTREVIS.: En una entrevista a la multimillonaria Bárbara Hutton, un periodista se dirigió a ella con la típica frase: "Aunque sabemos que el dinero no da la felicidad, díganos, por favor...". La entrevistada no le dejó terminar: "Oiga, joven, ¿pero quién le ha dicho a usted esa tontería?". Tenemos hoy con nosotros al reconocido sociólogo Alfonso Aguiló, al que vamos a hacer unas preguntas sobre este tema. Hola, buenas tardes. Señor Aguiló, ¿cree usted que el dinero da la felicidad?

ALFONSO: Aunque haya infinidad de refranes que dicen que el dinero no asegura nada, es frecuente ver que luego en la práctica son pocos los que se lo creen. Es evidente que una persona con una gran fortuna recibiría como una catástrofe un empeoramiento de su situación económica. Igual que un mendigo recibiría con gran satisfacción cualquier mejora sustanciosa de su nivel de vida. Usted me pregunta que si influye mucho el dinero en la felicidad. Pues bien, un equipo de investigadores norteamericanos lleva más de diez años investigando sobre este tema. Pronto comprobaron, con cierto asombro, que la impresión personal de felicidad está distribuida de modo bastante homogéneo entre todas las edades, niveles de ingresos económicos o de titulación académica y tampoco se ve afectada claramente por la raza o sexo.

ENTREVIS.: ¿Cómo son las personas que se sienten felices?

ALFONSO: Esta investigación señala una serie de rasgos de carácter que parecen comunes a casi todas las personas que se sienten felices: una persona feliz es cordial y optimista, tiene un elevado control sobre ella misma, posee un profundo sentido ético y goza de una alta autoestima. Aunque es difícil saber en qué medida esos rasgos de carácter contribuyen a la felicidad o son más bien parte de sus efectos, sí podemos concluir en destacar la gran importancia que para toda persona tiene la mejora de su situación personal.

ENTREVIS.: ¿En qué se basan para hacer estas afirmaciones?

ALFONSO: Pues mire, aunque la ilusión de muchas personas sea que les toque la lotería, la realidad es, como luego se comprueba, que aquellos a quienes les ha tocado la lotería, al poco tiempo, no son más felices que antes. Podría decirse que, una vez que se tienen resueltas las necesidades básicas, uno tiende a adaptarse al nivel económico alcanzado y su felicidad apenas depende del nivel en que está situado. Si bien es verdad que una mejora del nivel económico repercute en el sentimiento de felicidad, esta impresión suele durar poco tiempo. De igual forma, un empeoramiento de nivel suele producir una cierta infelicidad, pero con el tiempo suele aceptarse y se acaba llegando a disfrutar de lo que antes apenas se valoraba.

ENTREVIS.: ¿Entonces qué conclusión podríamos sacar?

ALFONSO: Pues, como escribió Séneca, todos los hombres quieren ser felices, "lo difícil es saber lo que hace feliz a la vida". Hay que acertar en esta búsqueda, pues quien no lo hace se pasa la vida esperando un mañana que nunca llega.

UNIDAD 6

A. La televisión

7. Pista 17

ENTREVIS.: Se ha responsabilizado en muchas ocasiones a la televisión de ser la causante directa de la falta de comunicación entre los miembros de la familia. Pero vamos a ver qué nos dice sobre este tema nuestro invitado, el sociólogo Luis Bueno, para que sus opiniones nos ayuden a utilizar mejor la televisión.

LUIS: No hay referencias que demuestren que los miembros de la familia se comunicaran más entre sí antes de 1950 que en la actualidad, ni que la vida fuera más participativa sin la televisión. Lo que sí es cierto es que la televisión aparece en un momento en el que se desarrolla la vida urbana, lo que provoca cambios drásticos en la forma de vida. Los miembros de la familia urbana tienen menos tiempo para compartir, debido entre otros muchos factores a la diversidad de horarios, las distancias desde el hogar a los sitios de trabajo y estudio, la múltiples ofertas para satisfacer el ocio... Éstas son razones más poderosas y complejas que la presencia de la televisión para explicar el porqué de "la pérdida de comunicación en la familia moderna".

ENTREVIS.: ¿En qué sentido puede afectar la televisión a la comunicación familiar?

LUIS: Bien, pues, esta puede enriquecerse o empobrecerse dependiendo del estilo de vida de la familia. En algunas circunstancias puede valer para que se incremente la vida familiar; algunos programas de interés para el grupo sirven para que los distintos miembros de la casa comenten sobre lo sucedido en episodios o capítulos anteriores o sobre una noticia en concreto. Por lo general, las mujeres y los niños hacen del ver la televisión una oportunidad para comunicarse, mientras que los hombres son más silenciosos.

ENTREVIS.: Sí, pero ahora suele haber más de una televisión en cada hogar...

LUIS: Yo defiendo la existencia de un solo televisor en cada hogar con el fin de que la televisión sea una actividad compartida. Por el contrario, cuando una familia decide colocar un aparato en cada una de las habitaciones de sus miembros está provocando el aislamiento entre ellos.

ENTREVIS.: En definitiva, ¿qué consecuencias cree usted que tiene la televisión en la vida familiar?

LUIS: De lo que no hay duda es de que se produce un aumento en el número de horas de permanencia en el hogar. La televisión reúne físicamente a la familia en mayor cantidad de tiempo que antes de poseerla. Pero esta unión es básicamente pasiva, pues disminuyen las actividades que la familia realizaba anteriormente de forma colectiva: juegos de mesa, conversaciones sobre temas más personales... En definitiva, cuando la televisión se convierte en un recurso frecuente para evitar la comunicación en la familia, esto debe interpretarse como un síntoma de desequilibrio en el sistema familiar. Pero la televisión también es una oportunidad para el encuentro familiar. Ver la televisión no deja de ser un hábito conveniente cuando se realiza en grupo.

ENTREVIS.: Muchas gracias, profesor. Esperamos que sus opiniones nos hayan ayudado a aclarar los pros y los contras de los usos de la televisión.

B. Los ricos también lloran

2. Pista 18

ROSARIO

Rosario, ¿te gustan los culebrones?
Sí, pero depende del tema. Si son realistas, sí, pero si son de tragedias, no me gustan. En cambio a mi hija sí le gusta que haya mucha emoción, pasión, sufrimiento.
¿Cuándo los ves?
Casi siempre sigo alguno. Antes disfrutaba más, pero ahora no me gustan tanto porque son demasiado largos y algunos tienen un argumento muy enrevesado. Es bueno que haya algo de intriga, pero algunas veces se pasan, la verdad. Ahora estoy enganchada a una serie española que se llama *Amar en tiempos revueltos* y me gusta mucho porque es histórica, refleja cómo era la vida cuando yo era joven, en parte lo he vivido yo, pero, hija, no acaba nunca.
¿Has visto alguno latinoamericano?
Sí, recuerdo uno que se llamaba *La tormenta*, que trataba de amores prohibidos. Y también me gustó *Frijolito*, de un niño que hacía llorar un montón. Cuando terminó me prometí a mí misma no engancharme a ninguno más, porque cuando empiezas es difícil dejarlo. Ese del niño era muy tierno, muy bonito.
¿Qué pasa si algún día no puedes verlo?
Nada, mi marido me lo graba y yo lo veo cuando puedo.

MARTA

Marta, ¿qué opinas de las telenovelas?
Pues, mira, es curioso, hay mucha gente que las critica, pero a mí me parecen interesantes porque a través de ellas la gente conoce la lengua de los distintos países latinoamericanos, y también conocen cómo viven, y eso es bueno porque, en el caso de España, esto puede favorecer la integración de los emigrantes de esos países.

CELIA

Celia, ¿te gustan los culebrones?
¿A mí? ¡Qué va!
¿Por qué?
No sé, me parecen exagerados, poco naturales… Lo que pasa con los culebrones esos que duran mucho tiempo es que juegan con los sentimientos de los protagonistas (y también del espectador) de una forma exagerada y burda, y no resultan creíbles. Complican tanto los argumentos que resultan inverosímiles: es imposible que a alguien le ocurra todo lo que presentan, y…, bueno, a mí me aburren.

LUIS

Luis, ¿qué te parecen los culebrones, te gustan?
Pues sí, porque me entretienen y sé que no tienen nada que ver con mi vida real.
¿No te identificas con las pasiones?
No, los veo con cierta distancia, pero, al mismo tiempo disfruto con las emociones que transmiten.
¿Cuándo los ves?
Normalmente después de comer. Algún día no puedo verlos por mi trabajo, pero no me importa, porque enseguida retomo el hilo del día anterior. No pasa nada si me pierdo alguno. Es más, a veces me quedo dormido.

UNIDAD 7

A. Ir al cine

4. Pista 19

ENTREVIS.: ¿Raúl, recuerdas alguna película que te haya impactado?

RAÚL: Pues, una película que me gustó mucho fue *La lengua de las mariposas*.

ENTREVIS.: ¿Ah, sí?, ¿de qué trata?

RAÚL: Está situada en 1936, al principio de la Guerra Civil española. El protagonista es un maestro un poco mayor que tiene mucha paciencia y enseña a sus estudiantes no sólo a escribir, leer, etc., sino que también les lleva de excursión para enseñarles la naturaleza y les habla de la vida en general. Pero empieza la guerra y los fascistas le consideran un enemigo, así que lo detienen y, bueno, el final no te lo cuento, pero lo cierto es que el niño, que no sabe muy bien cuáles son sus sentimientos, reniega de su profesor. Es un poco triste, es una tragedia, pero muy realista.

ENTREVIS.: ¿Quién es el director?

RAÚL: El director es José Luis Cuerda, y el guión está basado en una novela del escritor Manuel Rivas. Y el protagonista es el actor Fernando Fernán Gómez, ¿te acuerdas de él?

ENTREVIS.: Sí, claro, es muy famoso.

RAÚL: Y el actor que hace el papel de niño, Manuel Lozano, representa su papel magníficamente. La verdad es que me encantó.

ENTREVIS.: Y tú, Laura, ¿qué has visto últimamente?

LAURA: Pues, sí, mira, hace poco vi *No sos vos, soy yo*, una película argentina del director Juan Taratuto.

ENTREVIS.: ¿Y qué tal?

LAURA: Estupenda. Me gustó muchísimo, me reí bastante. Es una comedia argentina, de una pareja joven, muy enamorados. En Argentina no van muy bien económicamente y deciden casarse para poder viajar y establecerse en Estados Unidos. Ella se va primero para hacer contactos y cuando él va para el aeropuerto a reunirse con ella, recibe una llamada de María diciéndole que se ha enamorado de otro.

ENTREVIS.: ¿Sí? ¡Qué fuerte!

LAURA: Sí, es una escena muy buena, te da pena de él, pero al mismo tiempo es cómica.

Entrevis.: ¿Y qué pasa luego?

LAURA: Bueno, él, Javier, lo pasa fatal: está desesperado, y agobia con sus problemas a sus amigos. Se compra un perro para pasear por el parque y, al mismo tiempo, conocer a otras chicas, al final va al psiquiatra y ahí es muy gracioso porque el psiquiatra acaba confesándole sus propios problemas… es muy divertida, a pesar de que el pobre Javier lo está pasando mal.

ENTREVIS.: ¿Y cómo acaba?

LAURA: Mejor no te lo cuento, por si quieres ir a verla. Pero lo que sí te digo es que de amor no se muere nadie.

B. ¿Bailas?

2. Pista 20

Agenda musical

1. Cristina Hoyos estrenó anoche en el teatro Movistar de Madrid su nuevo espectáculo, *Viaje al Sur*, que permanecerá en cartel hasta el 27 de agosto y en el que estará arropada por el Ballet Flamenco de Andalucía.

   Este montaje, sin argumento, es un recorrido por tres emociones universales del ser humano, como la alegría, la tragedia y la pasión, que se transmiten al espectador a través del color y de los palos del flamenco.

2. Los días 28, 29 y 30 de abril se celebrará en el auditorio de Villarrobledo, Albacete, la undécima edición del festival Viñarock. En esta ocasión, Viñarock reúne a una buena ristra de grupos de la casa (Barricada, Medina Azahara, Barón Rojo, Porretas), pero también se abre hacia sonidos novedosos; el hip hop o el mestizaje, con grupos como Macaco, Ojos de Brujo, Chambao, Bebe…

3. La última semana de mayo se celebrará en Madrid la sexta edición del Festival Alternativo de las Artes Escénicas. En el nutrido programa la danza es el ingrediente principal. Media docena de compañías desfilará por teatros de la comunidad de Madrid para mostrar lenguajes artísticos, basados, sobre todo, en el baile.

   La inauguración del festival correrá a cargo de la veterana compañía catalana Mal Pelo, con la obra *Atlas (o antes de llegar a Barataria)*, en el Círculo de Bellas Artes. Este montaje fue premiado por el Instituto Cervantes en su convocatoria de montajes artísticos.

4. Julio Bocca y Tamara Rojo bailan música de Falla a ritmo de tango. Del 17 al 29 de enero los aficionados a la danza podrán disfrutar en el teatro Albéniz de Madrid de un espectáculo único: *Tango brujo*. Julio Bocca y Tamara Rojo darán vida a los protagonistas de una historia de amor, celos y muerte.

   Será la primera vez que bailen juntos y además lo harán con música de Manuel de Falla. El compositor Leo Stekelman ha puesto ritmo de tango a las composiciones del maestro gaditano para contar la historia de dos hermanos enamorados de la misma mujer.

UNIDAD 8

A. Viajar

5. Pista 21

RICARDO: ¡Hola, Mayte! ¡Qué morena estás! ¿Dónde has estado de vacaciones?

MAYTE: Han sido unas vacaciones extraordinarias: al final decidimos hacer un crucero por el Mediterráneo y ha sido una experiencia inolvidable.

RICARDO: ¡Jo, qué envidia! ¿Qué ciudades habéis visitado?

MAYTE: Pues, mira, cogimos el barco en Barcelona. Hicimos la primera escala en Génova, luego fuimos a Roma, a Atenas, a Estambul y a Túnez. Total, quince días de maravilla. Nos ha parecido una mezcla perfecta de viaje cultural y vacaciones de descanso.

RICARDO: ¿Y la vida en el barco no resulta un poco monótona? Porque a mí ése es el miedo que me da en los cruceros.

MAYTE: ¿Qué dices? Si hay actividades durante todo el día y para todos los gustos. De día, cuando no tienes visitas turísticas, puedes descansar en la piscina, tomar el sol, leer, tomar el aperitivo... En fin, relax absoluto. Y para los niños, había todo tipo de actividades y juegos controlados por unos monitores amabilísimos.

RICARDO: ¿Y esas cenas que anuncian con el capitán y la tripulación?

MAYTE: Bueno... Para mí eso era lo mejor de todo el día. Ponerte guapísimo para una cena de lujo, con música en directo y todo el mundo tan elegante y tan amable... Y después de la cena, era el momento estelar: con bailes, concursos, juegos... En fin, divertidísimo.

RICARDO: Bueno, veo que te has quedado con ganas de repetir.

MAYTE: Por supuesto. Fíjate cómo será la cosa, que hemos convencido a mis suegros para que el año que viene celebren con los hijos y nietos sus bodas de oro haciendo todos juntos un crucero por las islas Baleares. Nos lo vamos a pasar de película.

RICARDO: Bueno, chica, me estás convenciendo. Vamos a tener que probar nosotros el verano próximo.

UNIDAD 9

A. ser autónomo

2. Pista 23

ENTREVIS.: Cada vez es más frecuente encontrar a jóvenes empresarios, tanto hombres como mujeres, que no están dispuestos a depender de nadie, excepto de sí mismos y dispuestos a desarrollar su creatividad e imaginación. Hoy tenemos con nosotros a dos invitados para que nos cuenten sus experiencias. Empezamos con Natalia de la Peña, que tiene 28 años, que trabajaba en un banco y que recientemente decidió emprender su propia actividad. Natalia, cuéntanos, ¿cómo te decidiste a dar este paso?

NATALIA: Bueno, la verdad es que nunca tuve vocación de funcionaria. Necesitaba un trabajo creativo en el que pudiera desarrollar mi imaginación. Así que no dudé en abandonar mi trabajo como ejecutiva de cuentas de un banco, para dedicarme a lo que realmente me gustaba: restaurar muebles.

ENTREVIS.: ¿No te dio miedo perder la seguridad laboral que tenías?

NATALIA: Pues, al principio un poco sí, porque cuando decidí dar este paso no tenía muy claro si iba a encontrar suficiente trabajo. Pero no tuve más remedio que olvidarme de los números y de un sueldo fijo a fin de mes y transformé el salón de mi casa en mi lugar de trabajo.

ENTREVIS.: ¿Y recuerdas quién fue tu primer cliente?

NATALIA: Eso no se puede olvidar, fue una antigua compañera del banco que me encargó la restauración de un escritorio. A partir de ahí comencé a investigar por mi cuenta, contacté con anticuarios, compré libros... Y ahora mismo la verdad es que no me falta trabajo.

ENTREVIS.: También está con nosotros Iván Mogarra, de 30 años. Hola, Iván. Parece ser que lo que empezó como un entretenimiento hace tres años se ha convertido en tu forma de ganarte la vida. Podríamos decir de profesión tatuador, ¿no es así?

IVÁN: Efectivamente. Al principio no ganaba mucho con esto. Tatuaba a amigos y conocidos. Pero luego comencé a tatuar en un estudio y, como iba más en serio, me di de alta como autónomo y hasta hoy.

ENTREVIS.: ¿Y qué significa para ti ser tu propio jefe?

IVÁN: Bueno, sobre todo tener la libertad de trabajar cuando quiero y no tener que dar explicaciones a nadie. Pero esto también tiene sus contrapartidas ya que tú eres el responsable de todo y, si no trabajo, no como.

ENTREVIS.: ¿Y en cuanto al dinero?

IVÁN: También tiene sus ventajas e inconvenientes. Gano más, pero sólo relativamente. Si yo tuviera un jefe y estuviera en una empresa, no me tendría que pagar la Seguridad Social. Me quitarían un tanto por ciento pero menos de lo que yo pago al mes. De todas formas yo lo prefiero así.

ENTREVIS.: Muchas gracias a los dos por habernos acompañado en la tertulia de esta tarde que, sin duda, animará a muchos jóvenes a seguir vuestros pasos.

C. servicios públicos

3. Pista 24

A. VECINA 1: ¡Hola, Ángela! Perdona que te moleste un momento. Es que como tu hijo está en la Escuela Oficial de Idiomas, quería preguntarte qué tengo que hacer para apuntar al mío.

VECINA 2: Pues mira, no nos resultó muy difícil porque toda la información la encontramos en Internet. Allí puedes encontrar el impreso de solicitud y las fechas en las que tienes que presentar la documentación que te piden.

VECINA 1: ¿Pero es fácil entrar?

VECINA 2: Bueno, como es pública y prácticamente gratuita, según el idioma que quiera estudiar. Para entrar en primer curso es más difícil porque hay muchas solicitudes; pero si hace la prueba de nivel y puede matricularse de 2.° o de 3.°, ya lo tiene más fácil porque hay menos demanda.

VECINA 1: Vale, pues voy a ver si me pongo en contacto con él y entramos en la página de la Escuela para intentar conseguir la información.

B. CARMEN: Ayer, cuando fui a la oficina de Correos para enviar un paquete a unos amigos que viven en Canadá, presencié una escena muy curiosa. Estaba en la cola, esperando mi turno para ser atendida por la funcionaria de la ventanilla, cuando el señor que estaba delante de mí se acercó al mostrador con un paquete muy grande y se dirigió a la señorita con serias dificultades para expresarse en español. No sabía qué pasos tenía que seguir para hacer el envío de su paquete. La funcionaria, muy amablemente, le explicó que lo podía hacer por paquete exprés o por correo ordinario. El señor no la entendía muy bien. Pero ella tenía mucha paciencia y se lo explicó varias veces. Finalmente, cuando él se decidió por una de las dos formas, a la hora de pagar los gastos de envío, no tenía dinero suficiente. La señorita se ofreció a realizar toda la gestión y dejar el paquete aparcado a un lado, mientras él iba en busca del dinero necesario, sin tener que cargar con el bulto de un lado para otro. Me quedé sorprendida por tanta amabilidad. No estamos acostumbrados a que los funcionarios sean tan amables en el trato con los usuarios de los servicios públicos. Luego me enteré de que esa oficina tiene el premio a la oficina de Correos más amable de todo Madrid.

C. SOLICITANTE: ¡Hola, buenos días!

AUX. BIBLIO.: ¡Buenos días! ¿Qué desea?

SOLICITANTE: Me gustaría hacerme socio de la biblioteca. ¿Me podría decir qué documentación necesito?

AUX. BIBLIO.: Pues, tiene que traer una fotocopia del documento nacional de identidad, dos fotografías tamaño carné y rellenar este formulario con sus datos personales.

SOLICITANTE: ¿Tengo que pagar algo?

AUX. BIBLIO.: No, señor, las bibliotecas públicas son gratuitas.

SOLICITANTE: ¿Y qué servicios ofrecen?

AUX.BIBLIO.: Con el carné de socio puede consultar y pedir en préstamo no sólo los libros de la biblioteca, sino también CD de música y películas en DVD. También puede acceder gratuitamente al servicio de Internet. También podrá leer la prensa diaria y las publicaciones periódicas.

SOLICITANTE: ¿Me podría decir el horario?

AUX. BIBLIO.: La biblioteca está abierta de lunes a viernes ininterrumpidamente, desde las 9 de la mañana hasta las 9 de la noche. Los sábados, de 9 a 14 horas.

SOLICITANTE: Gracias por la información. Mañana pasaré por ahí con la documentación necesaria.

UNIDAD 10

A. Si conduces, no bebas

3. Pista 25

Hace unos meses fui a cenar con unos amigos para celebrar un cumpleaños. En la cena yo bebí una cerveza y una copa de vino. Aunque había venido en coche, pensé que para la hora de volver a mi casa ya se me habría pasado el efecto del alcohol en la sangre. A las doce de la noche acabó la cena y cogí el coche para volver a mi casa, que estaba a unos diez kilómetros del restaurante.

Cuando ya estaba llegando a mi pueblo, me paró una patrulla de la policía de tráfico. Estaban haciendo controles de alcoholemia. Me pidieron que soplara y salió un 0,50, es decir, 0,20 por encima del mínimo permitido, así que me llevaron a comisaría…

Ahora estaré un tiempo sin carné de conducir. La próxima vez ya sé que no puedo beber ni una gota de alcohol cuando tenga que conducir.

B. Me han robado la cartera

5. Pista 26

Detenido el supuesto autor de 15 atracos a farmacias y gasolineras del distrito de Salamanca.

La policía ha detenido a un hombre de 43 años como presunto autor de quince atracos registrados desde el pasado abril en gasolineras, farmacias y tiendas abiertas las 24 horas del distrito de Salamanca, según la Jefatura Superior de Madrid.

La investigación comenzó tras una acumulación de denuncias de propietarios de los establecimientos atracados que identificaban al ladrón como un hombre alto y delgado, con aspecto de toxicómano. El detenido, Felipe G. S., no es delincuente habitual. Al ser arrestado tenía 245 € robados en una farmacia de la calle Antonio López.

Condenado a cuatro años por robar en un chalé.

La Audiencia Provincial de Soria ha condenado a un hombre a cuatro años y nueve meses de cárcel por su participación en el robo de un chalé en Villanueva de Arriba en el mes de abril del año pasado. Durante el asalto, los ladrones maniataron a una de las inquilinas y robaron joyas y otros objetos valorados en 50.000 €.

La sentencia considera al acusado autor de un delito de robo con violencia y de otro de allanamiento de morada.

Además de la pena de cárcel, deberá pagar una indemnización de 50.000 €, que es el valor de los objetos robados.

El acusado cometió el robo en compañía de otros dos ladrones que no han sido identificados.

C. Se me ha estropeado el coche

7. Pista 27

1. A. Hola, buenos días.
   B. Hola, ¿qué tal?
   A. Vengo porque tengo un problema con el aire acondicionado, no sale aire frío.
   B. ¿Cuánto tiempo hace que tiene el coche?
   A. Cinco años.
   B. Entonces, lo más probable es que necesite renovar el gas.
   A. ¿Y eso por cuánto me saldría?
   B. Tenemos un gas nuevo, respetuoso con el medio ambiente que viene a costar unos 90 €, con mano de obra incluida.
   A. Vale. ¿Para cuándo me lo tendría?
   B. Si me lo trae mañana por la mañana, una hora más tarde puede venir a recogerlo.
   A. De acuerdo, en eso quedamos. Mañana a las 8 y media se lo traigo.
   B. Vale, hasta mañana.

2. A. Hola, Buenos días.
   B. Buenos días, dígame, ¿en qué puedo ayudarle?
   A. Mire, es que he tenido un accidente en la carretera, me han dado por detrás y quiero dejarlo para que lo arregle mi compañía de seguros.
   B. No hay ningún problema. Déjeme el parte de daños y vamos a ver el coche.
   A. Como ve, el maletero está abollado, y el parachoques totalmente hundido. Y estas luces de aquí no funcionan…
   B. Sí, ya lo veo, ha tenido que ser un buen golpe…
   A. Sí, yo tuve que dar un frenazo porque se cruzó un perro y el que venía detrás me dio el golpe…
   B. Lo importante es que no haya habido heridos…
   A. ¿Para cuándo me lo tendrá arreglado?
   B. Hombre, ahora estoy bastante liado… Mañana vendrá el perito del seguro… Yo creo que dentro de una semana más o menos ya estará. No obstante, nosotros le llamamos por teléfono cuando lo tengamos.
   A. Vale, aquí tiene las llaves, si tiene cualquier duda me llama al móvil.
   B. Tranquilo, hasta luego.
   A. Adiós.

UNIDAD 11

A. Animales

7. Pista 28

ENTREVIS.: Tenemos en nuestros estudios al profesor Carmo Meigert, organizador de la Expo Dinosaurios que recorrerá las provincias andaluzas durante los próximos meses y que inicia su andadura en Almería. Buenos días, profesor, cuando en 1902 se descubrió el primer esqueleto de *tyrannosaurus*, ¿qué impresión causó en el mundo de la ciencia?

PROFESOR: Bueno, los científicos se dieron cuenta de que habían descubierto uno de los más importantes y temibles dinosaurios conocidos hasta ese momento.

ENTREVIS.: ¿Nos lo podría describir?

PROFESOR: Su enorme cabeza medía más de 1,5 metros de longitud y sus dientes eran enormes, afilados como cuchillas de afeitar, de hasta 20 cm de longitud.

ENTREVIS.: ¿Y es el dinosaurio más grande jamás encontrado?

PROFESOR: Pues, durante casi cien años se ha considerado al *tyrannosaurus* como el mayor animal carnívoro que haya existido nunca. Pero recientemente se han descubierto dinosaurios carnívoros aún más grandes.

ENTREVIS.: ¿Y dónde han sido encontrados?

PROFESOR: En América del Sur y en África. Todas estas y otras muchas preguntas podrán ser contestadas visitando la Expo Dinosaurios, que he tenido el honor de organizar junto a otros grandes compañeros científicos.

ENTREVIS.: ¿Qué cosas podremos encontrar en la Expo?

PROFESOR: Bueno, mire usted, la Expo es la exposición itinerante más grande de Europa que descubre a los gigantes de la historia con réplicas a tamaño real que alcanzan los treinta metros de longitud y los siete de altura. Los visitantes también podrán ver un interesantísimo documental que narra la vida de estos animales con magníficos efectos especiales de luz y sonido.

ENTREVIS.: ¿Qué otras ciudades visitará después de Almería?

PROFESOR: Pues iremos a la ciudad de Granada, a Málaga y a Sevilla.

ENTREVIS.: Profesor, muchas gracias por su información. Esperamos que todos nuestros oyentes tengan la posibilidad de visitarla.

B. El clima

2. Pista 29

LOCUTORA:
A continuación les ofrecemos el pronóstico meteorológico para las distintas comunidades españolas durante las próximas 24 horas.

HOMBRE DEL TIEMPO:
Predominarán las lloviznas intermitentes en el norte de Galicia y Cantábrico. El cielo soleado corresponderá la mayor parte de la jornada a Extremadura, Andalucía y Canarias. Cielos parcialmente nubosos en las Baleares y en el litoral de Cataluña. En las primeras horas del día habrá algunos aguaceros tormentosos irregulares en el este de Castilla-La Mancha, interior de la Comunidad Valenciana, sur de Navarra y de Aragón. Se producirán granizadas locales en el interior de Galicia, de Asturias, de Cantabria y en el norte de Castilla y León. Posteriormente habrá una mejoría para poder repetirse la actividad tormentosa por la tarde o noche. Nieblas en el Cantábrico, la Rioja y Navarra. Soplarán fuertes vientos en Castilla y León y Aragón. Descenso térmico muy notable en la Comunidad de Madrid.

UNIDAD 12

A. Ficciones

5. Pista 30

LOCUTOR:
A continuación, nuestro programa *Ficciones*.

LOCUTORA:
El auge de la novela hispanoamericana de la segunda mitad del siglo XX fue debido a la confluencia de varios factores. Por un lado, las circunstancias históricas de Hispanoamérica provocaron una actitud crítica en los intelectuales y escritores de la región. Por otro lado, estos mismos autores bebieron en las fuentes de las literaturas norteamericana y europea, que vivían momentos de innovación y vanguardia. Y por último, hay que destacar el carácter especial de la naturaleza suramericana, un marco propicio donde se desarrollan los mitos de las culturas indígenas americanas e incluso africanas.

Como consecuencia de estos factores, tenemos un grupo de escritores con unos rasgos comunes que dan un carácter diferenciado a la nueva novela hispanoamericana. Estos elementos comunes son:

En primer lugar, la naturaleza se presenta como una fuerza invencible que impone sus leyes. El ser humano debe integrarse en ella, ya que todo enfrentamiento resulta inútil.

En segundo lugar tenemos la figura del dictador como personaje que se repite una y otra vez, representante de la historia hispanoamericana.

En tercer lugar, el tiempo como un motivo constante, unido a la búsqueda que realiza el ser humano en su deseo de conocer. Unas veces se presenta el tiempo como circular (la historia vuelve al principio, cierra un ciclo) y otras como una espiral (los hechos se repiten en el tiempo, pero con alguna variante).

Y, por último, la dicotomía entre lo racional y lo irracional desaparece. La razón no es suficiente para dar cuenta de la realidad hispanoamericana, por eso las historias incorporan lo mágico y maravilloso como algo cotidiano y habitual.

Estos temas están tratados con un lenguaje nuevo, donde abundan las imágenes y sugerencias, se tiene en cuenta el ritmo y hay, en general, preocupación por el lenguaje. Se ha llegado a hablar de un cierto barroquismo en el lenguaje.

En la nómina de autores debemos mencionar a Miguel Ángel Asturias, guatemalteco; Alejo Carpentier, cubano; Julio Cortázar y Ernesto Sábato, argentinos; el colombiano Gabriel García Márquez, y el peruano Mario Vargas Llosa, entre los más sobresalientes.

B. Turismo cultural

5. Pista 31

TURISMO CULTURAL
San Francisco el Grande
La iglesia de San Francisco el Grande fue construida sobre el antiguo convento de Jesús y María. Según la tradición, el convento había sido fundado por el propio San Francisco de Asís en el año 1217 sobre una ermita anterior.

Después de varias restauraciones y modificaciones, la más importante en la segunda mitad del siglo XIX, el templo se abrió al público en 1889.

Lo más destacable es la rotonda, circundada por estatuas en mármol de los doce apóstoles de casi tres metros de altura, y coronada por una cúpula de 33 metros de diámetro, considerada como la tercera de la cristiandad, detrás de la de San Pedro de Roma (de 42 m) y la del Panteón de Agripa, también en Roma, con 43 metros.

También son de destacar las excelentes pinturas repartidas por el templo, casi todas ellas ejecutadas al óleo sobre yeso, obra de los artistas más sobresalientes del siglo XIX.

Además de la capilla mayor, alrededor de la rotonda hay seis capillas de planta cuadrada, de unos diez metros de lado. Cada capilla es de estilo diferente.

La primera capilla a la izquierda es la de San Bernardino, de estilo plateresco. De sus muros cuelgan tres lienzos del año 1784, adornados con el cordón franciscano.

El lienzo de la derecha es de Andrés de la Calleja y representa a San Antonio de Padua besando los pies del Niño Jesús, el cual está en los brazos de su madre sentada en un trono.

El lienzo central es obra de Francisco de Goya, que lo pintó a la edad de 37 años. Representa a San Bernardino de Siena predicando para el rey Alfonso V de Aragón. El personaje que aparece entre el público, a la derecha del santo, con un chaleco amarillo, es un autorretrato de Goya.

En el lienzo de la izquierda aparece el cardenal San Buenaventura ante el sepulcro de San Antonio de Padua con motivo del traslado de su cuerpo en 1263. Es del pintor Antonio González Velázquez.

El tema de la cúpula, que se acabó de pintar en 1917 se titula *Las virtudes coronadas por los ángeles*. Se presentan las figuras emblemáticas de las virtudes acompañadas de ángeles portadores de coronas y ramos.

Por último, el altar, terminado en 1895 por F. Nicoli, es de mármol y terracota esmaltada o mayólica.

DELE

Comprensión auditiva

1. Pista 32

Capitán Alatriste, una película

ENTREVIS.: Hoy abrimos nuestro apartado dedicado al cine con dos invitados de excepción. Como sabéis se ha terminado recientemente el rodaje de la película española *Alatriste*, y tenemos con nosotros al autor de esta afamada obra literaria, Arturo Pérez-Reverte, y a su actor principal, Viggo Mortensen. En primer lugar muchas gracias por acompañarnos. ¿Satisfechos con el resultado?

VIGGO M.: Mucho y, además, desde el principio. Desde el vestuario hasta las batallas. La actitud del director reflejaba perfectamente la obra de Arturo.

ENTREVIS.: ¿Dónde han estado las mayores dificultades?

ARTURO P.: Aparte de la dureza y las complicaciones propias de un rodaje, que fue más o menos como en todas las películas, me gustaría destacar la manera como Viggo encarnó su personaje. Porque ten en cuenta una cosa: él no es español, aunque domina nuestro idioma. Lo que hubo fue un proceso de asimilación del personaje extraordinario, eso es lo que más me impresionó.

ENTREVIS.: Lo que estaba claro desde el principio es que la película se rodaría en español, ¿por qué?

ARTURO P.: Esa fue mi condición. Es que, si no, no se rodaba. Quevedo tenía que hablar en español.

VIGGO M.: Si a mí me hubieran presentado este guión en inglés, lo primero que hubiera dicho es que si querían hacerlo tenían que rodarlo en español.

ENTREVIS.: Arturo, he oído que ha faltado apoyo institucional para hacer esta película.

ARTURO P.: Efectivamente así ha sido. Esta ha sido posible gracias al apoyo de unas pocas personas y a un canal de televisión. Nadie apostaba por la película. A quien he de agradecérselo muy especialmente es a Viggo, quien con su prestigio podía haber hecho cualquier otra película y, sin embargo, se enamoró del proyecto.

ENTREVIS.: Sólo me queda desearos mucha suerte en esta nueva aventura.

El Semanal, 26-agosto-2006

2. Pista 33

La solución está en el hombre

"En un mundo que es un caos social, político y medioambiental, ¿cómo puede la especie humana sobrevivir los próximos 100 años?". Menuda pregunta. Es la que lanzó a principios de julio el astrofísico inglés Stephen Hawking al ciberespacio a través del programa ¡Yahoo! Más de 25.000 personas contestaron al sabio, quizá porque no todos los días tiene uno la suerte de contar con un interlocutor de tan alta talla intelectual. Antes de acabar el experimento, el físico ha elegido la mejor respuesta.

El honor de ser el más brillante ha recaído en la persona que firmó con el pseudónimo de "Científico casi loco", con una respuesta optimista. El internauta asegura que el caos no es algo nuevo, sino que "ha estado con nosotros desde hace mucho tiempo", y que, a pesar de todo, el ser humano ha logrado sobrevivir. Afirma que somos una especie que siempre se ha adaptado y que seguiremos haciéndolo. Aunque reconoce que ahora hay peligros nuevos e identifica tres amenazas graves: una guerra nuclear, una catástrofe biológica y el cambio climático. El "científico casi loco" sostiene que si Europa sobrevivió a la peste negra del siglo XIV, que se llevó por delante a un tercio de la población, el ser humano logrará superar cualquier catástrofe que pueda ocurrir.

El País, 24-agosto-2006

3. Pista 34

Véase la transcripción de la unidad 2, pista 4.

4. Pista 35

Véase la transcripción de la unidad 9, pista 24, apartado C.